新編高麗史全文

세가7책

원 종

目　次

『高麗史』卷二十五 世家卷二十五

[輔國崇祿大夫·議政府左贊成·知集賢殿經筵春秋館成均事·世子賓客·臣金宗瑞奉敎撰]

正憲大夫·工曹判書·集賢殿大提學·知經筵春秋館事兼成均大司成·臣鄭麟趾奉敎修

元宗 一

元宗·忠敬·順孝大王,[1] 諱禃, 字日新, 舊諱倎, 高宗長子, 母曰安惠太后柳氏, 高宗六年己卯三月乙酉19日生, 二十二年正月, 册爲太子, 四十六年四月, 入朝蒙古.

六月壬寅30日, 高宗薨, 右副承宣金仁俊以戎服率甲士及東宮僚屬, 奉太孫諶, 入大內, 權監國事. 文武百官詣殿陳賀.

○遣別將朴天植, 告哀于蒙古.

[是月初, 太子倎至燕京, 帝南征, 駐蹕釣魚山, 於是離燕京, 將詣行在, 道過京兆·潼關:追加].[2]

秋七月癸卯朔小盡,壬申, 乙巳3日, 平章事~~門下侍郞平章事致仕~~宋恂卒.[3] [恂, 以知禮聞, 雖在懸車, 凡國典禮, 皆就咨焉:節要轉載].[4]

[丁未5日, 月犯大微~~太微~~上相:天文2轉載].

乙卯13日, 有事于大廟~~太廟~~. [以國恤, 除牲牢樂懸:禮6國恤·節要轉載].

[○太白犯東井:天文2轉載].

---

1) 이에서 順孝는 1274년(충렬왕 즉위년) 8월 19일(甲子) 世子(충렬왕)가 元에 있었기에 百官이 올린 諡號이고, 元宗은 廟號이다(세가27, 원종 15년 8월 甲子). 또 忠敬은 1310년(충선왕2) 7월 20일 大元蒙古國으로부터 받은 시호이다.

2) 이는 『익재난고』 권9상, 忠憲王世家에 의거하였는데, 원종 1년 3월 24일(辛卯)에도 수록되어 있다. 또 釣魚山은 현재의 四川省 重慶市 合川區의 四川盆地에 있고, 京兆府는 唐의 首都인 長安(現 陝西省 西安市)이며, 潼關縣은 현재의 陝西省 渭南市의 북쪽에 있다.

3) 宋恂은 1254년(고종41) 3월 2일 門下侍郞平章事로서 일종의 勳職인 守太尉를 부여 받았다. 그런데 宋彦琦(宋恂의 子)의 열전에는 中書侍郞平章事로 기록되어 있는데, 오류일 것이다(열전15, 宋彦琦). 또 이날은 율리우스曆으로 1259년 7월 24일(그레고리曆 7월 31일)에 해당한다.

4) 이와 같은 기사가 열전15, 宋彦琦에도 수록되어 있다.

[戊辰26日, 鎭星犯羽林:天文2轉載].

己巳27日, 西京蒙兵闌入靑松·<u>安嶽</u>安岳·豊·海州, 驅掠人物而去.

○太白晝見, 經天.

庚午28日, 遣監門衛錄事韓景胤·權知直史館洪貯于日本, 請禁海賊.

○北界別抄都領·郞將李陽著率兵, 將移于豊州<u>椒島</u>, 麾下紿曰, 請下陸而畋, 遂殺陽著及京兵, 浮海而逃.[5)]

○蔚珍縣令朴淳, 船載妻孥·臧獲幷家財, 將適蔚陵, 城中人知之, 會淳入城, 被拘留, 舟人以其所載, 遁去.

[某日, 以朴堅爲慶尙道按察使:慶尙道營主題名記].

[是月癸亥21日, 蒙古憲宗<u>蒙哥</u>卒:追加].

八月壬申朔大盡,癸酉, 丙子5日, 太孫加元服于麗正宮, 受字曰晴.

己卯8日, 大將軍朴希實·將軍趙文柱, 偕蒙使<u>尸羅門</u>等來.[6)]

辛巳10日, 太孫迎詔于重房, 詔曰, “每年, 汝以出島爲奏, 依汝所奏, 來出陸地, 揀居南京·西京等處, 今從爾便. 緣此, 已降宣諭訖, 有違元奏, 屢發狂詞, 將不恤生靈之命, 崔令公崔竩者, 已行殺訖, 今奏出島歸居王京, 効力事, 今若依汝奏, 出居王京時, 汝之未降時太宗合罕皇帝在日後, 及朕卽位時, 凡所降高麗人, 令汝管領. 或不管領, 臨時, 朕自裁焉. 將殺訖不恤生靈崔令公輩, 朴尙書朴希實·趙尙書趙文柱二人, 令管汝之所委萬戶, 特賜金符去訖”. 初, 希實等踰蜀山, 追皇帝南征行在所, 三月十五日, 謁帝于<u>陜州</u>陝州.[7)] 帝曰, “汝國王每食言, 汝等何爲來耶?”. 希實, 具陳表意, 仍奏請罷西京·義州屯兵, 令民安業. 帝曰, “爾等, 旣欲與我同心, 何憚我兵駐爾境. 且西京以外, 嘗爲我兵駐處, 爾國若速出島, 第勿令侵擾耳. 太子之行, 不出爾國, 則可與俱還, 如入吾地, 其以單騎來朝”.

乙酉14日, 太孫餞尸羅問, 尸羅問出也速達牒曰, “帝所往來宣使及本處使佐沿路, 站赤闕少. 西京以南, 汝國列置站赤, <u>人戶</u>·鋪馬, 一切所<u>湏</u>須諸物,[8)] 照依已前<u>設置</u>,

---

5) 椒島는 豊州 管內에 있는 島嶼로 현재의 황해남도 과일군에 소속되어 있다고 한다(姜在光 2008년).

6) 尸羅門은 失列門·失烈門·失里門[Shiramon]의 다른 表記이다.

7) 여러 판본의 『고려사』에서 陜州(합주)로 되어 있으나 陝州[섬주]의 오자이다. 陝州는 現在의 河南省 西部地域에 위치한 三門峽市 陝縣으로 옛날부터 軍事要衝地였다.

8) 이 句節은 몽골제국 시기의 文書에는 ‘鋪馬祗應(使臣에게 驛馬와 糧食을 供給할 것)’으로 表記하였을 것이다.

無得少闕，西京以北，合用站驛，亦宜准備安置”.

丙戌[15日]，忠淸道按察使報，東界叛民引蒙兵，入寇.

[庚子[29日]，太白犯軒轅:天文2轉載].

[是月頃，太子倎至京兆潼關，守土者，迎至[雍州驪山]華淸宮,[9] 請浴溫泉，王[太子]謝曰，“此唐明皇[玄宗]所嘗御者，雖異世，人臣安敢褻乎?”．聞者，嘆其知禮．至六盤山[六盤山]．九月頃，聞帝[憲宗]晏駕:追加].[10]

九月 [壬寅朔[小盡,甲戌]，月與歲星，同舍于氐．流星出北極，入鉤陳:天文2轉載].

[乙巳[4日]，流星二出北河，分入東井·輿鬼:天文2轉載].

[丙午[5日]，太白犯軒轅左角:天文2轉載].

[癸丑[12日]，月入羽林，與鎭星同舍:天文2轉載].

[某日，上大行王謚[諡]曰安孝，廟號高宗:節要轉載].

丙辰[15日]，[別將]朴天植偕也速達使者加大·只大等九人還．[也速達曰，“凶事不達帝所，其與吾使還去”．太孫曰，“大朝使，不可以凶服迎，當服皀鞓以迎，其留使外館，以待終制”:節要轉載].

[→丙辰，蒙使加大·只大等來．太孫傳令旨曰，“大朝使來，不可以凶服迎，當服皀鞓以迎．其留使外館，以待終制”:禮6國恤轉載].

己未[18日]，葬高宗于洪陵，太孫釋服.

[→己未，葬高宗于洪陵，太孫釋服．元宗在元，聞訃，服喪三日而除:禮6國恤轉載].

---

9) 華淸宮은 唐 玄宗代에 건립된 驪山 溫泉[溫湯]에 있던 離宮으로 安史의 難 이후 荒廢해졌고, 몽골제국 쿠빌라이 즉위이후에 중건되었기에 高麗太子가 이곳에 도착했을 때 溫泉만이 남아 있었을 정도일 것이다. 중건된 이후에는 陝西行省 奉元路 雍州 管內(現 陝西省 西安市 臨潼區 位置)에 위치하였다.

· 『자치통감』 권190, 唐紀6, 高祖武德 6년(623) 2월, “庚戌[4日]，上幸驪山溫湯[胡三省注，驪山在雍州新豊，有溫泉，天寶起華淸宮於此．驪，力知翻]．甲寅[8日]，還宮”. 여기에서 天寶는 玄宗 在位年間으로 742년(천보1)에서 756년(천보15)에 해당한다.

10) 이는 『익재난고』 권9상, 忠憲王世家에 의거하였는데, 이는 원종 1년 3월 24일(辛卯)에도 수록되어 있다. 또 六盤山은 中原의 西南部인 寧夏回族自治區 固原市 隆德縣에 있다(海拔高度 1,500~2,000m). 憲宗은 7월 21일(癸亥)에 崩御하였지만, 揚子江 中流의 黃陂(現 湖北省 武漢市 黃陂區)에 주둔하고 있던 쿠빌라이[忽必烈]도 9월 1일(壬寅)에야 이 소식을 들었다고 한다(『원사』 권4, 본기4, 세조1, 헌종 9년 9월 壬寅). 후일 이 산에 忙哥剌(Mungkera, 世祖의 3子, ?~1280, 阿難答의 父)의 여름철 駐屯地[避暑地]인 開成安西王府가 설치되었다고 한다(寧夏文物考古硏究所 編 2009年).

辛酉[20日], 太孫迎加大等于重房, 加大曰, "吾等當巡審水內及陸居之狀, 加大發向喬桐, 只大發向安南□□□[都護府]".

[癸亥[22日], 太白犯大微[太微]右執法:天文2轉載].

[丁卯[26日], 月入大微[太微]. 太白·熒惑入大微[太微]端門. 太白又犯□□[太微]左執法:天文2轉載].

[戊辰[27日], 霜降. 太白·熒惑, 相犯:天文2轉載].

冬十月 [辛未朔[小盡,乙亥], 太白·熒惑犯大微[太微]左執法:天文2轉載].

[庚辰[10日], 月入羽林, 與鎭星同舍. 流星出天關, 入參星:天文2轉載].[11)]

[某日, 也速達使者韓洪甫來. 洪甫, 本杻城人,[12)] 嘗怨其兄洪弼, 投蒙古, 也速達愛之如子. 至是, 紿也速達云, "吾在本國, 窖藏白銀, 人莫知之. 且吾兄家產頗饒, 聞今已死, 請往收財物及吾藏銀而來", 也速達許之. 洪甫來言於朝曰, "我之投蒙古, 以吾兄故, 本非背國也". 後也速達牒云, "韓洪甫, 向者, 托以取財物, 逃竄不還, 兩國和好之約不固者, 實由如此姦人也, 請捕送". 時洪甫歸其鄕, 遣夜別抄追捕:節要轉載].

[→韓洪甫, 樞城人. 嘗怨其兄洪弼, 反[叛]入蒙古, 也速達愛之如子. 一日, 紿也速達云, "吾在本國, 窖藏白金, 人莫知之. 且吾兄家產頗饒, 聞今已死, 請往收兄財及吾藏銀而來". 也速達許之, 仍遣二人伴行. 洪甫至金郊驛, 自計以爲, "若偕二人入京, 不可獨留". 託語二人曰, "今吾失冠, 請還尋之". 取他人鞍馬, 匿草莽. 乃後二人而來, 言於朝曰, "我之投蒙古, 以吾兄故, 本非背國. 不勝懷土之情以來". 未幾, 也速達牒云, "樞城人韓洪甫, 投入已有年矣. 向者, 請取本郡大井寺窖藏銀物而來, 我令二人伴行, 及到金郊驛, 逃竄不還. 兩國和好之約不固者, 實由此等姦人語言也, 請捕送." 時洪甫歸其鄕久矣, 遣別抄追捕之:列傳43韓洪甫轉載].

壬午[12日], 諸功臣畋於江外, 會將軍李仁恒第, 置酒張樂, 達曙乃罷. 先王纔葬, 嗣王未還, 遊獵宴樂, 時議譏之.

[乙酉[15日], 月食, 密雲不見:天文2轉載].[13)]

---

11) 辛未에 朔이 탈락되었다.

12) 杻城(혹은 樞城, 추성)은 洪州管內의 杻城郡(槥城郡의 다른 表記)인데, 현재의 忠淸南道 唐津郡 沔川面 지역이다(→靖宗 7년 1월 某日).

13) 이날 宋에서도 월식이 이루어졌다(『송사』 권52, 지5, 천문5, 月食). 이날은 율리우스曆의 1259년 11월 1일이고, 월식 현상이 심했던 때의 世界時[標準時]는 20시 18분, 食分은 0.72이었다

[丁酉[27日], 月與太白, 同舍于亢:天文2轉載].

[□□[~~是月~~], 濟州舊俗, 凡男年十五以上者, 歲貢豆一斛, 衙吏數百人, 各歲貢馬一匹, 副使·判官受而分之. 以故凡宰州者, 雖貧皆致富. □□[~~是時~~?] 金之錫爲副使, 卽蠲貢豆, 選廉吏十人, 以充衙吏. 又除貢馬, 政廉清, 吏民懷服:節要轉載].

[→金之錫, 未詳其世係. 高宗末, 爲濟州副使. 州俗, 男年十五以上, 歲貢豆一斛, 衙吏數百人, 各歲貢馬一匹, 副使·判官分受之. 以故守宰雖貧者, 皆致富. 有井奇·李著二人, 嘗守是州, 俱坐贓免. 之錫到州日, 卽蠲貢豆·馬, 選廉吏十人, 以充衙吏, 政清如水, 吏民懷服. 先是, 有慶世封者, 守濟州, 亦以淸白稱. 州人曰, "前有世封, 後有之錫":列傳34轉載].

十一月[庚子朔大盡,丙子], 癸卯[4日], [參知政事]李世材偕蒙使於散等四人來. 初, 世材在<u>燕朝</u>[燕都],[14] <u>洪福源子</u>,[15] 使人訴於帝曰, "高麗出降, 非眞也". 世材知之, 先告也速達曰, "聞有讒者, 願勿聽". 也速達卽收福源子, 遣於散, 偕世材來, 審出陸之狀. 於是, 發軍三十領, 創宮闕於舊京.

[○太白犯氐:天文2轉載].

己酉[10日], 太孫宴蒙使於散, 於散責以出陵稽緩. 大將軍朴希實對曰, "頃者, 吾與尸羅問, 謁帝, 勑臣等曰, 爾國必運木石, 以爲宮室, 限三載罷兵, 待營構畢, 卽令出居. 況今嗣王未還, 臣等何敢自專, 且帝豈妄言耶?". 於散默然.

[癸丑[14日], <u>大雪</u>. 月犯昴星:天文2轉載].

甲寅[15日], 西海道出排別監馳報, "今<u>兵</u>[民]出陸者, 皆爲蒙兵所虜, 請停出陸".[16]

丁巳[18日], 蒙兵入坡平縣, 驅掠人物. 潛遣銳卒, 擊之.

[○太白犯房上相:天文2轉載].

庚申[21日], 地震.

[乙丑[26日], 月犯氐星:天文2轉載].

[丙寅[27日], 太白·歲星犯心:天文2轉載].

(渡邊敏夫 1979年 481面).

14) 燕朝는 『고려사절요』 권17에는 燕都로 되어 있는데, 後者가 옳을 것이다.

15) 이에서 洪福源子는 洪福源의 2子 洪茶丘일 것이다.

16) 兵은 『고려사절요』 권17에는 民으로 되어 있는데, 후자가 옳을 것이다(盧明鎬 等編 2016년 461面).

[丁卯28日, 月犯尾星, 與歲同舍:天文2轉載].

是月, 京城大饑. 官吏與民, 就食南州者, 絡繹於道, 重房·御史臺禁官吏出關, 官吏餓死者多.17)

閏[十一]月庚午朔小盡,丙子, [丁丑8日, 月入氐星:天文2轉載].

庚辰11日, 清化公璟卒.18)

[某日, 大倉~~太倉~~頒五品祿, 倉匱, 只給數十人, 乃止:節要轉載].

[→太倉頒五品祿, 倉匱, 只給數十人:食貨3祿俸轉載].19)

甲申15日, [小寒]. 兩府請除授百官, 太孫讓曰, "我雖監撫, 至於選授, 非所敢專, 必待君父之還". 兩府固請曰, "我國專賴領府, 以爲藩垣, 今校尉·隊正, 死者大太半, 不可不塡闕". 太孫勉從之, 乃除授五品以下.

[○以鄭仁卿爲興威衛保勝左府第二校尉領隊正:追加].20)

丙戌17日, 太孫宴蒙使於散.

[癸巳24日, 月又入氐星, 與熒惑同舍:天文2轉載].

[是月, 太子倎聞阿里孛哥阻兵朔野,21) 諸侯虞疑, 罔知所從. 時皇弟忽必烈觀兵江南, 太子遂南轅閒關. 至梁楚之郊, 皇弟適在襄陽, 班師北上. 王服軟角烏紗幞頭·廣袖·紫羅袍·犀鞓·象笏, 奉幣, 迎謁道左. 眉目如畫, 周旋可則, 群僚皆以品服, 排班于後. 皇弟驚喜曰, "高麗萬里之國, 自唐太宗親征, 而不能服, 今其世子, 自來歸我, 此天意也". 大加褒奬, 憲宗9年12月與俱至開平府~~燕京~~,駐留三個月, ~~又明年二月至開平府~~: 追加].22)

---

17) 이 기사에서 官吏가 두 번 기재되어 있는데, 『고려사절요』 권17에서 前者는 民으로 달리 표기되어 있고, 後者는 기재되어 있지 않다. 또 일본에서도 이해(1259, 正元1)의 봄[春]부터 여름[夏]에 이르기까지 전국에서 疫癘가 크게 流行하였고, 饑饉으로 인해 民庶가 많이 사망하였다고 한다(權藤成卿 1984年 397面).

· 『五代帝王物語』, "正嘉三年春比より、世のなかに疫癘夥しくはやりて、下﨟共はやまぬ家なし、川原などは、路をなき程に死骸みちて、淺ましき事にて侍りき".

18) 이와 같은 기사로 다음이 있으나 爵位에 차이가 있다. 이날은 율리우스曆으로 1259년 12월 26일(그레고리曆 1260년 1월 2일)에 해당한다.

· 열전3, 顯宗王子, 平壤公基, "璟, 封清化侯, 高宗四十六年卒".

19) 原文에는 十一月로 되어 있어 閏字가 탈락되었다.

20) 이는 「鄭仁卿政案」에 의거하였다.

21) 元宗의 世家篇에서 阿里孛哥(Ali Buke, Ariq-buke, ?~1266, 世祖 忽必烈의 弟)를 7월 己巳(3일)에는 阿里不哥로, 2년 4월 己酉(18일)에는 阿里孛哥로 표기하여 一貫性을 잃었다.

十二月[己亥朔大盡,丁丑], 辛丑[3日], 太孫以監察御史金壽安, 嘗所受學, 賜犀帶一腰.

[丙午[8日], 熒惑犯房上相:天文2轉載].

[戊申[10日], □□[熒惑]犯鉤鈐:天文2轉載].

庚戌[12日], 蒙兵入松都, 驅掠康安殿守者. 別將大金就, 擊走之, 奪俘而還.

甲寅[16日], [立春]. 太孫宴金仁俊.

己未[21日], [門下平章事[門下侍郎同中書門下平章事·判吏部事]崔滋三上箋, 乞退:節要轉載].[23]
以中書□□[~~侍郎~~]平章事金起孫, 兼門下□□[~~侍郎~~]平章事.

庚申[22日], 也速達使者阿介等十二人來.

辛酉[23日], 太孫宴阿介等.

[→<u>太孫宴阿介</u>, <u>阿介等詰曰</u>[~~太孫宴阿介等~~, ~~阿介詰曰~~], "尹椿·閔偁·洪甫·張升才·郭汝益·松山六人之不還, 何也". 曰, "松山·升才已死, 洪甫今未獲, 尹椿·閔偁流遠島". 阿介曰, "死者已矣, 若洪甫·尹椿輩, 可率以還". 對曰, "流者, 路遠水深, 不可計日, 而致亡命者, 逃匿幽險, 亦難捕得". 阿介曰, "幽險亦國之地, 何不得之有?". 於是, 召還閔偁:節要轉載].[24]

---

22) 이는『익재난고』권9상, 忠憲王世家에 의거하였는데, 이는 원종 1년 3월 24일에도 수록되어 있다. 이때 牛頭山(現 湖北省 十堰市 牛頭山로 추측됨)에 주둔하고 있던 쿠빌라이[忽必烈]도 11월 17일(丙辰) 阿里孛哥의 擧兵을 듣고서 윤11월 2일(辛未) 鄂州(현 호북성 동쪽의 鄂州市)에서 回軍하여 28일(己丑) 燕京에 도착하였다(『원사』권4, 본기4, 세조1, 헌종 9년 11월 丙辰, 윤11월 辛未, 己丑). 또 쿠빌라이는 燕京(現 北京市)에 3개월 정도 머물다가 明年(中統1) 3월 1일 開平府(現 內蒙古自治區 錫林郭勒盟[Xillingol League] 正藍旗 동쪽, 金蓮川 隣近의 草原)로 進軍하였기에 ~~添字~~와 같이 고쳐야 옳게 될 것이라고 한다(陳得芝 2012年·2013年 271面).

·『원사』권4, 본기4, 세조1, 中統 1년, "春三月戊辰朔, 車駕至開平. …".
그리고 襄陽은 현재의 湖北省 북쪽의 襄陽市인데, 이 시기는 1259년(원종 즉위년) 윤11월이었고(『익재난고』권6, 在大都上中書都堂序, 권9上, 忠憲王世家), 이때 太子 倎의 一行이 降服을 슬퍼하여 '市街를 지날 때 모두 얼굴을 가리고 통곡하였다'고 한다.

·『陵川集』권10, 高麗歎, "高麗立國千餘年, 跨山連海東北偏. 文物制度慕漢唐, 衣冠禮樂如中原. 曾蹶煬帝困太宗, 拒險守要尤精雄. 瞰臨遼碣飲鴨綠, 風飄轉出東海東. 自被天兵都破碎, 稱臣納質兵弗退. 殘滅虜掠五十年, 窮蹙無聊竟何罪. 盡將生口賣幽燕, 年年探借高麗錢. 肌膚玉雪髮雲霧, 羅列人肆眞可<u>怜</u>. 前年令公輔太子, 釣魚山前見天子. 掩面過市衆皆哭, 哭聲痛入燕人耳. 幾廻事宋事遼金, 不似今番寃苦深. 甘心曲股渾不信, 要把高麗都殺盡. 嗚呼哀哉, 何時免此殺戮運".

·『國朝文類』권41, 雜著, 政典總序, 征伐, 宋, 末尾, "… 惟太祖皇帝以來, 西夏·回紇·高昌·六詔·交州·三韓, 以及中原, 悉爲臣庶, 獨宋未下, 我世皇, 遂能一六合車書, 混光嶽之氣以上, 接百王之統. 嗚呼, 盛哉, 若神謀睿筭, 獨運於萬物之表者, 有不可得, 而知將相之方略, 士卒之擧勇, 取<u>舍</u>[捨]之機會, 降下之次第, 則悉著篇中".

23) 이는『고려사절요』권17에서 轉載하였는데, 이렇게 하여야 文脈이 통할 것이다.

24) 이 기사는 ~~添字~~와 같이 고쳐야 옳게 될 것이다.

[→也速達又遣阿介等來, 詰曰, "洪甫·尹椿·閔偁·張升才·郭汝益·松山六人, 何不遣還". 曰, "松山·升才已死, 洪甫今猶未獲, 閔偁·尹椿流遠島, 汝益無恙". 阿介曰, "死者已矣, 若洪甫·尹椿之輩, 可率以還". 曰, "流者, 路遠水深, 不可計日, 而致亡命者, 潛匿幽險, 亦難速得". 阿介曰, "雖幽險, 亦國地, 何不可得":列傳43 韓洪甫轉載].

[是年, 以衛社功臣成均大司成柳璥內鄕, 陞儒州監務官爲文化縣令官, 金仁俊內鄕[外鄕], 順安縣令官爲知榮州事官, 外鄕[內鄕]海陽縣令官爲知益州事官,[25] 朴希實內鄕, 燕山郡監務官爲爲文義縣令官, 李仁桓內鄕, 陞白州爲忠翊縣令官, [大將軍]朴松庇內鄕, 禮州防禦使爲德原小都護府, 將軍車松祐內鄕, 陞永膺縣令官爲知復州事官, 林衍內鄕, 陞淸州管內鎭州爲彰義縣令官, 李公柱內鄕, 新恩縣爲知潭州事官, 金洪就內鄕, 陞溟州防禦使, 爲慶興都護府:地理志轉載].[26]

[○以原州逆命, 降爲一新縣:地理1轉載].[27]

[○以和·登·定·長四州, 沒於蒙古, 割慶尙道之平海·德原·盈德·松生, 隷溟州道. 又以忠淸道之寧越·平昌, 隷溟州道, 尋還屬:地理2慶尙道·地理3東界轉載].[28]

---

25) 金仁俊의 경우 그의 封君號가 海陽公인 점을 보아 順安縣은 內鄕이 아니라 外鄕이고, 海陽縣은 外鄕이 아니라 內鄕일 가능성이 있다(尹京鎭 2009년).

26) 이는 다음의 자료에 의거하였다. 이때 공신들로 인해 승격된 郡縣 중에서 後日 政變으로 인해 金俊(金仁俊)·車松祐·李公柱·金洪就·林衍 등과 같이 肅淸된 人物들의 緣故地는 모두 원래대로 降格[還降]되었을 것이다(尹京鎭 2009년).
- 지12, 지리3, 西海道 白州(배주), "高宗四十六年, 以衛社功臣李仁植[李仁桓]內鄕, 陞忠翊縣令官". 이에서 李仁植은 李仁桓의 오자인데, 그는 원래 李延紹였으나 李仁桓으로 改名하였다(→고종 45년 4월 1일의 脚注).
- 『세종실록』 권152, 지리지, 황해도 白川郡, "高宗四十六年己未, 以衛社功臣李仁植[李仁桓]內鄕, 陞爲忠翊縣令官".
- 지12, 지리3, 溟州, "後又改防禦使, 元宗元年, 以功臣金洪就鄕, 陞慶興都護府". 여기에서 元宗元年은 여타의 功臣들과 마찬가지로 高宗四十五年으로 고쳐야 옳게 될 것이다. 원래 『원종실록』에서 元宗元年으로 되어 있었을 것이지만, 『고려사』를 편찬할 때 卽位年稱元法에서 踰年稱元法으로 바꾸면서 오류가 발생하였을 것이다.

27) 原州의 降格은 1257년(고종44) 4월 20일 原州賊 安悅 등이 옛성[古城]을 근거로 반란을 일으킨 것에 대한 처벌로 추측된다(尹京鎭 2009년).
- 『신증국여지승람』 권46, 原州牧, 건치연혁, "… 高宗四十六年, 以州人逆命, 降爲一新縣".
- 『息山集』別集권4, 雉嶽□[世], "北原京, … 又有金臺城, 石築有遺址 … 金臺, 亦爲土賊所據. 高麗高宗時, 降州爲一新者, 以此也".

28) 尋은 구체적으로 어느 시기인지 알 수 없다.

[○以李瓊爲東京副留守:追加].[29)]

[○以禪師見明一然爲大禪師:追加].[30)]

[○以僧惠永爲三重大師:追加].[31)]

[○咸平宮主侍衛房造成華嚴經藏排靑銅香垸一副:追加].[32)]

[○日本僧某, 訪問巨濟島僧洪辯, 以求'法華經', 而置之於大宰府崇福寺. 其後. 僧法行隨使臣團, 渡崇福寺, 示前次傳受高麗之'法華經'歸還:追加].[33)]

庚申[元宗]元年, [只用當該年干支]
[蒙古憲宗十年→3月世祖卽位→5月中統元年],[34)] [南宋景定元年], [西曆1260年]

1260년 2월 13일(Gre2월 20일)에서 1261년 1월 31일(Gre2월 7일)까지, 354일

春正月己巳朔大盡,建戊寅, [庚午2日, 木稼:五行2轉載].

戊寅10日, 太孫, 以趙珦趙季珦?△爲參知政事,[35)] 崔昷爲樞密院使, 金佺·右僕射朴成梓△並爲樞密院副使. 珦以連姻國戚, 不得入省臺, 至是除之. [又以判禮賓省事羅得璜爲濟州副使. 前此, 宋佋守濟州, 坐贓免, 人語曰, "濟州昔經小盜, 今遇大賊":節要轉載].[36)] 又有知天文而拜大學博士者, 能暴虎而爲侍御醫者, 銓注之顚倒, 如此. 人嘲之曰, "占星大學博, 捉虎侍御醫".

---

29) 이는 『동도역세제자기』에 의거하였다.

30) 이는 「華山曹溪宗麟角寺普覺國尊碑銘」에 의거하였다.

31) 이는 「桐華寺住持五敎都僧統普慈國尊贈諡弘眞碑銘」에 의거하였다.

32) 이는 咸平宮主房 香垸의 銘文에 의거하였다(許興植 1984년 1046面).

33) 이는 다음의 자료에 의거하였다(嶺南大學圖書館 所藏).
· 了圓 編, 『法華靈驗傳』권下, 深敬辯山人之精書, "山人洪辯, 淳昌趙氏子, 出家于曹溪, 中高科, 往入巨濟山菴. 精進持戒, 一字一拜, 書法華經一部, 極盡莊嚴, 朝夕禮拜供養. 適有倭國僧來, 見懇求之, 乃付囑流通. 其僧頂戴, 賫歸本國, 船中放光, 到巳安崇福寺道場中, 衆僧禮敬, 感得舍利. 後一年道人法行, 隨使舸入彼國, 親見而來, 卽中統元年庚申也. 出海東傳弘錄".

34) 高麗에서는 이해[是年] 8월에 처음으로 蒙古의 年號인 中統를 使用하였다(表2, 年表2 ; 『경상도영주제명기』).

35) 趙季珦(趙冲의 次子)은 門下侍郎平章事에 이르렀고, 死後에 光定이라는 시호를 하사받았다고 한다(열전15, 趙冲).

36) 羅得璜에 관한 기사가 열전17, 羅裕에도 수록되어 있다.

○白州蘇復別監金守磾，與別將于琁，投于也速達．訴曰，“高麗復都舊京，非實也”．也速達信之．

○除宰樞以下給舍·中丞以上，讓謝箋.[37]

[庚辰[12日]，雨土:五行3轉載].

[辛巳[13日]，月犯軒轅大星:天文2轉載].

癸未[15日]，[豊州]席島·[三和縣]椵島人謀叛．西北面兵馬使李喬遣都領韋得柔[韋得儒?]，擊之，斬其魁來同等.[38]

○命右副承宣金仁俊，推檢別宮田.[39]

[史臣曰，“古之明君，或棄苑囿，許民耕種．今此別宮之田，皆爲權臣奪占，宜還本主，未嘗議此，而反更推檢，豈爲懲惡禁暴，乃所謂尤而效之者也”:節要轉載].

[○月犯大微[~~太微~~]西藩次將:天文2轉載].

[甲申[16日]，□[月]入大微[~~太微~~]:天文2轉載].

[丁亥[19日]，□[月]犯氐星:天文2轉載].

戊子[20日]，月犯房星，火□[~~星~~]犯木星，太孫憂懼，赦．不務修省，反赦元惡，以應天，時議譏之.[40]

[→月犯房次相．太史奏云，“前日，月犯房星，又火星將犯木星”．太孫憂懼，赦殺人强盜已下:天文2轉載].

庚寅[22日]，囚叛人金守磾父·西京副留[~~西京副留守~~]金軾於夜別抄所．

[壬辰[24日]，歲星與熒惑，相犯于箕:天文2轉載].

[甲午[26日]，雨土，日昏無光:五行3轉載].

[→日昏無光:天文1轉載].

[○雨雹:五行1雨雹轉載].

[某日，以王□[~~某~~]爲慶尙道按察使:慶尙道營主題名記].[41]

戊戌[30日]，西海道按察使馳報，“安北都領元振叛，執其州副使文秀及慈州副使金

---

37) 給舍·中丞은 從4品의 給事中·御史中丞을 合稱하여 表記하는 史官의 常套的인 수법이다.

38) 韋得柔는 1274년(충렬왕 즉위년) 10월 여원연합군의 일본원정에 참여했던 韋得儒의 오자일 것이다.

39) 『고려사절요』 권18에는 右副承旨로 되어 있으나 오자이다.

40) ~~添字~~가 탈락되었다.

41) 慶尙道按察使 王某는 이해의 3월에 閣門祗候 李世黃(李仁老의 子)과 함께 『파한집』을 간행하였다(→是年 3월 某日).

脉, 殺之".

○甕津縣令鄭崇降於蒙古.

[是月, 給田都監, 議請, '文武兩班, 前受之田, 肥磽不均, 隨職改給'. 權勢之家, 皆占良田, 惡其不便於己, 沮其議:食貨1經理轉載].

[是月朔, 南宋改元景定:追加].

二月[己亥朔小盡,建己卯], 庚子[2日], [春分]. 以濟州副使·判禮賓省事羅得璜兼防護使. 朝議濟州, 海外巨鎭, 宋商·島倭無時往來, 宜特遣防護別監, 以備非常. 然舊制, 但守倅而已, 不可別置防護, 遂以得璜兼之. 且故事, 京官秩高者補外職, 秩不相當, 則皆以本職, 帶前字赴官, 今若以前銜鎭之, 亦無威重, 故令銜頭, 除前字, 仍帶判事, 其通牒按察使, 稱防護使.

[壬寅[4日], 虎入內城:五行2轉載].

己酉[11日], 燃燈, 太孫如奉恩寺, 以十五日寒食, 是日預行之, 從禮部言也.

[→己酉, 燃燈,[42] 太孫如奉恩寺, 除黃紅傘·水精鉞鈇·駕前儀仗及引駕, 其他諸王·宰樞·兩班·士卒·侍衛, 如常儀. 入康安殿, 與諸王分坐東西, 看樂, 許諸王·宰樞·文武兩班, 服吉服·紅鞓:禮6國恤轉載].

[某日, 執閔偁·韓洪甫, 歸諸也束達:節要轉載].[43]

壬戌[24日], 王在京兆府,[44] 聞訃, 服喪三日而除, 受忽必烈大王之命, 乃還.[45]

[○金守磾與別將于綻[于琔][46], 俱剃髮, 在也束達屯所.[47] 訴曰. "高麗有急, 必遷

---

42) 燃燈은 延世大學本과 東亞大學本에는 燃澄으로 잘못되어 있다.

43) 이 기사는 열전43, 趙彝, 韓洪甫에도 수록되어 있다("於是, 召還[閔]偁并[韓]洪甫, 執送于也速達").

44) 이 京兆府는 開平府(現 內蒙古自治區 錫林郭勒盟 正藍旗 동쪽)를 指稱한다(→원종 즉위년 11월 是月의 脚注).

45) 이와 관련된 기사로 다음이 있는데, 여기에서 廉希憲(畏兀兒人, 1231~1280)의 직책인 陝西宣撫使는 陝西·泗川等路宣撫使 또는 京兆等路宣撫使로도 불렸다.

- 『원사』 권4, 본기4, 세조1, 中統 1년 3월 辛卯[24日], "陝西宣撫使廉希憲言, 高麗國王嘗遣其世子倎入覲, 會憲宗將兵攻宋, 倎留三年不遣. 今聞其父已死, 若立倎, 遣歸國, 彼必懷德於我, 是不煩兵而得一國也. 帝是其言, 改舘倎, 以兵衛送之, 仍赦其境內".
- 『원사』 권126, 열전13, 廉希憲, "明日卽位, 建元中統. 希憲上言, 高麗王子倎久留京師, 今聞其父死, 宜立爲王, 遣還國, 以恩結之".
- 『원사』 권208, 열전95, 外夷1, 高麗, "世祖中統元年三月, □□□□[以前年六月]瞰卒, 命倎歸國爲高麗國王, 以兵衛送之, 仍赦其境內. …".

46) 于綻은 于琔의 오자인데, 이 구절의 後半部에는 琔으로 표기되어 있다.

濟州，今云復都舊京，非□實也”．也束達信之，及太子東還~~自蒙古還~~，至也束達屯營，也束達欲令守碑，與太子辯．太子曰，“公何信叛人之言，吾寧祝髮，被拘於此，豈可與叛人辯哉”．也束達拘留樞密院使金寶鼎·~~指揮金大材·譯語李松茂~~等百人:節要轉載]．[48] 衙內都兵馬錄事陸子襄剃髮，投于蒙古，囚于琔·子襄父及兄弟．[49]

癸亥25日，將軍金承俊·侍郎李凝·散員閔洪濟等，偕蒙使加勿等六人，先到昇天館．

○也速達在道，謂王曰，“三月上旬，皆出古京，金仁俊當率百官，迎于西京”．王曰，“我國多賊，而國無主，仁俊不可離京”．也速達不復言，但再言撫恤于琔·守碑父子兄弟．於是，兩府議，放于琔等族類．

[○流星出三台，入北斗魁中:天文2轉載]．

乙丑27日，令大小官民·僧·道，各營屋宇於古京．

○遣參知政事李世材·同知樞密院事皇甫琦·右副承宣蔡楨等， 迎駕于西京． 時，王已過西京，東里大·康和尙等爲達魯花赤，隨王而來．東里大怒曰，“何其迎之晚也，往者于琔之言，誠不虛矣”．和尙本國晋州人，小時，被俘入蒙古，改名守衡．[50]

[某日，御史臺榜曰，“參上員衣冠不稱者，僧人笠子不中者，及賤隷騎馬朝路者，一依前 判冊，禁之．不從令者，收付所司”:刑法2禁令轉載]．

[是月頃，淸州戶長韓□弼與戶正韓億鑄成香垸一副，入重一斤五兩，施納思惱寺塔殿:追加]．[51]

三月戊辰朔大盡,建庚辰，日食．[52]

---

47) 이때 也速達의 屯所는 분명하지 않으나 西京(現 平壤市)으로 추정된다.

48) 이 기사에서 ~~添字~~는 열전43, 于琔에 의거하였다.

49) 衙內는 『고려사절요』 권18에는 그냥 都兵馬錄事로 되어 있다. 衙內는 唐代 이래 高位官僚의 子弟를 가리키고, 五代·宋初에는 藩鎭에 衙內都指揮使·牙內都虞侯 등이 大臣의 子弟로서 充員되었다고 한다. 그렇다면 '衙內都兵馬錄事 陸子襄'은 '高位官僚의 子弟[衙內]인 都兵馬錄事 陸子襄'을 지칭하는 것으로 추측된다.

50) 康守衡은 康和尙(康Qosan, 晋州人 出身 康守衡)의 改名이 아니라 本名일 가능성이 있다.

51) 이는 13세기 중기에서 후기 사이에 製造된 것으로 추측되는 忠淸北道 淸州市 興德區 社稷洞 216-1번지 無心川邊의 思惱寺趾에서 발견된 靑銅金鼓의 명문에 의거하였다(『韓國金石文集成』 35책 101面).

· 銘文, "庚申二月日戶長韓□弼·戶正韓億同心鑄成香垸一，重一斤五兩,施納思內寺塔殿".

52) 이날 宋에서도 일식이 있었다(『송사』 권52, 지5, 천문5, 日食). 이날은 율리우스력의 1260년 4월 12일이고, 開京에서 일식 현상이 심했던 시간은 16시 53분, 食分은 0.37이었다(渡邊敏夫 1979年 310面).

○太孫欲還都舊京，以大將軍金方慶·將軍金承俊·給事中趙文冑·中丞金洪就，爲出排別監．發廩米六千四百二十斛，分給諸王·百官，人一斛，以助營屋之費．

庚午3日，[穀雨]．以大將軍金方慶△爲知刑部事．

壬午15日，太孫與諸王·文武百僚，率三別抄精銳，出梯浦，迎駕．

甲申17日，王~~太子~~與蒙使東里大入開京，行視營築，出次昇天府北郊．東里大欲試王~~太子~~意，請先行．王~~太子~~信之，先入昇天闕．東里大恚怒，出屯于野．王~~太子~~請入城，東里大辭，“以彼此意異，吾欲還歸”．[53]

乙酉18日，東里大，又退屯于烏山．太孫自江華來謁．

翌日丙戌19日，太孫率御史中丞金洪就·將軍白永貞等，至東里大屯所，請之，賂鸚鵡盞·白銀三十斤．東里大乃許之．

丁亥~~辛卯~~24日，忽必烈大王卽皇帝位，詔還西京屯兵．[54]

[○王與東里大,同舟渡海,自承平門入闕,命宰臣告于景靈殿→다음의 句節로 옮겨감].

○初~~高宗46年6月~~，[55] 憲宗皇帝南征，駐蹕釣魚山，王~~太子~~自燕京赴行在，~~六月頃~~道過京兆·潼關．守土者，迎至華淸宮，請浴溫泉，王~~太子~~謝曰，此唐明皇玄宗所嘗御者，雖異世，人臣安敢褻乎．聞者，嘆其知禮．九月頃至六盤山~~六盤山~~，憲宗皇帝晏駕，而阿里孛哥阻兵朔野，諸侯虞疑，罔知所從．時皇弟忽必烈觀兵江南，王遂南轅間關．至梁楚之郊，~~閏十一月~~皇弟適在襄陽，班師北上．王服軟角烏紗幞頭·廣袖·紫羅袍·犀鞓·象笏，奉幣，迎謁道左．肩目如畫~~眉目如畫~~，[56] 周旋可則，群僚皆以品服，排班于後．皇弟驚喜曰，高麗萬里之國，自唐太宗親征，而不能服，今其世子，自來歸我，此天意也．大加褒奬，~~憲宗9年12月~~與俱至開平府~~燕京，又明年二月至開平府~~．[57]

○本國以高宗薨告，乃命達魯花赤東里大等，護其行，歸國．

○江淮宣撫使陝西宣撫使參議司事趙良弼言于皇弟忽必烈曰，[58] “高麗雖名小國， 依阻山

·『續史愚抄』1，文應 1년 3월，“一日戊辰，日蝕，一院御燈依蝕延引”．

53) ~~添字~~는『고려사절요』권18에 의거하였는데，이렇게 고쳐야 옳게 된다．

54) 忽必烈(Qubilai，監國 托雷의 第4子)이 開平府에서 卽位한 것은 3월 丁亥(20일)가 아니고 24일(辛卯)이기에 어떤 문제가 발생한 것 같지만(『원사』 권4，본기4，世祖1，中統 1년 3월 辛卯)，쿠빌라이가 17일(甲申)에 즉위하였다는 異說도 있다．

55) 이 기사는 ~~添字~~와 같이 고쳐야 옳게 읽을 수 있으며，기사의 일부를 前年으로 移動시켜 추가하였다[校正事由]．

56) ~~添字~~와 같이 고쳐야 옳게 된다(→원종 즉위년 윤11월 是月)．

57) 쿠빌라이는 太子 倎과 함께 前年 윤11월 20일(己丑) 燕京에 도착하여 冬節期를 近郊에서 주둔하다가 是年 3월 1일(戊辰) 開平府에 도착하였다(『원사』 권4，본기4，세조1，中統 1년 3월 戊辰)．

海, 國家用兵二十餘年, 尙未臣附. 前歲, 太子倎來朝, 適鑾輿西征, 留滯者二年矣, 供張踈薄, 無以懷輯其心, 一旦得歸, 將不復來. 宜其館穀, 待以藩王之禮. 今聞其父已死, 誠能立倎爲王, 遣送還國, □□世子必感恩戴德, 願修臣職, 是不勞一卒, 而得一國也". 陝西宣撫使廉希憲亦言之,[59] 皇弟然之, 卽日改館, 顧遇有加. [乃命達魯花赤束里大·康和尙, 護其行歸國. 和尙本晉州人, 嘗被虜入蒙古, 後名改守衡:節要轉載].[60]

[某日, 王與束里大, 同舟渡海, 自承平門入闕, 命宰臣告于景靈殿←옮겨옴].[61]

癸巳26日, 王萬戶王榮祖遣人, 歸我國男女六十餘人.

○旱.[62]

乙未28日, 雨.

○束里大·康和尙見王曰, "館待日厚, 感則感矣, 然忽必烈大王, 所以遣我者, 非爲在島中, 徒哺啜也, 如之何". 王無以對, 召兩府議之, 分文武兩班及諸領府, 爲三番, 往來開京, 以示遷都之意.

[是月, 閤門祗候·機張縣令李世黃與慶尙道按察使王□某開板'破閑集':追加].[63]

夏四月戊戌朔大盡,建辛巳, [己亥2日, 日珥:天文1轉載].

[某日, 太子下旨云, "散員康俊才, 以本系微賤, 限□在七品, 然能通蒙古語, 宜

---

58) 이때 江淮宣撫使 趙良弼과 陝西宣撫使 廉希憲이 皇弟 忽必烈(Qubilai)에게 高麗를 懷柔하기 위해서는 太子 倎을 歸國시켜야 한다고 建議하여 許諾을 받았다고 한다. 그러나 이때 趙良弼은 江淮宣撫使가 아니라 陝西宣撫使 廉希憲 麾下의 參議司事였고, 是年 8월 이후에서 明年(중통2) 4월 사이에 陝西四川宣撫使에 임명되어 廉希憲과 交代하였던 것 같다(『國朝名臣事略』 권11, 趙樞密文正公 ; 『원사』 권4, 본기4, 중통 1년 4월 戊戌朔 ; 『원사』 권126, 열전13, 廉希憲, 張東翼 2009년 459面 ; 藤野 彪·牧野修二 2012年 330面).

59) 廉希憲의 建議는 2월 24일의 脚注와 같다.

60) 束里大[Soridai]는 忽伯反[Qubaban]으로 달리 표기된 기록도 있다.

· 『익재난고』 권9상, 忠憲王世家, "… 本國以高王高宗薨告, 乃命達魯花赤忽伯反, 護其行歸國".

61) 太子 倎이 皇弟 쿠빌라이[忽必烈]를 만난 이후부터 귀국까지의 事實 展開를 순차적으로 정리하기 위해서는 文章의 순서를 바꾸어야 한다[校正事由].

62) 이달의 旱魃은 지8, 五行2에서도 확인된다.

63) 이는 다음의 자료에 의거하였다.

· 『破閑集』跋, "頃以事黜於東閣, 貶秩左符於機張縣, 于時按廉使大原王公, 弭節弊封. 間民之暇, 語及先人遺藁, 哀余力薄未遂其志, 命取雜文三百餘首破閑集三卷. 躬自檢閱, 命工鋟梓, 光曜幽宮. 又使僕之鬱結, 一朝氷釋, 則可不覶縷本末, 以視無極耶. 其所未畢者, 倘有雲來收拾餘, 緖繼志板傳, 則與戴經魯論所說, 亦可鏡於千古矣. 庚申三月日, 孽子閤門祗候世黃 謹誌".

限五品":節要·選擧3限職轉載].[64]

庚子[3日], 東里大欲往開京, 出屯于昇天府北郊, 遣上將軍申思佺等, 率初番文武兩班·十六領士卒, 先往開京.

壬寅[5日], 沒番三人逃來, 東里大曰, "此輩好爲妄言, 交構兩國, 以阻和親", 遂斬二人.

[甲辰[7日], 月犯軒轅:天文2轉載].

乙巳[8日], 同知樞密院事孫挺烈卒.[65]

[○日有暈, 白虹貫日:天文1轉載].

丙午[9日], 蒙使莿節等二十五人, 賫書來, 王以病, 命太孫迎之. 其書曰,[66] "我太祖皇帝, 肇基大業, 聖聖相承, 代有鴻勳. 芟夷群雄, 奄有四海, 先降後誅, 未嘗專嗜殺也. 凡屬國列侯, 分茅錫土, 傳祚子孫者, 不啻萬里, 孰非向之勁敵哉. 觀乎此, 則祖宗之法, 不待言而彰彰~~章章~~矣. 今也, 普天之下, 未臣服者, 惟爾國與宋耳. 宋所恃者長江, 而長江失險, 所藉者川廣, 而川廣不支, 邊戍自徹其藩蘺, 大軍已駐乎心腹. 鼎魚幕燕, 亡在朝夕. 爾初以世子, 奉幣納款, 束身歸朝, 含哀請命, 良可矜閔, 故遣歸國, 完復舊疆. 安爾田疇, 保爾家室, 弘好生之大德, 捐宿構之細故也. 用是, 已嘗戒飭~~敕~~邊將, 歛~~斂~~兵待命. 東方旣定, 則將回戈於錢塘. 殆餘半載, 乃知爾國內亂渝盟, 邊將復請戒嚴, 此何故也. 以謂果內亂耶, 權臣何不自立, 而立世孫. 以謂傳聞之誤耶, 世子何不之國, 而盤桓於境上也. 豈以世子之歸愆期, 而左右自相猜疑, 私憂過計而然耶. 重念島嶼殘民, 久罹塗炭, 窮兵極討, 殆非本心. 且御失其道, 則天下狙詐, 咸作敵, 推赤心, 置人腹中, 則反側□□~~之輩~~自安矣. 悠悠之言, 又何足校. 申命邊閫, 斷自予衷, 無以逋逃, 間執政, 無以飛語, 亂定盟. 惟事推誠, 一切勿問. 宜施曠蕩之恩, 一新遐邇之化. 自尙書金仁俊~~金仁㑺~~以次, 中外枝黨·官吏·軍民, 令旨~~聖旨~~到日已前, 或有首謀內亂, 旅拒王師, 已降附而還叛, 因仇讎而擅殺, 無所歸而背主亡命, 不得已而隨衆脅從, 應據國人但曾犯法, 罪無輕重, 咸赦除之. 世子其趣裝命駕, 歸國立政~~知政~~, 解仇釋憾, 布德施恩. 緬惟瘡痍之民, 正在撫綏之日,

---

64) ~~添字~~는 지29, 選擧3, 限職에 의거하여 추가한 것이다.

65) 이날은 율리우스曆으로 1260년 5월 19일(그레고리曆 5월 26일)에 해당한다.

66) 이 制書는 이 기사의 末尾와 같이 世祖 쿠빌라이가 卽位하기 이전인 2월 太子 倎이 귀국한 후 발급된 것으로 추측되는데, 『원사』 권208, 열전95, 外夷1, 高麗에도 수록되어 있다. 兩者 사이에 약간의 차이가 있어 함께 읽어야 할 것이며, 『원사』의 撰者가 卽位以前의 사실을 以後의 사실로 變改하기 위해 令旨를 聖旨로, 予를 朕으로 改書하였던 것 같다.

出彼滄溟，宅茲[於]平壤，賣刀劍而買牛犢，捨干戈而操耒耜．凡可援濟，毋憚勤勞，苟富庶之有徵，冀禮義之可復．亟正疆界，以定民心，我師不復踰限矣．大號一出，予[朕]不食言．復有敢踵亂犯上者，非干爾主，乃亂我典刑，國有常憲，人得誅之．於戲，世子其王矣，往欽哉，恭承丕訓，永爲東藩，以揚我休命”．

○盖帝未卽位時，聞王至西京留八九日，疑有變，故賜是書焉．

[○月犯大微[太微]東藩上相:天文2轉載]．

戊申[11日]，宰樞·功臣宴蒙使于館，荊節謂館伴李松縉曰，“作詩贈之而後飮”，松縉援筆題詩，節和之，飮酒甚樂．

庚戌[13日]，遣太府少卿張季烈[·將軍辛允和:追加]，[67] 賫祝壽疏及方物，如蒙古．

辛亥[14日]，放出諸島罪徒．

戊午[21日]，王卽位于康安殿，灌頂，受菩薩戒于慶寧殿．御康安殿，受百官朝賀，後著黃衣，坐龍床南面，束里大·波透上殿，據床東面，太孫·公·侯·伯·宰樞·文武兩班參上，以次入殿庭，參外立殿門外，上表行禮，呼萬歲．禮畢，王入閤，命太孫宴客使，僕射以下兩班，侍宴．[68]

[○歲星犯天江星:天文2轉載]．

[某日，校尉李寅自蒙古來云，“忽必烈大王，以三月二十□[四]日卽皇帝位，[69] 詔還西京屯兵”．是謂世祖皇帝:節要轉載]．

庚申[23日]，也束達放還[樞密院使]金寶鼎·金大材等一百人．

辛酉[24日]，蒙古遣其多大，詔曰，[70] “朕祗若天命，獲承祖宗丕烈，仰惟覆燾，一視

67) 이 기사에서 太府가 여타 기사의 大府와 달리 옳게 되어 있다. 또 이때 張季烈은 將軍 辛允和와 함께 파견되었다(→원종 1년 8월 13일).

68) 지18, 禮6, 凶禮, 國恤에는 “[元宗元年]三月甲申元宗還, 戊子卽位”로 되어 있으나 戊子卽位는 四月戊午卽位로 고쳐야 옳게 될 것이다.

· 『익재난고』 권9상, 忠憲王世家, “… 中統元年四月二十一日, 卽王位, 是爲元王[元宗]”.

69) 忽必烈[Qubilai]은 3월 24일(辛卯) 開平府에서 卽位하였으므로(46歲, 『원사』 권4, 본기4, 世祖1, 中統 1년 3월 辛卯), 이 기사에서 四가 탈락되었다. 그런데 쿠빌라이의 參謀였던 王惲(1227~1304)은 3월 17일(甲申)에 卽位하며 建元하였다고 一括記錄하였지만, 建元은 5월 19일(丙戌)이다.

· 『秋澗先生大全文集』 권80, ‘中堂事記’上, “庚申年春三月十七日, 世祖皇帝卽位於開平府, 建號爲中統元年. …”.

70) 이 詔書는 몽골제국에서 4월 2일(己亥)에 내려진 것이다.

· 『원사』 권4, 본기4, 世祖1, 中統 1년 4월, “己亥, 詔諭高麗國王王僎, 仍歸所俘民及其逃戶, 禁邊將勿擅掠”.

同仁, 無遐邇大小之間也. 以爾歸款, 既冊爲王, 今得爾與邊將之書, 因知上下之情, 朕所憫焉. 凡所啓禀, 區處于後.

一. 出水就陸, 以便民居事, 此朕所喜也. 今時方長育, 不可因循, 自誤歲計, 更當勸課農桑, 以阜殘民.

一. 請罷軍士事, 若留軍壓境, 不無騷動, 已勑將帥, 卽日班師. 其體朕兼愛之心, 毋自疑懼.

一. 前年春, 被虜逃來人民, 乞放還事, 已下有司, 遍行刷會. 自言約之後, 逃虜人等, 放令還國, 到可收係存恤.

一. 凡爾國中, 應有作過犯罪, 欽依前來已降赦文, 施行. 軍人擅掠人物一絲者, 具以實聞, 依條斷罪".

甲子[27日], 莿節·其多大等, 怒贈遺不如意, 卷坐席而去. 節, 初不近娼兒, 所得幣帛, 分與麾下. 至是, 人欺其詐.

丙寅[29日], 遣永安公僖如蒙古, 賀卽位,[71] 表曰, "千齡啓旦, 如日之昇, 四海爲家, 受天之祜[祐],[72] 統臨之始, 欣戴所同, 恭惟聖烈丕承, 神謀果斷, 修文偃革, 舞干羽

· 『원사』 권208, 열전95, 外夷1, 高麗, "四月, 復降旨諭倎曰, 朕祗若天命, 獲承祖宗休烈. 仰惟覆燾, 一視同仁, 無遐邇小大之間也. 以爾歸款, 既冊爲王還國, 今得爾與邊將之書, 因知其上下之情, 朕甚憫焉. 倎求出水就陸, 免軍馬侵擾, 還被虜及逃民, 皆從之. 詔班師, 乃赦其境內".

· 『원고려기사』本文, "世祖皇帝, 中統元年庚申四月二日, 降旨宣諭高麗國王倎曰, 朕祗若天命, 獲承祖宗休烈, 仰惟覆燾, 一視同仁, 無遐邇小大之閒也. 以爾歸款, 既冊爲王還國, 今得爾與邊將之書, 因知其上下之情, 朕甚憫焉. 凡所懇祈 區處于後, 一. 出水就陸, 以便民居事, 此朕素所喜也. 今時方長育, 不可因循, 自誤歲計, 更當勸課農業, 以阜殘民. 一. 軍馬侵擾事, 若留軍壓境, 不無騷動, 已勑將領, 卽日班師, 罷征. 其體朕兼愛之心, 毋自疑懼, □[一]. 自前年春二月, 被虜逃來人民, 乞放還事, 已下有司, 遍行刷會, 自言約之後, 逃虜人等, 方令歸國, 到 可收係, 存恤. 一. 凡爾國中, 應有作過犯罪者, 欽依已降赦文, 施行. 一. 軍民擅掠民物一絲者, 具以實聞, 依條斷罪".

· 『國朝文類』 권41, 雜著, 政典總序, 征伐, 高麗, "世祖中統元年, 王倎歸款, 且言出水就陸, 詔罷征"(四部叢刊本).

· 『국조문류』 권41, 잡저, 정전총서, 정벌, 高麗[注, "世祖中統元年四月, 詔王倎歸款, 冊爲王, 請[命]出水就陸, 班師罷征]. 이상에서 『국조문류』(四庫全書本)에는 王倎이 王植으로 되어 있다.

71) 永安公 僖는 判司宰寺事 韓卽과 함께 6월에 燕京에 到着하여 賀禮를 올리고 高麗國王印과 虎符를 받았다.

· 『원사』 권4, 본기4, 世祖1, 中統 1년 6월, "倎遣其子永安公僖·判司宰□[寺]事韓卽入賀卽位. 以國王冊封, 王印及虎符賜之".

· 『원사』 권208, 열전95, 外夷1, 高麗, "六月, 倎遣其子永安公僖·判司宰□[寺]事韓卽入賀卽位. 以國王冊封, 王印及虎符賜之". 이에서 韓卽은 원종 4년 10월 16일(壬戌) 大司成으로 蒙古에 파견된 韓就의 오자일 가능성이 있다.

于兩階, 發政施仁, 湊梯航於萬國. 惟新景命, 益擁洪休, 伏念, 臣祗襲藩封, 阻詣蟹朝之列, 向緣庭覲, 倍輸鰲抃之誠".

○陳情表曰, "大觀, 利賓于王, 恪修侯度, 樂土爰得. 我直深荷聖知, 薄言旋歸, 祇自感泣. 恭惟文思天縱, 聖敬日躋, 近悅遠來, 尺地莫非其有, 敎成俗美, 黎民於變時雍. 念生邊陬, 常昧撙節, 頃屬趨參於帝闕, 多慚拙澁於朝儀, 何啚護短以哀矜, 優錫非常之眷眄. 俾居桂邸, 駢羅綺繡之筵, 適賜椒觴, 備奏笙簫之樂. 旨酒嘉肴之旣足, 彫纓寶馬之又頒, 俯憐拱北之誠, 仍愍思南之翼. 讒說錦成於萋斐, 謀沮一行, 皇明鏡察以掃除, 勅還千里. 比及來歸之無恙, 其爲感戴也有加, 伏蒙今月十日,[73] 使臣荊節奉傳詔旨云, 完復舊疆, 永爲東藩. 祇膺聖旦之推恩, 繼襲先人之守土, 昔往奚期於至此, 今來罔省其使然. 詔云, 未臣服者, 唯爾國與宋耳, 其謂宋不服者, 胥矣, 顧如小邦, 恒事大國, 豈於此統一之際, 而敢懷携貳之心. 無歲不聘, 而咸服指揮, 況臣親覲, 而過蒙慰諭, 何曾比予於是, 不知所以爲然. 退而省私, 微我有咎, 唯前日, 畏威而徙處, 似有違斯. 苟上朝原實以商量, 亦可憐者. 詔云, 島嶼殘民, 窮兵極討, 殆非本心, 罪無輕重, 咸赦除之, 亟正疆界, 以定民心, 我師不復踰限矣. 大號之出, 至仁可知, 一亟綸綍之俄傳, 滿國涕洟之俱墮. 詔云, 出彼滄溟, 宅玆平壤事. 此孛里歹,[74] 身自督役. 而荊使臣, 眼所親覩古京, 是三十年之久荒, 九勤芟淨, 新構, 非一二日之濾就, 誠愧蕭條. 其往來諸官之歸奏如何, 每思念此事, 而憂心罔極, 誠懇危迫, 神明證知. 是月二十四日, 又承使臣荊節再傳詔旨, 云, 就陸農桑, 以阜殘民, 壓境留軍, 已勅班師. 逃虜人等, 放令歸國, 國中犯罪者, 依赦文施行, 擅掠民物者, 依條斷罪. 恩靈汪洋, 寤寐感悅, 雖慈母, 鍾憐於季子, 過此何能. 自小臣, 緜及於後孫, 以死爲報, 緊五叚[段]乾坤之施, 是三韓金石之藏, 爰曁黎烝, 但知蹈舞. 臣謹當山海寧變, 恒輸任土之虔, 日月有臨, 敢弛如岡之祝".

五月戊辰朔[小盡,建壬午], 親設功德天道場.

壬申[5日], 蒙古歸我逃·虜人四百四十餘戶.

---

72) 여러 판본의 『고려사』에서 祜로 되어 있으나 祐로 고쳐야 옳게 될 것이다.

73) 蒙古使臣 荊節이 온 것은 9일(丙午)인데, 이에서 10일로 記述한 이유를 알 수 없다. 4월의 朔日이 표기되어 있지 않지만, 3월의 朔이 戊辰, 5월의 朔이 戊辰이라면, 4월의 朔은 戊戌이어서 曆日에서는 문제가 없다.

74) 孛里歹[Boridai]은 荊節과 함께 온 사신 25人 중의 1人일 것이다. 이에서 歹[알, 대]은 蒙古語의 dayin과 관련이 있고, 近世音은 tai라고 한다(船田善之 2006年).

[甲戌7日, 月犯大微太微左執法:天文2轉載].

[庚辰13日, 熒惑犯南斗:天文2轉載].

[辛巳14日, 月與熒惑, 同舍南斗魁中:天文2轉載].

[甲申17日, 月入羽林:天文2轉載].

[丁亥20日, □月入奎星, 與鎭同舍:天文2轉載].

[某日, 命有司, 欲册子諶爲太子. 諶母, 金若先之女也. 次妃王氏慶昌宮主柳氏譖於王曰, "太孫聞主上東還, 稍無喜色, 且儲副, 繼體者也, 豈可立權臣崔怡之甥乎". 王頗信之. 右副承宣金仁俊力諫然後, 王疑乃釋:節要轉載].[75]

癸巳26日, 以時方盛農, 除諸道來賀卽位.

[乙未28日, 熒惑守南斗:天文2轉載].

是月, 京畿旱, 蝗.[76]

[○許遂, □□□□□掌國子監試, 取詩賦吳漢卿等八十人, 十韻詩金得鈞等二十五人, 明經一人:選擧2國子試額轉載].[77]

[是月丙戌19日, 蒙古建元中統:追加].

六月丁酉朔大盡,建癸未, [幸賢聖寺, 自是, 數幸寺院:節要轉載].

○下制, 肆赦,

□一. 蠲丁巳年高宗44年以上, 公私逋租.[78]

□一. 年八十以上及鰥寡·孤獨·篤疾·癈疾者, 各給奉養一人.

---

75) 이와 같은 기사가 열전1, 元宗妃, 慶昌宮主柳氏에도 수록되어 있다. 또 王氏(宗室 新安公 佺의 딸)는 柳氏로 고쳐야 옳게 될 것인데, 是年 8월 2일(丁酉)에는 柳氏로 되어 있다.

76) 이해[是年]에 몽골제국에서도 旱魃이 있었던 것 같다(陳高華 2010年 54面). 또 일본의 가마쿠라[鎌倉]에서 오랫동안 가물다가 5월 16일(癸未)부터 비가 내린 것 같고, 6월 1일(丁酉)에 暴雨가 내린 것 같다. 또 이해에 일본의 全域에서 饑饉과 疫病[溫疫]이 있었다고 한다.

- 『救荒活民類要』 권1, 經史良法, 建元中統詔書, "… 百姓困于弊政球矣, 今旱暵爲灾, 相繼告病, 朕甚憫焉".
- 『吾妻鏡』제49, 文應 1년 5월, 6월, "十六日癸未, 雨降, … 十八日乙酉, 雨降, … 六月大, 一日丁酉, 疾風暴雨洪水, 河邊人屋, 大底流失, 山崩, 人多爲磐石被壓死, 七日癸卯, 雨降, 未剋屬晴. 自去月十六日, 霖雨不休, 今日適迎晴".
- 『續史愚抄』1, 文應 1년 12월 末尾, "今年, 天下疫饑".

77) 許遂는 그의 子인 許珙의 묘지명에 의하면 匡靖大夫·樞密院副使·翰林學士承旨에 이르렀다고 한다(열전18, 許珙).

78) 이 구절은 지34, 식화3, 恩免之制에도 수록되어 있다.

□一. 孝子·順孫·義夫·節婦, 旌表其門.

□一. 燕京侍從臣僚, 超受爵秩, 餘並依前代赦令.

○改第衛社功臣, 以第一[樞密院副使]柳瓛爲第五, [右副承宣]金仁俊爲第一.[79]

戊戌[2日], 王如奉恩寺. 王以大旱, 去陽傘, 禁兩班著帽.

壬寅[6日], [大暑. 黑氣見于北方:五行1黑眚黑祥轉載].

○親設消災道場. 王始視事.

[○白氣亘天:五行2轉載].

戊申[12日], 以[李藏用爲參知政事:轉載],[80] [右副承宣]金仁俊爲樞密院副使,[81] [[務安監務]金晅爲中部錄事:追加].[82]

○流刑部侍郎李凝于遠島. 初, 凝從王如燕京, 謂永寧公綧曰, “公若欲爲王, 誰曰不可”. 故及.

[○月犯熒惑於南斗:天文2轉載].

庚戌[14日], 地大震, 墻屋崩頹, 京都尤甚.[83]

○遣[樞密院使]金寶鼎如東里大屯所, 禊飮. 東里大謂寶鼎曰, “爾王之東還也, 奏帝曰, ‘臣之國, 卽還都松京’. 今已踰數月, 何其恬不爲慮, 爾等有幾頭乎? 吾惟一頭, 是以爲恐, 留欲何待, 吾其還矣”. 寶鼎無以對.

[某日, 下制曰, “宦者閔世沖, 自寡躬幼時, 以至今日, 再救朕疾, 功不可負, 宜限六品敍用”. 宦官拜參, 自此始:節要轉載].[84]

[壬子[16日], 月入羽林:天文2轉載].

[己未[23日], 流星出七公, 入攝提:天文2轉載].

[乙丑[29日], 流星出亢·氐間, 南入天際. 熒惑還入南斗魁中:天文2轉載].

[○乾方, 有赤祲, 長三十尺許, 橫天如龍蛇:五行1轉載].

丙寅[30日], 以小祥,[85] 移安高宗木主於魂殿, 神御于天壽寺.

---

79) 이 기사는 열전43, 金俊에 縮約되어 있다(“元宗元年, 改策功, 以俊爲第一”).

80) 이는 열전15, 李藏用에서 전재하였는데, 임명된 일자는 權務政[小政]에 의해 金仁俊이 樞密院副使에 임명된 12일과 같을 것이다.

81) 이때 金仁俊은 ‘樞密院副使·御史大夫·柱國·太子賓客·翼陽郡開國伯·食邑一千戶·食實封一百戶’에 임명되었다(열전43, 金俊).

82) 이는 「金晅墓誌銘」에 의거하였다.

83) 지9, 五行3에는 庚戌의 앞에 五月이 있으나 六月의 오류일 것이다.

84) 이와 같은 기사가 지29, 선거3, 宦寺에도 수록되어 있다.

[□□是月],[86] 王改名禃.

秋七月丁卯朔小盡,建甲申, 己巳3日, 蒙古帝平<u>阿里不哥</u>, 遣使頒赦. 阿里不哥, 帝之母弟也, 僭號和林, 至是平之.[87]

[○月入軫星, 與太白同舍:天文2轉載].

癸酉7日, 地震.

[○月掩心前星:天文2轉載].

乙亥9日, 以濟州貢馬, 賜東西四品以上.

[丁丑11,日 熒惑見南斗:天文2轉載].

庚辰14日, 太白晝見.

[壬午16日, 月入壁星, 與鎭同舍:天文2轉載].

[○下宣旨, 賜戊午功臣錄券, 仍賜奴婢, 隨其等第. 左承宣·國子監大司成·翰林侍讀學士崔允愷奉聖旨施行. 先是, 都兵馬使奏, "成給戊午功臣錄券, 錄其子孫, 如三韓後壁上功臣例". 至是, 依奏允:追加].[88]

丁亥21日, [白露]. 追尊母后高宗妃柳氏爲王太后.

[→追尊妣安惠王后柳氏爲王太后:節要轉載].

○東里大遣人曰, "舊京宮室民居, 經營垂畢, 吾欲往西京. 若永安公來, 當與俱還, 否則便歸, 請辦送進獻及贈遺也東達物件. 且吾來時馬匹, 漸死幾盡, 幷送馬五十匹".

戊子22日, 宰樞會議東里大去留便否, 皆曰, "主上親請留之".

己丑23日, 幸東里大屯所, 東里大與王同床而坐, 置酒. 王請留甚切, 東里大曰, "歸計已定, 不可留".

壬辰26日, 門下侍郎平章事致仕崔滋卒,[89] [年七十三, 諡文淸:列傳15崔滋轉載].

---

85) 이 구절은 지18, 禮6, 國恤에도 수록되어 있다.

86) 是月이 탈락되었을 것이다.

87) 阿里不哥[Ali Buke, Ariq-buke]는 1260년(中統1) 4월 和林城(哈拉和林, karkorum)의 서쪽인 按坦河(altan河)에서 즉위하여(1260~1264 在位) 그의 형인 世祖 忽必烈[Qubilai]과 대립하였는데(『원사』 권4, 본기4, 세조1, 中統 1년 4월), 이 기사에서 平定으로 표기한 것은 擊破를 의미하는 것일 것이다.

88) 이는 1262년(원종3) 6월 簽書樞密院事 柳璥에게 발급된 尙書都官貼에 의거하였다(盧明鎬 等編 2008년 11面).

[滋, 初名□□[宗裕]·安. 崔怡嘗品第朝士, 以能文能吏爲第一, 文而不能吏, 次之, 吏而不能文, 又次之, 文吏俱不能爲下, 皆手疏屛風. 每當銓注, 輒考閱而敍之. 滋名在下, 故以[國學]學諭, 十年不調. 一日, 怡謂李奎報曰, "誰可繼公秉文者". 對曰, "有學諭崔安者, 及第金坵其次也". 時李儒[李需]·李百順·河千旦·李咸·任景肅, 皆有文名, 怡欲試其才, 令製書表, 使奎報第之, 凡十選, 滋五魁五副, 遂超擢, 代奎報, 掌文柄. 金仁俊等, 擧義反正, 滋, 時爲冢宰, 以淸嚴鎭俗:節要轉載].[90]

[→[崔滋,] 元宗元年卒, 年七十三. 諡文淸. '家集'十卷, '續破閑集[補閑集]'三卷, 行於世. 子有侯, 密直副使·文翰學士, 有杬, 東京判官, 有渰, 自有傳:列傳15崔滋轉載].

[某日, 以洪做爲慶尙道按察使:慶尙道營主題名記].

八月 [丙申朔[大盡,建乙酉], 無雲而雷雨:五行1雷震轉載].

丁酉[2日], 冊妃柳氏爲王后, 子諶爲太子.[91] [后, 卽新安公佺之女也, 諱稱柳氏:節要轉載].

癸卯[8日], 東里大在西京, 寄書于王曰, "聞帝諭旨, 島子裏坐底, 你識者, 揀那裏坐底, 你識者, 王喜耶不, 文武群臣亦喜耶不".

甲辰[9日], 宰樞詣闕賀, 且議奏爲帝祝壽於九所.

戊申[13日], 大府少卿[太府少卿]張季烈·將軍辛允和, 還自蒙古云, "臣等, 詣新都開平府, 帝曰, '朕卽祚後, 爾國最先來賀, 多喜多喜, 聞王親朝, 待王來, 可與俱還'. 臣等, 留待永安公, 一赴中書省宴, 再赴御宴. 帝曰, '爾國事大國四十年, 今玆朝會者, 八十餘國, 汝等見其禮待之厚, 如爾國者乎'. 賜衣帛有差".

---

89) 이날은 율리우스曆으로 1260년 9월 3일(그레고리曆 9월 10일)에 해당한다.

90) 李儒는 李需의 오자일 것이다. 또 이와 유사한 기사가 열전15, 崔滋에도 수록되어 있고, 그와 관련된 기사로 다음이 있다. 이에 의하면 1264년(원종5, 至元1, 甲子) 崔白卿이 東京副留守로 赴任한 이래 崔滋의 次子 有杬(有坏)가 通判[判官]으로 재직하다가 有故가 발생한 것 같다.

- a 『東人之文五七』 권8, 崔平章滋三首, "… 至忠敬王卽位庚申[元宗1年], 年七十三卒, 諡文淸. 自號東山叟. … 子有候[有侯], 忠憲王甲寅, 尹世衡[尹正衡]牓登科, 官至奉翊大夫, 有坏, 卒于東京留守判官, 有渰, 位至僉議政丞, 封大寧君".
- b 『東都歷世諸子記』, "至元元年甲子, 尙書崔白卿, 甲子到任」 大判崔有卑」 司錄李仁旦」". 이 기록은 脫落이 심한 名簿를 後世에 傳寫하는 과정에서 誤謬가 발생한 것 같은데, 이를 쉽게 파악하기 위해 고쳐 쓰면[改書] c와 같이 될 것이다.
- c 『東都歷世諸子記』, "元宗五年甲子, 副留守崔白卿, 甲子到任.」 通判崔有杬,」 司錄兼掌書記李仁旦」".

91) 이때의 冊文이 『동문선』 권28, 王太子玉冊文으로 추측된다.

己酉[14日], 東里大等復來.

[○月入奎, 掩鎭星:天文2轉載].

[某日, 中書省奏, "朝士見三品以上官, 趨拜馬前, 拜揖朝行, 諂諛成風, 禮失過恭, 請皆禁之":節要轉載].

[→中書省議奏, "今參外參上官, 道遇三品以上官, 趨拜馬前, 拜揖朝行, 諂諛成風, 禮失過恭, 請皆禁之":刑法1職制轉載].

壬子[17日], 永安公僖賫詔三道, 還自蒙古.

[○太白犯房星:天文2轉載].

翌日[~~癸丑~~18日], 王邀東里大·康和尙等, 迎詔.[92]

一曰, 漢自武帝之後, 創業·守成之君, 卽位伊始, 莫不改元, 所以示天下萬世端本正始之傳也. 國家累聖相承, 廓開大業, 禮文之事, 有所未遑. 朕獲纘丕圖, 思復古治, 已於今年五月十九日, 立號爲中統元年, 使還, 宜播告之, 俾知朕意.[93]

一曰, 衣冠, 從本國之俗, 皆不改易. 行人, 惟朝廷所遣, 予[餘]悉禁絶.[94] 古京之遷, 遲速量力. 屯戍之撤, 秋以爲期, 元設達魯花赤孛魯合反兒拔覩魯一行人等,[95] 俱勑西還. 其自願托迹於此者十餘輩, 來使亦不知定在何所, 事須根究, 今後, 復有似此告留者, 斷不准從. 朕以天下爲度, 事在推誠, 其體朕懷, 毋自疑懼.

一曰, 卿自册世封, 再遣使傳, 方物之獻, 誠意以將, 今聞寺社之祈, 益見肺肝之瀝. 凡所陳乞, 已詔施行. 來价言還, 特頒寵命, 苟裕民而利國, 當適便而隨宜. 今賜卿虎符·國王之印幷衣叚[衣段]·弓刀等物."[96]

---

92) 이 詔書는 6월에 내려진 것으로 추측된다. 또 여기에서 "또 居住하는 곳을 편안히 하고, 仁德을 돈독히 하면 萬人을 사랑하게 된다. 安土敦乎仁, 故能愛"는 『易經』, 繫辭上傳, 第4章에서 인용한 것이다(李鎭漢 等譯 2008년 117面).

· 『원사』 권208, 열전95, 外夷1, 高麗, "是月[中統1年6月], 又下詔撫諭之".

· 『원고려기사』本文, 世祖, 中統 1년, "六月, 復降詔, 諭倎曰, 卿表請附奏六事, 一皆允兪, 衣冠從本國之俗, 上下皆不更易. 行人惟朝廷所遣, 禁止餘使, 不通行, 古京之遷遲速, 要當量力. 鴨綠之撤屯戍, 秋以爲期, 元設達魯花赤一行人等, 俱敕西還. 其自願託迹於此者, 十餘輩, 事須根究. 今後, 復有似此告留者, 斷不準從. 朕以天下爲度, 事在推誠. 易不云乎, '安土敦乎仁, 故能愛', 其體朕懷, 毋自疑懼".

93) 『고려사절요』 권18에는 이 詔書가 改元詔書라고 되어 있으나, 改元 이후에 보낸 詔書이다. 改元詔書는 『원사』 권4, 본기4, 세조1, 中統 1년 5월 19일(丙戌)에 수록되어 있다.

94) 여러 판본의 『고려사』에서 予로 되어 있으나 餘로 고쳐야 옳게 될 것이다.

95) 達魯花赤 孛魯合反兒拔覩魯가 어떠한 인물인지는 알 수 없다.

96) 이 조서의 내용을 중국 측의 자료에서는 다음과 같이 서술하였다.

[→永安公僖還自蒙古. 帝賜王虎符國印綵段·弓劍等物. 又頒改元詔曰, "漢自武帝之後, 創業守成之君卽位, 伊始莫不改元, 所以示天下萬世端本正始之傳也. 國家累聖相承, 廓開大業, 禮文之事有所未遑. 朕獲纘丕圖, 思復古治, 已於今年五月十九日, 立號爲中統元年. 使還, 宜播告之, 俾知朕意." ○又允許表請六事, 詔曰, "衣冠從本國之俗, 皆不更易. 行人惟朝廷所遣, 餘悉禁絶. 古京之遷, 遲速量力. 屯戍之撤, 秋以爲期. 元設達魯花赤孛魯合反兒·拔覩魯一行人等, 俱勑西還. 其自願托迹於此者十餘輩, 來使亦不知定在何所, 事須根究, 今後, 復有似此告留者, 斷不准從. 朕以天下爲度, 事在推誠, 其體朕懷, 毋自疑懼":節要轉載].

庚申[25日], 宴蒙使于大殿.

[○月犯軒轅:天文2轉載].

辛酉[26日], 王餞束里大于郊.

癸亥[28日], 王邀前王師混元, 爲師, 親自進食.

[是月, 梨華:五行1轉載].

[○以[中部錄事]金晅爲內侍:追加].[97)]

九月[丙寅朔小盡,建丙戌], 己巳[4日], 賜魏文卿等及第.[98)] [以文卿兄弟, 俱爲狀元, 廩其

· 『元高麗紀事』, 序, "世祖中統元年, 王倎歸款, 且言出水就陸. 詔罷征".

97) 이는 「金晅墓誌銘」에 의거하였다.

98) 이와 관련된 기사로 다음이 있다.

- 지27, 선거1, 科目1, 選場, "元宗元年九月, 參知政事李藏用知貢擧, 同知樞密院事柳璥同知貢擧, 取進士, [己巳], 賜乙科魏文卿等三人·丙科七人·同進士二十一人·明經二人及第".
- 『역옹패설』前集2, 8張左, "[林]惟茂旣誅, 而三別抄自懷疑貳, 脅士庶, 掠婦女, 方舟南下, 城珍島以叛. 立承化侯溫爲王, 署置官府. 鄭文鑑者, 李文眞藏用門下榜眼也, 擧爲承宣, 仍使秉政, 文鑑曰, '與其富貴於僞朝, 無寧潔身於泉下', 卽自殺".
- 「李尊庇墓誌銘」, "以壬午歲, 東堂知貢擧, 公掌試兩度, 率門生往謁恩門侍中柳公璥, 是爲千古史筆上美談".
- 열전18, 柳璥, "璥, 初掌試, 坐主平章事任景肅, 解所帶烏犀紅鞓, 與之曰, '公之門下, 有如公者, 可傳之'. 及尊庇掌試, 欲傳之則, 已失於林衍之亂, 買之市, 卽其帶也, 士林傳爲異事".

  이때 魏文卿·鄭文鑑(榜眼, 2人)·[中部錄事]金晅(乙科3人, 金晅墓誌銘)·安珦·李仁成(改尊庇, 李尊庇墓誌銘)·吳良遇 등이 급제하였다(『登科錄』, 朴龍雲 1990년 ; 許興植 2005년).

  그리고 魏文卿은 1245년(고종32)에 급제한 魏珣(魏元凱·魏元愷·圓鑑國師 冲止)의 弟로서, 이때 형제가 壯元及第를 하였다고 母에게 米穀이 下賜되었다(지28, 선거2, 崇奬典例). 그는 1271년(원종12) 6월 16일(戊申) 魏文愷로 表記되었는데, 이 시기 곧 1268년(원종9) 무렵 知順天郡事[平陽守]로 赴任할 때 改名하였던 것 같다(『圓鑑國師語錄』, 舍弟平陽新守文愷 …).

母:節要·選擧2轉載].

○遣右正言田文胤如蒙古, 賀改元, 謝賜符印, 兼賫祝壽文而去.

[庚午[5日], 月入南斗魁中:天文2轉載].

[己卯[14日], □[月]又入壁, 犯鎭星:天文2轉載].

甲申[19日], 幸王輪寺.

[丁亥[22日], 太白犯南斗. 熒惑犯壘壁陣:天文2轉載].

己丑[24日], 幸妙通寺.

[○太白犯南斗:天文2轉載].

[○北方, 赤氣竟天, 如火:五行1轉載].

[庚寅[25日], 月犯大微[~~太微~~]西藩上相:天文2轉載].

[癸巳[28日], 雨土:五行3轉載].

甲午[29日晦], 幸外院[外帝釋院?]·九曜堂.

○蒙古畢千戶·金千戶, 驅掠帝所放還逃虜人一百九十餘人, 而去.

冬十月[乙未朔小盡,建丁亥], [戊戌[4日], 月入南斗, 與太白同舍:天文2轉載].

[某日, 中書省奏, "大官, 自求補外, 侵漁百姓, 自今官高者, 不差外任", 從之[~~制可~~]:節要·選擧3選用守令轉載].[99]

[己酉[15日], 霧:五行3轉載].

甲寅[20日], 宋商陳文廣等, 不堪大府寺[~~太府寺~~]·內侍院侵奪, 道訴[樞密院副使]金仁俊曰, "不予直, 而取綾羅·絲絹六千餘匹, 我等將垂橐而歸". 仁俊等不能禁.

[乙卯[21日], 月入軒轅大星:天文2轉載].

戊午[24日], 以金寶鼎△[爲]知門下省事·吏部尙書, 崔昷△[爲]守司空·左僕射.

[己未[25日], 大雪. 月犯大微[~~太微~~]東藩上相:天文2轉載].

辛酉[27日], 御康安殿, 下詔, 册封長公主爲慶安宮主, 宴詔册使及執事官.

[○流星出北斗魁, 入紫微中, 大如木瓜:天文2轉載].

[某日, 中書門下奏, 收外官銀器於新興倉, 以支國用:食貨2科斂轉載].

十一月[甲子朔大盡,建戊子], 丁丑[14日], 設八關會, 幸法王寺, 當國恤奏還宮樂[~~還宮奏樂~~, ~~當國恤奏樂~~], 識者譏之.[100]

---

99) ~~添字~~는 지29, 選擧3, 選用守令에서 달리 표기된 것인데, 後者가 實際를 기록한 것이다.

[○月犯五車西南星:天文2轉載].

[戊寅[15日], 雷:五行1雷震轉載].[101)]

[癸未[20日], 流星入天苑中:天文2轉載].

[乙酉[22日], 流星出張, 入天際, 大如木瓜:天文2轉載].

[丙戌[23日], 艮方, 赤氣如火, 直上衝天:五行1轉載].

辛卯[28日], 以□[守]司徒絪女爲太子妃.

[壬辰[29日], 霧:五行3轉載].[102)]

十二月[甲午朔小盡,建己丑], [乙未[2日], 熒惑入壁, 與鎭星同舍:天文2轉載].

[戊戌[5日], 月在壁, 與鎭星同舍:天文2轉載].

庚子[7日], 慶安宮主下嫁于齊安伯淑.[103)]

○是年, 封册四, 嘉禮二, 所費金銀千餘斤, 米穀三千餘石, 布帛不可勝計.

[辛丑[8日], 辰星·歲星, 行箕·斗閒:天文2轉載].

[己未[26日], 立春. 自朝至暮, 黑雲漫天, 二更, 乾巽二方, 赤氣竟天, 三更, 乾方衝天:五行1黑眚黑祥轉載].[104)]

庚申[27日], 以金起孫爲門下[~~侍郎~~]平章事·判吏部事, 李世材爲中書[~~侍郎~~]平章事, 金之岱爲政堂文學·吏部尙書, [樞密院副使]金仁俊△[爲]同知樞密院事·御史大夫, 李應韶·[前西北面兵馬使]鄭芝並爲樞密院副使.

○王聚宮女于水房, 滛縱[~~淫縱~~]無節, [同知樞密院事·]御史大夫金仁俊移置水房于外.

[○庚申[某日], 赤氣, 見于東方:五行1轉載].[105)]

[是月辛丑[8日], 大禪師見明[一然]撰'重編曹洞五位':追加].[106)]

---

100) '當國恤奏還宮樂'은 ~~添字~~와 같이 고쳐야 옳게 될 것이다.

101) 일본의 가마쿠라 에서 16일(己卯) 오후 9시 무렵에 雷聲가 있었던 것 같다.
· 『吾妻鏡』제49, 文應 1년 11월, "十六日己卯, 晴, 亥剋, 雷鳴數聲".

102) 일본의 가마쿠라[鎌倉]에서 29일(壬辰)은 흐리고, 30일(癸巳)은 비가 내렸다고 한다.
· 『吾妻鏡』제49, 文應 1년 11월, "廿九日壬辰, 陰, … 卅日癸巳, 雨降".

103) 淑은 亞細亞文化社本에는 俶으로 되어 있으나 오자일 것이다(東亞大學 2008년 7책 252面).

104) 原文에서 十一月己未로 되어 있으나 十二月己未의 오류일 것이다.

105) 원문에서 庚申은 11월에 연결되어 있으나, 이의 앞에 十二月이 탈락된 것 같다.

106) 이는 다음의 자료에 의거하였는데(閔泳珪 1984년), 후세의 기록에 의하면 一然은 이 시기에 玄風縣 琵瑟山에서 大見寺玉泉寺(湧泉寺)를 重建하고 後者에 佛日社라는 扁額을 내걸었다고 한다.

[是年, 還一新縣爲知原州事官. 又陞德寧監務官爲知襄州事官:轉載].[107)]

[○以避蒙兵, 德州入于安州之蘆島. 後凡五遷:轉載].[108)]

[○以[左司諫]<u>李穎</u>爲西海道按察使:追加].[109)]

[○以皮瑞升爲延安副使, 崔宗敘爲延安判官. 是時, <u>延安府</u>及村落, 自喬桐縣, 始還本地:延安府誌追加].[110)]

[○以白玄錫爲永州副使, 革判官:追加].[111)]

[○以[秘書省校勘]崔瑞爲處仁縣令:追加].[112)]

[○[樞密·御史大夫~~金仁俊~~,] 往水州廣因院, 施酒食於行路. 從者如雲, 皆着戎服:列傳43金俊轉載].[113)]

[○帝以永寧公<u>王綧</u>爲總管, 仍佩虎符兼領軍民:追加].[114)]

· 『重編曹洞五位』, 序文, "中統元年實沈臘八, 遺鳳笑軒晦然序". 여기에서 實沈은 十干[甲子]으로 申이고, 臘八은 臘日, 臘八節, 곧 12월 8일[初八]을 나타낸 것이다.

· 『竹泉集』 권6, 毘瑟山湧泉寺古蹟記, "… 及元中統, 高麗國師<u>普覺</u>重葺之, [義]<u>相</u>之建則號玉泉, [普]<u>覺</u>之葺號湧泉, 而又扁以佛日社".

107) 이는 다음의 기사를 전재한 것이다.

· 지10, 지리1, 原州, "元宗元年, 復知州事".

· 『신증동국여지승람』 권46, 原州牧, 건치연혁, "… 元宗元年, 復知州事".

· 지12, 지리3, 翼嶺縣, "元宗元年, 陞知襄州事".

108) 이는 다음의 자료를 전재한 것인데, 여기에서 元宗元年은 高宗三十五年으로 고쳐야 옳게 된다는 견해가 있다(尹京鎭 2010년b).

· 지12, 지리3, 德州, "<u>元宗元年</u>, 避蒙兵, 入于安州之蘆島. 後凡五遷".

109) 이는 다음의 자료에 의거하였다

· 『氏族源流』, 咸安李氏, "李穎, 禮部員外郞, 正言, 中統庚申, 以左司諫爲<u>西海按廉使</u>[~~西海道按察使~~]".

110) 이는 다음의 자료를 전재하여 적절히 변개하였다. 여기에서 江界가 주목되는데, 지12, 지리3, 江界府(現 慈江道 江界市)와는 성격을 달리하는 郡縣으로 추측된다.

· 『延安府誌』, 守臣, "副使<u>皮瑞升</u>, 自<u>江界</u>移任, 實宋理宗景定元年, 判官<u>崔宗敘</u>, 庚申[元宗1年]任, 州及村落, 亦自喬桐, 始還本地".

111) 이는 『영천선생안』에 의거하였다.

112) 이는 「崔瑞墓誌銘」에 의거하였다.

113) 原文에는 "一日, [金仁俊,] 往水州廣因院, 施酒食於行路. 從者如雲, 皆着戎服"으로 되어 있는데, 그 시기는 金仁俊이 是年 6월 12일 樞密院副使·御史大夫에 임명된 이후의 某日이다.

114) 이는 다음의 자료에 의거하였다.

· 『원사』 권166, 열전53, 王綧, "中統元年, 授金符·總管, 陞佩虎符, 兼領軍民".

辛酉[元宗]二年, 蒙古中統二年, [南宋景定年], 二[西曆1261年]

1261년 2월 1일(Gre2월 8일)에서 1262년 1월 21일(Gre1월 28일)까지, 355일

春正月癸亥朔大盡,庚寅, 放朝賀.
○以太子生日爲壽元節.
[○日有珥:天文1轉載].[115]
辛未9日, 地震.[116]
丁丑15日, 內侍·郞將崔允通, 以母老病, 辭職歸田. 允通武人, 時稱其孝.
[○月入軒轅:天文2轉載].
[己卯17日, □月又入大微太微右執法:天文2轉載].
辛巳19日, 新安公佺卒.[117]
[癸未21日, 木稼:五行2轉載].
[甲申22日, 月掩心前星:天文2轉載].
[是月, 北人言, 群鼠渡江, 皆入我境:五行2轉載].
[○虎聚固城縣石泉寺洞, 擊鼓而舞:五行2轉載].
[○御史臺請, "權勢之家, 奪人田者, 痛繩以法", 制可:刑法1職制轉載].

二月癸巳朔小盡,辛卯, [己亥7日, 月犯五車. 天狗墮太廟前:天文2轉載].
[癸卯11日, 流星出平道, 入庫樓:天文2轉載].
丙午14日, 燃燈, 王如奉恩寺.
[戊申16日, 月食:天文2轉載].[118]
[甲寅22日, 月犯南斗:天文2轉載].
[是月, 遣使如蒙古, 獻方物:追加].[119]

---

115) 이날 일본의 가마쿠라[鎌倉]에서는 비가 개였다고 한다.
· 『吾妻鏡』제50, 文應 2년 1월, "一日癸亥, 霽".

116) 지9, 오행3, 土行, 地震에는 辛未가 辛巳(19日)로 되어 있는데, 오자일 것이다(盧明鎬 等編 2016년 467面).

117) 이 기사는 열전3, 顯宗王子, 平壤公基에도 수록되어 있다. 이날은 율리우스曆으로 1261년 2월 19일(그레고리曆 2월 26일)에 해당한다.

118) 이날은 율리우스曆의 1261년 3월 18일이고, 월식 현상이 심했던 때의 世界時는 9시 54분, 食分은 0.50이었다(渡邊敏夫 1979年 481面).

三月[壬戌朔大盡,壬辰], 甲子[3日], 幸賢聖寺.

[某日, 復置東·西學堂:節要].

[→置東·西學堂, 各差別監教學教導:選擧2學校轉載].

庚午[9日], 諭諸道按察使曰, “朕欲推仁心, 施及禽獸. 方春田獵, 恐其不麛·不卵,[120] 違我好生之心, 卿等體此, 勿獻肉膳”.

壬申[11日], 幸乾聖·福靈二寺.

己卯[18日], 親醮三界.

[○月入心大星:天文2轉載].

夏四月[壬辰朔大盡,癸巳], [己亥[8日], 月入軒轅:天文2轉載].

辛丑[10日], 以旱, 禱于圜丘, 乃雨.[121]

己酉[18日], 遣太子諶如蒙古,[122] 賀平阿里孛哥, 表曰, “聖捷方傳, 四海誰非慶幸, 皇恩既積, 三韓最是歡忻. 爰貢賀章, 敢干聰鑑. 臣聞, 舜功尤盛於七旬之格, 宣烈愈豊於六月之征, 必因不軌之頑, 益著難名之德. 恭惟皇帝陛下, 赫斯怒, 爰整旅, 揚孟津黃鉞白旄. 愛克威, 允罔功, 劉曲沃素衣朱襮. 收復邇遐之域, 攬持億兆之心, 布以太平, 答于咸仰. 伏念, 臣曏當親覲, 深荷眷憐, 勤勤慰諭以遣還, 俾修侯度. 比比詔恩之頒示, 益感聖慈. 君臣間如此遭逢, 天地內未之倫擬, 細思報効, 惟祝壽康. 頃者, 永安公之回也, 伏聞皇帝陛下, 親擧六師, 遠征萬里. 且父母苟或有難, 噫兒孫烏得不憂, 矧下國之安危, 係上朝之動作. 是用, 遍扣有靈之佛宇, 訾祈

119) 이는 다음의 자료에 의거하였으나 實相은 분명하지 않다.
- 『원사』 권208, 열전95, 外夷1, 高麗, “[中統]二年三月, 遣使入貢.

120) 卵은 延世大學本과 東亞大學本에는 卯로 되어 있으나 오자이다(東亞大學 2008년 7책 253面).

121) 지8, 오행2, 金行에는 圜丘가 圓丘로 달리 표기되어 있다.

122) 太子 諶은 6월 10일(庚子) 蒙古에 도착하였는데, 植은 諶(~~添字~~)으로 고쳐야 옳게 된다. 또 『국조문류』(四庫全書本)에는 世子植이 世子愖으로 되어 있다.
- 『中堂事記』권下, “[中統二年六月]十日庚子 … 是日, 高麗世子植[諶]來朝, 詔館於都東郊官舍, 從行者一十八人. …”(『秋間先生大全文集』 권82 所收).
- 『원사』 권208, 열전95, 外夷1, 高麗, “[中統二年]四月倎入朝[~~六月世子諶入朝~~]”. 여기에서 ‘四月倎入朝’는 ‘六月世子諶入朝’의 오류일 것이다.
- 『원고려기사』, 序, “[中統]二年□□[六月], 世子植[諶]朝”.
- 『원고려기사』本文, 世祖, “[中統]二年四月十九日[二年六月十日], 高麗世子植[諶]入朝”.
- 『국조문류』 권41, 잡저, 정전총서, 정벌, 고려, “[中統]二年□□[六月], 世子植[諶]朝”(四部叢刊本).
- 『국조문류』 권41, 잡저, 정전총서, 정벌, 고려[注, [中統]二年□□[六月], 世子植[諶]入朝](四部叢刊本).

加護於兵威. 遣陪臣田文胤, 賫狀䟽往奏, 其行李內, 譯語李贇, 忽至言, 使臣其奴, 奉傳聖旨, 皇帝以北方平盪事, 令行李內一人, 歸諭國王, 以故先來. 斯乃天佑有加, 聖謨無敵, 朝說成師以出, 暮聆唱凱而還. 亟馳天下之好音, 先曉海隅之荒服, 此盖知臣願捷之方切, 謂臣助喜之必深. 旣承寵誨之丁寧, 尤劇感情而忭躍, 洎于遺噍, 樂以更生. 欲明享上之誠, 湏[須]極臣心所重, 玆竭由中之信, 乃令世子而朝. 顧惟童孩之孱資, 豈合趨蹌於聘列, 但吾紙上之不能載者, 付爾舌端而將往鳴焉. 伏冀聖明, 悉垂矜聽, 俾安心於殘俗, 專效職於永年".

[○又上表曰, 改名爲禃:追加].[123)]

[○歛[斂]百官, 銀布有差, 以助行李之費:節要轉載].

[→時, 宰樞至四品, 人出銀一斤, 五品人出白紵布二匹, 六品一匹, 七·八·九品二人幷一匹, 以助行李之費:食貨2科斂轉載].

[○月掩房星:天文2轉載].

[丁巳[26日], 太子行之西京, 黑龍見于大同江:五行1龍蛇之孽轉載].

[○西京羊皿浦石, 出水陸行:五行2轉載].

[是月丙辰[26日], 蒙古國諸宰相按問高麗質子王綧與洪福源曲直事:追加].[124)]

五月[壬戌朔小盡,甲午], [甲戌[13日], 月犯心大星, 又犯後星:天文2轉載].

[丙子[15日], 夏至. □[月]入南斗:天文2轉載].

丁丑[16日], [右正言]田文胤還自蒙古. 初, 文胤謁帝, 帝特厚慰, 問曰, "有所言乎?". 對曰, "陛下憐我國王, 恩至渥也, 然讒間者多, 願陛下勿信". 及其還, 帝命東里大伴行, 文胤奏曰, "東里大以前年勑還屯兵事, 意小邦所讒, 憤慍而還, 反訴小邦, 譸張爲幻. 今若伴臣以去, 未知他日造何言, 以誣陛下, 敢請勿遣". 帝從之.

丙戌[25日], 賜鄭謙等及第.[125)]

---

123) 이는 다음의 자료에 의거하였다.

- 『원사』 권4, 본기4, 세조 중통 2년 6월, "□□[是月,] 高麗國王倎更名禃, 遣其世子愖[諶]奉表來朝. ○命宿衛將軍孛里察·禮部郞中高逸民持詔往諭, 仍以玉帶賜之". 이 기사는 여타의 기사와 함께 6월 30일(庚申)에 수록되어 있지만, 冒頭에 是月이 탈락되었을 것이다. 또 命宿衛將軍 以下는 8월에 일어난 것이므로 오류이다.
- 『원사』 권208, 열전95, 外夷1, 高麗, "[中統2年]六月, 倎更名禃, 遣其世子愖[諶]奉表以聞".

124) 이는 다음의 자료에 의거하였다(張東翼 1997년 49面).

- 『秋澗先生大全文集』 권80, '中堂事記'上, 中統 2년 4월, "廿五日丙辰, 諸相按問高麗質子王淳[王綧]與洪甫[洪福源]曲直事".

[某日，京市署奏，“今市肆米賤，物價踴貴，請折定物價”，從之．終不能革其弊:節要轉載].

[→京市署奏，“今市肆，物價踴貴，不可不禁．今宜折定物價，違者，按律科罪”，從之:刑法2禁令轉載].

[是月，尙書右丞兪千遇，□□□□□[掌國子監試]，取詩賦金守衍等二十一人，十韻詩林杞等三十五人:選擧2國子試額轉載].

六月[辛卯朔大盡,乙未]，壬辰[2日]，[小暑]．王如奉恩寺．

[戊戌[8日]，月犯角大星:天文2轉載].

乙巳[15日]，王受菩薩戒．

壬子[22日]，地大震．

○設五教法席於內殿，禱太子速還．

秋七月辛酉朔[大盡,丙申]，奉安高宗眞于景靈殿，移肅宗眞于安和寺．

[是月癸亥[3日]，蒙古巴思答兒乞於高麗鴨綠江西，立互市，從之:追加].[126]

[丁丑[17日]，蒙古以萬家奴爲安撫高麗軍民□□□[~~總管府~~]達魯花赤，賜虎符:追加].[127]

[□□[是時?]，[洪]茶丘雪父寃．帝詔曰，“汝父方加寵用，誤詿刑章故，於已廢之中．庸霈維新之澤，可就帶元降虎符，襲父職管領歸附高麗軍民惣管”:列傳43洪福源轉載].[128]

---

125) 이와 관련된 기사로 다음이 있다. 金之岱는 前年(원종1) 12월 27일 政堂文學·吏部尙書에 임명되었다. 이때 鄭謙·金塏(乙科3人, 열전43, 金俊)·高適(『동문선』 권101, 星主高氏傳)·吳漢卿 등이 급제하였다(『登科錄』, 朴龍雲 1990년 ; 許興植 2005년).

· 지27, 선거1, 科目1, 選場, “[元宗]二年五月，知樞密院事[~~政堂文學~~]金之岱知貢擧，[樞密院副使·]禮部尙書鄭芝~~同知擧貢~~[同知貢擧]，取進士，[~~丙戌~~]，賜乙科鄭謙等四人·丙科七人·同進士十九人·明經一人及第”.

126) 이는 다음의 자료에 의거하였다.

· 『원사』 권4, 본기4, 세조1, 中統 2년 7월 癸亥, “巴思答兒乞於高麗鴨綠江西，立互市，從之”.

127) 이는 다음의 자료에 의거하였다.

· 『원사』 권4, 본기4, 세조1, 중통 2년 7월 丁丑, “以萬家奴爲安撫高麗軍民□□□[~~總管府~~]達魯花赤，賜虎符”.

128) 原文에는 冒頭에 元宗二年이 있고, 같은 내용이 『원사』 권154, 열전41, 洪福源, 俊奇에도 수록되어 있다.

· “俊奇，小字茶丘，福源第二子也．幼從軍，以驍勇受知，世祖嘗以小字呼之．中統二年秋，茶丘雪父怨，世祖憫之，詔諭之曰，汝父方加寵用，誤絓刑章，故於已廢之中，庸沛維新之澤，加就帶元降虎符，襲父職管領歸附高麗軍民總管”.

八月辛卯朔小盡,丁酉, 辛丑11日, 幸福靈·乾聖二寺.

[甲辰14日, 月食:天文2轉載].[129]

壬子22日, 幸王輪寺.

[是月, 遣侍御史張鎰如蒙古, 奉表入朝:追加].[130]

九月庚申朔大盡,戊戌, 壬戌3日, 幸昇天府.

癸亥4日, [寒露]. 太子諶還自蒙古, 帝遣侍衛將軍勃立札·禮部郎中高逸民等, 護其行.[131]

甲申25日, 謁昌世祖·顯太祖二陵.

丁亥28日, 謁洪陵高宗.

冬十月庚寅朔小盡,己亥, [某日], 蒙使焦天翼等來.[132]

[十一月己未朔大盡,庚子:追加].

[十二月己丑朔小盡,辛丑:追加].

---

129) 宋에서는 이해의 7월 14일(甲戌)에 월식이 있었다고 하지만(『宋史』 권52, 지5, 천문5, 月食), 8월 14일(甲辰)의 오류일 것이다. 또 이날(8월 14일)은 율리우스曆의 1261년 9월 10일이고, 월식 현상이 심했던 때의 世界時는 11시 17분, 食分은 0.30이었다(渡邊敏夫 1979年 481面).

130) 이는 다음의 자료에 의거하였는데, ~~添字~~와 같이 고쳐야 옳게 될 것이다.

- 『원사』 권208, 열전95, 外夷1, 高麗, "中統二年九月, 禃遣其侍御史張鎰, 奉表入謝".
- 『원고려기사』本文, 世祖, 중통 2년, "九月, 倎植遣侍御史張鎰, 奉表入謝".

131) 太子 諶은 勃立札(孛里察)·高逸民 등과 함께 8월에 燕京에서 출발하였다.

- 『원사』 권4, 본기4, 세조 중통 2년 6월, "□□八月, 命宿衛將軍孛里察·禮部郎中高逸民持詔往諭, 仍以玉帶賜之". 이 기사는 6월 30일(庚申)에 수록되어 있지만, 시기정리[繫年]에 실패한 것이다.
- 『원사』 권208, 열전95, 外夷1, 高麗, "中統二年八月, 賜禃諶玉帶一, 遣侍衛將軍孛里察·禮部郎中高逸民護愖諶還國".
- 『원고려기사』本文, 世祖, 중통 2년, "八月三日, 上賜世子植諶玉帶一, 遣侍衛將軍勃立札·禮部郎中高逸民, 護之還國".

132) 焦天翼은 중국 측의 자료에서도 10월에 파견되었다고 되어 있는데, 그는 이해 7월에 제기된 鴨綠江의 互市 設置를 의논하기 위해 고려에 온 것 같다.

- 『원사』 권208, 열전95, 外夷1, 高麗, 中統 2년, "十月, 帝遣阿的迷失·焦天翼持詔, 諭以開榷場事".
- 『원고려기사』本文, 世祖, 중통 2년, "十月, 朝廷遣阿的迷失·焦天翼持旨, 諭以開榷場事. 二十九日, 使回".

[是年, 宣州, 出陸于紫燕島僑寓. 又雲州出陸寓于嘉山西村, 隷延山府. ○博州出陸屬于嘉州, 又嘉州出陸, 以泰·博·撫·渭等州, 皆屬本郡, 爲五城兼官. ○郭州出陸隷隨州. 孟州出陸爲安州屬縣. ○撫州出陸, 處渭州古城, 屬嘉州. ○泰州出陸屬于嘉州. 隨州出陸, 寓于郭州海濱, 以州人失土, 割郭州東十六村及郭州所屬安義鎭, 以與之, 稱知隨州事, 仍兼郭州:轉載].[133]

[○以李先孫爲延安副使:追加].[134]

[增補].[135]

---

133) 이는 다음의 기사를 轉載한 것이다.
- 지12, 지리3, 宣州, "元宗二年, 出陸".
- 지12, 지리3, 雲州, "元宗二年, 出陸, 寓于嘉山西村, 隷延山府".
- 지12, 지리3, 博州, "元宗二年, 出陸, 屬于嘉州".
- 지12, 지리3, 嘉州, "元宗二年, 出陸, 以泰·博·撫·渭等州, 皆屬本郡, 爲五城兼官. 後析置泰·撫·渭三州, 惟博州仍屬".
- 지12, 지리3, 郭州, "元宗二年, 出陸, 隷隨州".
- 지12, 지리3, 孟州, "元宗二年, 出陸, 爲安州屬縣".
- 지12, 지리3, 撫州, "元宗二年, 出陸, 處渭州古城, 屬嘉州".
- 지12, 지리3, 泰州, "元宗二年, 出陸, 屬于嘉州".
- 『세종실록』 권154, 지리지, 泰川郡, "元宗辛酉出陸, 屬于嘉州".
- 지12, 지리3, 隨州, "元宗二年, 出陸, 寓于郭州海濱, 以州人失土, 割郭州東十六村及郭州所屬安義鎭, 以與之, 稱知隨州事, 仍兼郭州".
- 『신증동국여지승람』 권52, 定州牧, 古跡, "隨川廢郡, 在州南十五里. 本高麗隨州. … 元宗二年出陸, 寓于郭州海濱, 以州人失土, 割郭州東十六村及□□[郭州]所屬安義鎭, 稱知隨州事, 仍兼郭州".

134) 이는 『연안부지』에 의거하였다.

135) 이해(中統2)에 몽골제국에서 다음과 같은 일이 있었다.
- "[中統二年三月]十五日丙子 … 上命平章[平章政事]王文統草答高麗手詔, 其辭有誦經供佛爲國祈福良可嘉之語, 選怯薛圓某官[勃立察]借職伯衛將軍, 以高逸民借職禮部員外郎爲副使, 其國將發, 高麗世子來覲, 止焉. 初高麗國相, 有以書致翰, 暄於省府者, 欲以書爲答, 且以方略撼之, 俾見我大國文加武暢之盛, 惲曰, '不可境外之交, 非人臣所宜, 此范文正[范仲淹]書諭[趙]元昊. 遂得罪於裕陵也. 可不戒哉?', 遂止".
- "[四月]二十五日丙辰, 諸相按問高麗質子王淳[王綧]與洪甫[洪福源]曲直事 …".
- "[六月]十日庚子 … 是日, 高麗世子植[諶]來朝[於開平府行宮:追加], 詔館於都東郊官舍, 從行者一十八人, 選必闍赤太原張大本[注, 字仲端], 美豊辨而有文采, 爲館伴焉. 繼命翰林□□[學士]承旨王鶚·郎中焦飛卿犒慰, 有詔. 翼日[辛丑], 都省官與高麗使人, 每就省中戲劇者".
- "十一日辛丑, 都堂置酒宴, 世子植[諶]等於西署. 其押燕者, [中書省]右丞相史公[史天澤]·左丞相忽魯不花·王平章[平章政事王文統]·張右丞[張易]·張左丞[張文謙]·楊參政[參知政事楊果]·姚宣撫[東平路宣撫使姚樞]·賈郎中[左右司郎中賈居貞]·高聖擧, 從西榻南頭, 至東北, 作曲肘座. 掌記王惲·通譯事李顯祖皆地座西嚮. 其高麗世子與參政李藏用[注, 字顯甫]·尙書李·翰林直學士□[芣], 南榻坐亦西嚮. 又有龍舒院書狀等官凡六人, 尙書已下三人皆襪, 而登席相次地坐. 酒數行, 語旣不通, 其問答各以書相示. 丞相史公[史天澤]首問曰, '汝國海中所臣者, 凡幾處軍旅有無, 見征戍者掌兵者何人, 官號何名?'. 參政李藏用

[是年頃, 殷州出陸, 爲成州屬縣:轉載].[136)]

壬戌[元宗]三年, 蒙古中統三年, [南宋景定三年], [西曆1262年]

1262년 1월 22일(Gre1월 29일)에서 1263년 2월 9일(Gre2월 16일)까지,
13개월 384일

[春正月戊午朔小盡,壬寅, 是月初, 遣使如蒙古, 上表謝恩:追加].[137)]

對曰, '掌兵者金氏'. 史曰, '豈傷猶以莫利支爲名乎?'. 曰, '此名廢去已久. 其官亦皆帶樞府·兵部之號'. 史曰, '聞汝國亦常與宋人通好然乎?'. 曰, '但商舶往來耳'. 平章王王文統曰, '汝國今歲亦收成否?', 曰, '仰賴聖恩, 雨暘時若, 溥露豊稔'. 又曰, '聞汝國用宋人正朔然乎?'. 曰, '第諸?商人私有賫至本方者, 實不爲用耳'. 參政楊公楊果曰, '聞汝邦亦設科擧', 曰'然', 曰'今歲試題爲何?', 曰'賦則某題, 論卽西門豹爲政, 其炎如火. 詩則天砥礱兆民也'. 又曰, '除詩賦策論外, 科名極多, 如經學·陰陽·醫方·武擧·筭學之類, 皆是也'. 宣撫姚公姚樞曰, '傳聞汝邦有古文尙書及海外異書', 曰'與中國書不殊', 又曰'聞聖上近賜饑牵想已饜飫', 曰'悉亡之矣'. 曰'慱塞亡之乎?, 讀書亡之乎?'. 曰'慱塞亡之矣'. 遂烘堂大笑. 左丞張公張文謙問曰, '汝國王世系說是世臣胤裔'. 曰'非也, 其來是唐順宗第十三子, 逃難而立於此, 以王家, 後易姓爲王'. 時李參政手持玳瑁聚翣. 史相曰, '執政官當以端方表德, 今所用非方非圓, 或聚或散, 何居?'. 李不能答, 有頃, 卽以葛藤語亂之, 實飾辭也. ○其世子與李參政, 衣白縠上衽抱, 冠則漆紗圓頂巾, 履舃, 皆以絲爲之, 帶則烏犀小革也. 其李顯甫, 面滿月白晢, 鬚髮皓然, 年十八, 以詞賦狀元第. 時六十一歲, 通禪學善作詩, 蓋世子之岳翁也. 酉刻皆霑醉而去. 其導從儀物·張盖·乘馬, 馬首復持一大紫盖, 比常盖四垂極長. 問之, 曰引盖也. 名曰儀執. 明日壬寅12日, 諸相入見, 上聞燕語甚懽, 遂以手詔玉帶遣還. 制詞有云, 出水而陸, 去危就安, 宜寬漢法之拘𠛬, 續議楚宫之作, 蓋准元年, 先奏便民之請也. 至元七年, 朝廷遣平章趙璧·郎中宋衜[注,字弘道, 終太子賓客], 徙王都於海西岸, 江華島一炬爲焦土矣".

· "八月十日庚子, 賜高麗國王倎手詔. 時値權臣金氏之變, 其辭曰, 世居東土, 封自西周中國之姓. 雖更外邦之, 貢不闕, 向以權臣之專寵, 至於隻失, 以相加. 卿慨發純誠來修覲, 禮敬形于色, 濟濟然殊, 可觀情見乎? 辭謙謙而不自伐, 宜還舊服, 往紹新休, 可封高麗國王, 仍統治東方諸國如故. 尙服寵光, 益加舊勵"(『中堂事記』卷下:『秋間先生大全文集』 권82 所收). 이 자료는 1261년(원종2, 중통2) 8월 元 世祖가 元宗에게 내린 詔書이다. 이에 의하면 이 시기에 고려에서 金氏之變이 있었다고 하는데, 이는 1258년(고종45)의 崔氏政權을 타도한 金仁俊(金俊으로 改名)의 政變을 말한 것 같다. 그런데 이 詔書의 내용에는 王位를 復位시키는 意味를 띠고 있는데, 이는 어떠한 錯覺에서 나온 것이 아닐까 한다. 물론 고려 측의 자료에서는 확인되지 않는다.

136) 이는 다음의 기사를 전재한 것이다.
· 지12, 지리3, 殷州, "後出陸, 爲成州屬縣".

137) 이는 다음의 자료에 의거하였다.
· 『원사』 권5, 본기5, 세조2, 中統 3년 3년 1월 丙戌29日, "高麗遣使, 奉表來謝, 優詔答之".
· 『원사』 권208, 열전95, 外夷1, 高麗, "中統三年正月, … 禃遣使入謝, 優詔答之".

[某日, 以金祇錫爲慶尙道按察使:慶尙道營主題名記].[138)]

[是月庚午[13日], 蒙古罷鴨綠江互市. 諸王塔察兒請置鐵冶, 從之. 請立互市, 不從. ○賜高麗國曆:追加].[139)]

[二月丁亥朔[大盡,癸卯]:追加].

[三月[丁巳朔小盡,甲辰], 癸亥[7日], 侍御史張鎰賫詔書, 還自蒙古:追加].[140)]

[是月甲申[28日], 蒙古免高麗酒課:追加].[141)]

夏四月[丙戌朔大盡,乙巳], [庚寅[5日]:追加], 遣判秘書省事朴倫等如蒙古, 進方物.[142)]

[五月[丙辰朔小盡,丙午], 某日, [同知樞密院事]柳璥知貢擧, 兪千遇同知貢擧, 取趙得珠等:選擧志1科目轉載].[143)]

· 『國朝文類』 권41, 雜著, 政典總序, 征伐, 高麗[注, [中統]三年, 王杭[~~王植朝~~]](四部叢刊本, ~~添字~~와 같이 고쳐야 옳게 될 것이다).

· 『국조문류』 권41, 雜著, 政典總序, 征伐, 高麗[注, [中統]三年, 王植朝[~~王植遣使入朝~~]](四庫全書本). 이해에는 元宗이 몽골제국에 入朝한 사실이 없으므로 ~~添字~~와 같이 고쳐야 옳게 될 것이다.

138) 이때 金祇錫은 張鎰과 더불어 全羅·忠淸·慶尙의 3道를 交代로 按察하였다고 한다(열전19, 張鎰).

139) 이는 다음의 자료에 의거하였다.

· 『원사』 권5, 본기5, 세조2, 中統 3년 1월, "庚午, 罷高麗互市. 諸王塔察兒請置鐵冶, 從之. 請立互市, 不從. … 賜高麗曆".

· 『원사』 권208, 열전95, 外夷1, 高麗, "[中統]三年正月, 罷互市. 諸王塔察兒請置鐵冶, 從之. 請立互市, 不從. 賜禃歷, 後歲以爲常".

140) 이는 다음의 자료에 의거하였는데, 日辰은 張鎰이 몽골제국에서 歸還한 날이 아니라 고려에 到着한 날일 것이다(→參考資料 『元高麗紀事』의 脚注).

· 『원고려기사』本文, 世祖, "[中統]三年三月七日, [侍御史]張鎰受旨還".

141) 이는 다음의 자료에 의거하였다.

· 『원사』 권5, 본기5, 세조2, 中統 3년 3월, "甲申, 免高麗酒課".

142) 朴倫은 다음의 자료에서 4월 5일에 蒙古에 入朝하였다고 되어 있으나 是日은 고려에서 파견이 결정된 日辰일 것이다. 또 郎將 辛洪成은 崔誠之(崔毗一의 子)의 外祖인 司宰卿 辛洪成으로 추측된다(崔誠之墓誌銘, 李鎭漢 2013년 120面).

· 『원사』 권208, 열전95, 外夷1, 高麗, "[中統三年]四月, 禃遣其左諫議大夫朴倫·郎將辛洪成等奉表入朝".

· 『원고려기사』本文, 世祖, 중통 3년, "四月五日, 倎[植]遣左諫議大夫朴倫·郎將辛洪成等, 奉表入朝".

143) 이 시기의 科擧가 4월과 5월에 실시되었는데, 이해의 4월에는 記事가 있고, 5월에는 기사가 없음을 보아 5월에 거행되었을 가능성이 높다. 이와 관련된 기사로 다음이 있다.

· 열전18, 柳璥, "[柳璥]與兪千遇同掌試, 千遇喜自用, 程文有微疵, 必欲擯之, 璥不與較. 及榜出, 皆

[是月, 遣使如蒙古, 進方物:追加].[144)]

[六月乙酉朔大盡,丁未, 是月乙未11日, 蒙古禁女直侵軼高麗國民, 其使臣往還, 官爲護送. 命婆娑府屯田軍移駐鴨綠江之西, 以防海道:追加].[145)]

[是月, 万德寺僧心秀印成'妙法蓮華經'一百部:追加].[146)]

[秋七月乙卯朔大盡,戊申, 壬戌8日, 流星, 一出天津, 入離珠. 一出天棓, 入天紀:天文2轉載].

[甲子10日, 月掩心後星:天文2轉載].

[乙丑11日, 流星出畢, 入觜:天文2轉載].

[戊寅24日, 流星出五屛, 入天倉:天文2轉載].

[某日, 以韓千顔爲慶尙道按察使:慶尙道營主題名記].

秋七月~~六月乙酉朔~~小盡,己酉,[147)] [丁亥3日, 流星出匏瓜, 入建星:天文2轉載].

[庚寅6日, 月犯心大星:天文2轉載].[148)]

老於場屋者, 然少至達官".

또 이때 趙得珠가 禮部試[春場]와 殿試에서 모두 壯元하였다는 것을 보아 殿試가 施行되었음을 알 수 있다. 그리고 이때 白就文이 급제하였던 것 같다.

· 『圓鑑國師語錄』, 南原趙太守見訪, 有時, 次韻謝之 … 公以春場壯元, 作殿試壯元, "詩文省略".

· 열전18, 兪千遇, "有白就文者, 嘗於千遇門下登第, 娶內僚金衍女, 衍卽仁俊舅也. 衍請仁俊, 以就文爲海陽府錄事, 仁俊許之, 千遇不聽". 여기에서 金仁俊의 丈人인 金衍은 宦官 金仁宣과 兄弟가 되는 것 같다(열전43, 金俊, "… 俊妻, 又仁宣姪女也").

144) 이는 다음의 자료에 의거하였다.

· 『원사』 권5, 본기5, 세조2, 中統 3년 6월, "丙申12日, 高麗國王王禃遣使來貢".

· 『원사』 권208, 열전95, 外夷1, 高麗, "中統三年六月, 遣使入貢".

145) 이는 다음의 자료에 의거하였다.

· 『원사』 권5, 본기5, 세조2, 中統 3년 6월, "乙未, 禁女直侵軼高麗國民, 其使臣往還, 官爲護送. 命婆娑府屯田軍移駐鴨綠江之西, 以防海道".

146) 이는 다음의 자료에 의거하였다(郭丞勳 2021년 232面).

· 『妙法蓮華經』 권7, [墨書], "謹發洪愿印成」 蓮經一百部,廣施者」,壬戌六月　日　誌,」 万德寺道人 心秀」".

147) 七月壬寅은 8월 壬寅(18일)의 오류이다. 이 기사의 내용은 같은 해 4월에 蒙古에 파견된 判秘書省事 朴倫이 世祖로부터 元宗에게 下賜된 物品과 詔書에 대한 것인데, 중국 측의 자료에 의하면 8월 18일이므로 七月壬寅은 八月壬寅의 오류임을 알 수 있다(→8월 18일의 脚注).

148) 지2, 天文2에는 丁亥(8월 3일)가 7월에 들어가 있지만, 庚寅(6일)의 앞에 있는 八月을 丁亥의

[丁酉[13日], □[月]與歲星同舍:天文2轉載].

[己亥[15日], □[月]與鎭星, 同舍于奎:天文2轉載].

壬寅[18日], [判秘書省事]朴倫還自蒙古, 帝賜王錦九匹[疋].[149)] 詔曰, "來表稱, 女眞侵汝邊境, 虜掠人民事, 已聞知. 前日北鄙叛逆, 想卿已悉. 旣而諸王有言, 先以聽信一二奸人之語, 遂成過惡, 引咎請和爲辭. 因之按甲, 不意, 去歲輒來犯我邊民, 致有搖動. 連兵交亂之際, 小人乘而作過者有之, 交兵之事, 爲不祥者, 此之謂也. 尋當究問, 而遣出之".

○又詔云, "據來使奏告, 每歲朝見來時, 地里窵遠, 騎坐馬匹, 多有失盜, 去處乞禁約事, 准奏, 仰各處達魯花赤·管軍·管民官員人等, 今後, 如遇高麗差使臣來時, 經過去處, 官爲差人, 防護傳送, 無令一行鞍馬諸物疎失".

○又詔云, "據來使奏告, 本國所產鷹鶻, 每歲進奉, 乞依數給付鋪馬, 及無令人遮當事. 准奏, 仰各處達魯花赤·管民官, 如高麗國進奉鷹鶻來時, 官司驗鷹鶻數目應副, 與鋪頭口者, 仍仰不以是, 何人等, 無得遮當".

丙午[22日], 幸賢聖寺.

[己酉[25日], 月入軒轅:天文2轉載].

庚戌[26日], 宥死囚九人, 流于島.

九月[甲寅朔大盡,庚戌], [辛酉[8日], 月入南斗魁. 熒惑逆行, 入羽林:天文2轉載].

[甲子[11日], 月與歲星, 同舍于危:天文2轉載].

庚午[17日], 蒙古遣按脫麥徹兒·禮部侍郎劉憲·接伴使康和尙等來, 索鴿子及好銅□□□[三萬斤]. 我國以好銅, 疑是赤銅, 問於憲, 答曰, "好銅者, 鍮鉐也". 於是, 令宰樞至六品, 收鍮鉐有差.[150)]

[乙亥[22日], 雷:五行1雷震轉載].

[己卯[26日], 月與太白, 犯翼:天文2轉載].

앞으로 移動시켜야 옳게 된다.

149) 이와 관련된 기사로 다음이 있는데, 日辰은 上記의 本文과 같이 고려에 도착한 時點이다. 또 間金熟綾은 어떠한 織物인지를 알 수 없다.

· 『원사』 권208, 열전95, 外夷1, 高麗, "[中統三年]八月, 朴倫等還, 賜西錦三段·間金熟綾六段".

· 『원고려기사』本文, 世祖, 중통 3년, "八月十八日, 進奉使朴倫等, 受旨還. 宜賜西錦三段·間金熟綾六段".

150) ~~添字~~는 『고려사절요』 권18에 의거하였다.

[○赤氣見于西北:五行1轉載].

庚辰[27日], 太白犯月, 晝見.

○王餞蒙使于郊外.

○遣禮部郎中高汭,[151] 獻鷂子二十·好銅六百一十二斤·黃白紙各一百張. 且奏曰, "聖旨以鷹鷂子奉獻之晩, 爲諭. 又勑以好銅二萬斤進獻, 其鷂子者, 早趂時而採捕, 將貢而養馴. 好銅者, 初觀詔旨, 疑是赤銅, 及問來使, 則謂之鍮鉐, 此物小國鴨綠江內, 本非所產, 惟上朝漢兒土中買傳而來, 言何妄飾, 世所共知. 然恐違聖勑, 罄時所有, 收集以進".

閏[九]月[甲申朔大盡,庚戌], [乙酉[2日], 流星, □一出諸侯, 入輿鬼, 一出積水文昌, 入輿鬼:天文2轉載].

[丁亥[4日], 太白犯大微[太微]:天文2轉載].

己丑[6日], 幸普濟寺, 設五百羅漢齋.

[○流星出卷舌, 入婁:天文2轉載].

壬辰[9日], 幸王輪寺.

辛丑[18日], 幸妙通寺.

冬十月[甲寅朔小盡,辛亥], 己未[6日], 重營彌勒寺及功臣堂. 初, 自太祖以來功臣, 皆圖形壁上, 每歲十月, 爲張佛寺, 以資冥福, 頃因遷都久廢. 至是, 王命重營設齋, 以壬辰年[高宗19年]遷都功臣崔怡, 戊午年[高宗45年]衛社功臣樞密院使金仁俊上將軍朴希實·李仁桓·金承俊·朴松庇·樞密院使柳璥·將軍金大材·金用材·金碩材·車松祐·上將軍林衍·將軍李公柱·大將軍金洪就等, 並圖形壁上.[152]

[○月與歲星同舍:天文2轉載].

壬申[19日], 王命撤權臣崔沆故宅, 以其地, 分給士庶無家者, 取材瓦, 營室於東山洞.

[○月犯軒轅大星. 太白入氐:天文2轉載].

[戊寅[25日], 赤氣橫天:五行1轉載].

151) 高汭는 10월에 蒙古에 도착하여 貢物을 바쳤던 것 같다.
· 『원사』 권208, 열전95, 外夷1, 高麗, "[中統三年十月], 是月, 禃遣使入貢".

152) 金大材·金用材·金碩材는 金仁俊의 前妻 소생으로 그 순서는 用材(柱로 개명)·碩材·大材인데 (원종 9년 12월 21일), 이들은 1262년(원종6) 6월에 작성된 「尙書都官貼」에는 用才·植才·大才로 달리 표기되어 있다.

[是月，京城大疫:五行3轉載].[153)]

十一月[癸未朔大盡,壬子]，[甲申[2日]，冬至．日暈:天文1轉載].
[庚寅[8日]，月與熒惑同舍:天文2轉載].
[甲午[12日]，□[月]犯五車:天文2轉載].
[辛丑[19日]，□[月]掩軒轅左角:天文2轉載].
癸卯[21日]，追封敬穆賢妃金氏[太子母]，爲靜順王后.[154)]
[乙巳[23日]，流星出北河入狼:天文2轉載].
[丁未[25日]，月掩房星:天文2轉載].
[己酉[27日]，□[月]犯南斗:天文2轉載].

十二月[癸丑朔小盡,癸丑]，乙卯[3日]，[大寒]. 郞中高汭還自蒙古，帝頒曆，又詔曰，“大小分殊，當謹畏天之戒，往來禮在，要知懷遠之心．卿自東隅，臣屬上國，適我家之有難，越其境以來歸，特侈新封，俾還舊服．凡有所奏，無不允從，如不易衣冠，班收軍戍，去水而就於陸，在虜者聽其歸，若此甚多，難於具悉．豈期弗諒，動則肆欺．向許貢於珍禽，已乖素約，頃小徵於銅貨，又飾他辭．陸子襄一羈旅也，愍骨肉之睽離，降綸綍而理索，輒爲拒命．是誠何心．玆小事，尙爾見違，於大節，豈其可保．凡遠邇諸新附之國，我祖宗，有已定之規則，必納質而籍□[編]民，編置[置]郵而出師旅，轉輸糧餉，補助軍儲．今者，除已嘗納質外，餘悉未行．卿自有區處，必當熟議，庸候成言．其歲貢之物，依例入進，毋怠初心，以敦永好”.[155)]

153) 이 기사는 『고려사절요』 권13에는 12월에 수록되어 있어 10월이 옳은지, 12월이 옳은지를 판단하기가 어렵다. 곧 五行志의 경우는 十二月에서 二가 탈락되었을 가능성이 있고, 『고려사절요』 권13의 경우는 기사의 冒頭에 是年이 탈락되었을 가능성이 있다. 또 이해의 봄[春]에 汲縣(現 河南省)에서 旱魃과 관련하여 疫이 크게 일어났다고 하지만(龔勝生 2015年), 이에서 根據로 제시된 『秋澗先生大全集』 권68, 祈雨靑詞에는 관련된 내용이 없다.

154) 이와 같은 기사가 열전1, 元宗妃, 順敬太后金氏에도 수록되어 있다.

155) 이 詔書는 몽골제국에서 10월에 하사되었던 것 같다. 또 上記의 原文, 下記의 引用文에서 ~~添字~~와 같이 고쳐야 옳게 될 것이다.
- 『원사』 권5, 본기5, 세조2, 中統 3년 10월, “丙寅[13日]，詔責高麗欺瞞之罪．又詔賜高麗王禃曆”.
- 『원사』 권208, 열전95, 外夷1, 高麗，中統，“[三年]十月，詔諭禃籍編民·出師旅·輸粮餉·助軍儲”.
- 『원고려기사』本文，世祖，중통 3년，“十月二十九日[~~壬午晦~~]，詔諭國王植曰，大小分殊，當謹畏天之戒，來往禮在，要知懷遠之心．卿自東隅，臣屬上國，因而家之有難，越其境以來歸，特侈新封，俾還舊服．凡有祈請，無不允從．如弗易衣冠，班收軍戍，去水而就於陸，在虜者聽其歸，若

丁卯[15日]，□[遣]高汭,[156] 以陸子襄及于琔妻子，如蒙古，表曰，“璽書方降，如親睿眷之臨，綸音所宣，諒非愚情之望，披承已往，悚駭難安. 陛下冠冕百王，襁褓萬國，一衣定天下，集大統於周家，尺劍入關中，開洪業於漢室. 既皇威之大振，何頑寇之足虞，而逆賊李璮，謂天可欺，攘臂敢拒. 爰命將而致伐，不延時而就殲，縱無露布之傳，猶獲風聆之及，四海同慶，三韓最欣. 臣緣幸昌辰，恪居遠徼，素加字小寬仁之蔭，悉允聲哀籲請之端. 緊聖德既深於撫矜，率遺黎，相與之感泣，何嘗一念，不祝萬年. 節次使介高汭之回也，拜勑稠重，周邦震疊. 其詔旨所諭事件，惡是何語，實所痛心，曾不意聖明之時，有如斯嚴切之責. 因念眷憐有厚，則易生譖斥，忠敬無文，則反致嫌疑. 今其至玆，或者以此，若乃子襄之妻孥也，豈其違命而不遣. 劉憲之行李也，初未有制而俄傳，輒自禀承，尋怦搉究，妻已適他，而生一兒，又且懷孕. 子雖無恙，也有二箇，皆爲提孩，於使介前，方令召覲曰，騆騎上，未可偕往，姑使養撫，後當遣來. 我其安用而留之，彼則不將而去耳. 迺以此而論責，甚可爲之兢惶. 又如于琔之妻也，雖非詔旨之併稱，亦聽使人之回報. 上朝活兒不花·達兒者·史丞相[史天澤]等,[157] 俱在省中，禀傳宣勑，遂與其人，同諭送將，故不敢違，今此并遣. 伏望，憐小邦常向內之無貳. 念前日幸遇上於不期，萬有千年，永示好生之德，百無一斁， 俾殫供職之誠”.[158] 仍獻金鍾三事·金鐥二事·銀鐥八事·獺皮七十七領·眞紫羅五匹·細紵布八匹·紙五百四十張·玳瑁鞘子三.

己巳[17日]，昌原公祉卒.[159]

此甚多，難於具悉. 豈其弗諒，動則肆欺，向許貢於珍禽，已乖素約，頃少徵於銅貨，又飾他辭. 陸子襄一羈旅也，愍骨肉之暌離，降綸綍而理索，輒爲拒命，是誠何心? 玆小事尙爾見違，於大節豈期可保，凡遠邇諸親附之國，我祖宗有一定之規則，必納質而籍編民，置郵而出師旅，轉輸糧餉，補助軍儲. 今者，除已賞[嘗]納質外，餘悉未行. 卿自有□[區]處，必當熟議，庸俟成言，其歲貢之物，依禮入進，毋怠初心，以敦永好”.

156) 이 위치에 遣이 脫落되었는데, 『고려사절요』 권18에는 옳게 되어 있다.

157) 活兒不花·達兒者·史丞相 등은 당시 蒙古 中書省의 宰相을 가리키는데, 活兒不花는 左丞相 忽魯不花(Qulu Buqa, 蒙古人)로, 達兒者는 平章政事 塔察兒(Tacar, 몽고인)로 추측되고, 史丞相은 右丞相 史天澤(1202~1275, 漢人)이다(『원사』 권112, 表6上, 宰相年表).

158) 이 表에 다음에 引用된 字句가 더 들어 있었던 것 같다.

- 열전43, 于琔, “于琔, 鎭州人. 元宗朝, 以譯語, 累遷郎將. 嘗使蒙古, 因留不返, 與叛人陸子讓[陸子襄], 請帝以聖旨取家屬. 王上表曰, 在昔, 春秋之義, 尙不容三叛人, 况今皇帝之時, 何反受二賊子”. 여기에서 添字와 같이 고쳐야 옳게 될 것이다.

159) 이 기사는 열전4, 熙宗王子, 昌原公祉에도 수록되어 있다. 이날은 율리우스曆으로 1263년 1월 28일(그레고리曆 2월 4일)에 해당한다.

[癸酉21日, 辰星·歲星, 同舍于虛:天文2轉載].

[乙亥23日, 月掩心後星:天文2轉載].

丁丑25日, 以金起孫爲門下侍郞同中書門下平章事, 李世材爲門下侍郞平章事, 李藏用爲中書侍郞平章事, 金純△爲守太尉·判禮部事·太子少師,[160] 樞密院使柳璥△爲守司徒·知門下省事·太子少傅~~太子少傅~~, 守司空?崔昷△爲判工部事, 金佺·金仁俊並爲樞密院使, 李應韶△爲知樞密院事·左散騎常侍·太子賓客, 崔允愷△爲知樞密院事·兵部尙書·太子賓客, 上將軍朴松庇△爲同知樞密院事·右散騎常侍, 金允侯~~金允侯~~爲樞密院副使·禮部尙書, 李之葳·上將軍崔瑛爲尙書左·右僕射. 樞密朴成梓△爲參知政事·判禮部事, 仍令致仕.

[□□~~是年~~, 京城大疫:節要轉載].[161]

[○以張戒然爲東京副留守:追加].[162]

癸亥[元宗]四年, 蒙古中統四年, [南宋景定四年], [西曆1263年]

1263년 2월 10일(Gre2월 17일)에서 1264년 1월 30일(Gre2월 6일)까지, 355일

[春正月壬午朔小盡,甲寅, 丁亥6日, 月掩昴星:天文2轉載].

[辛卯10日, □月掩五諸侯:天文2轉載].

[甲午13日, □月犯軒轅大星:天文2轉載].

[丙申15日, 月食:天文2轉載].[163]

[壬寅21日, 月犯天街南星:天文2轉載].

[某日, 以張□鎰爲慶尙道按察使:慶尙道營主題名記].[164]

---

160) 이때 金純의 本職은 參知政事 또는 政堂文學이었을 것이다.

161) 이 기사는 지9, 五行3에는 10월로 되어 있다(→是年 10월).

162) 이는 『동도역세제자기』에 의거하였다.

163) 이때 일본의 가마쿠라[鎌倉]에서도 월식이 있었다. 이날은 율리우스曆의 1263년 2월 24일이며 월식 현상이 심했던 때의 世界時는 17시 57분, 食分은 0.54이었다(渡邊敏夫 1979年 481面).

- 『吾妻鏡』제51, 弘長 3년 1월, "十五日丙申, 小雨常降, 入夜屬晴, 丑刻, 月蝕正見八分, 御祈加賀法印定淸".
- 『續史愚抄』1, 弘長 3년 1월, "十五日丙申, 月蝕, 丑剋八分".

春二月[辛亥朔大盡,乙卯], 甲寅[4日], 赦.

[戊辰[18日], 月犯房星:天文2轉載].

壬申[22日], 設消灾道場于大觀殿.

癸酉[23日], 倭寇金州管內熊神縣勿島, 掠諸州縣貢船.[165]

三月[辛巳朔小盡,丙辰], 甲申[4日], 幸賢聖寺.

甲午[14日], 高汭還自蒙古言, "中書省云, 帝怒爾國前降詔書內, 置郵·籍民·出師·輸糧等事, 置而不奏, 故不賜回詔".[166] [又洪茶丘, 訴永寧公於帝曰, "眞金太子, 中書令也, 永寧公, 本國尙書令, 故自謂秩等於皇太子". 帝大怒, 奪永寧公所領兵馬, 令茶丘管領歸附高麗軍民總管:節要轉載].

[丁酉[17日], 月犯心星:天文2轉載].

戊戌[18日], 幸乾聖·福靈二寺.

[己亥[19日], 熒惑入東井:天文2轉載].

己酉[29日晦], 幸普濟寺.

夏四月[庚戌朔大盡,丁巳], 甲寅[5日], 遣禮賓卿朱英亮·郎將鄭卿甫如蒙古, 獻獺皮五百領·紬一百匹·白苧布三百匹·表紙五百張·奏紙一千張. 表曰, "君親之義, 善貸不違, 臣子之情, 直陳無隱. 一昨使軺之旋返, 數條宸綍之奉傳. 其所謂置郵事, 雖則民殘而未孚, 爲其詔諭而會設, 至北境籧廬之相屬, 如上朝行李之所監. 其餘幷勑之多端, 亦欲應時而並稟. 但緣遺噍, 初沐至仁, 蕭然茂草之間, 與野獸爭家而始集, 蕞爾編蓬之下, 猶江魚處涸以相濡. 若當此時, 將籍其數, 顧惟蚩氓之常經患

---

164) 原文에 張字만이 확인되지만, 이 시기에 張鎰이 金祗錫과 더불어 全羅·忠清·慶尙의 3道를 交代로 按察하였다고 한 점을 통해 補完할 수 있다.

· 열전19, 張鎰, "元宗初, 與侍郎金祗錫, 迭爲全羅·忠淸·慶尙三道按察, 人以爲, 威重不及祗錫, 而決斷過之".

165) 이해의 4월 5일(甲寅) 大官署丞 洪泞·詹事府錄事 郭王府(郭預) 등을 日本에 보내 海賊을 금지해 달라고 요구한 牒에는 이달의 22日로 되어 있다. 그렇다면 이해의 高麗曆이 宋曆·日本曆과는 달리 1월이 大盡이고, 2월의 朔日이 壬子이거나 아니면 22日이 23日의 오자일 것이다. 後者일 가능성이 높다.

166) 世祖 쿠빌라이가 答書를 내리지 않은 것은 2월 3일(甲寅)이었다.

·『원사』 권5, 본기5, 세조2, 中統 4년 2월 甲寅, "以高麗不答詔書, 詰其使者".

·『원사』 권208, 열전95, 外夷1, 高麗, "[中統]四年二月, 以禃不答詔書, 詰其使者".

難, 恐昧法制而益積驚疑. 冀回厚睠以徐觀, 俾有寧心而允濟. 抑又出師輸糧等事, 干戈以後, 饑饉相仍, 民口之存者, 百不二三, 土毛之歛斂者, 十無八九, 旄倪猶乏於調發, 何以助六軍之容, 晨夕尙難於饔飧, 詎堪供千里之饟. 設或忘已九之劣, 而但迫皇威之加, 今不考實, 而苟欲其行, 後如矢期, 則何辭以對. 祗自增其譴責, 懼將負於生成, 進退誠艱, 憧惶罔措. 伏望曲加惻隱, 優賜矜憐, 恕輿情以不嚴, 徇事勢而勿亟. 姑且置於大度之外, 使自由於至恩之中, 竢其民產之有恒, 漸爾土田之爰闢, 然後惟命, 永示好生".[167]

○遣大官署丞洪泞·詹事府錄事郭王府等, 如日本國, 請禁賊, 牒曰, "自兩國交通以來, 歲常進奉一度, 船不過二艘,[168] 設有他船, 枉憑他事, 濫擾我沿海村里, 嚴加徵禁, 以爲定約. 越今年二月二十二日, 貴國船一艘, 無故來入我境內熊神縣界勿島, 略其島所泊, 我國貢船所載, 多般穀米幷一百二十石·紬布幷四十三匹, 將去. 又入椽島, 居民衣食·資生之具, 盡奪而去, 於元定交通之意, 甚大乖反. 今遣洪泞等, 賚牒以送, 詳公牒, 幷聽口陳, 窮推上項奪攘人等, 盡皆徵沮, 以固兩國和親之義".[169]

丙辰7日, [小滿]. 郎將鄭子卿妻孫氏, 宰臣挺烈之女也, 曾私家奴良守·徐均, 事覺, 死于獄中.

[○月入軒轅:天文2轉載].

庚申11日, 醮三界于內殿.

辛酉12日, 幸妙通寺.

丁卯18日, 幸王輪寺.

甲戌25日, 幸外院外帝釋院?.

五月庚辰朔小盡,戊午, [壬午3日, 巽方有黑氣, 如布匹, 入於南河及東井:五行1黑眚黑

---

167) 『원사』에는 朱英亮이 3월 29일(己酉, 晦) 蒙古에 도착하여 方物을 바쳤다고 되어 있으나, 4월 29일(戊寅) 또는 6월 1일(己酉)의 오류일 것이다.
· 『원사』 권5, 본기5, 세조2, 中統 4년 3월, "己酉, 高麗國王王禃遣其臣朱英亮入貢, 上表謝恩".

168) 일본 측의 자료에 의하면, 이 시기에 다자이후[大宰府] 또는 그 관할 아래의 對馬島가 고려에 파견한 進奉船[貢船]은 3隻이었던 것 같은 흔적이 찾아진다(『吾妻鏡』 권4, 文治 1년 6월 14일, 張東翼 2004년 318面).

169) 이와 관련된 기사로 다음이 있다.
· 열전19, 郭預, "元宗初, 補詹事府錄事, 與洪泞, 賚和親牒如日本, 請還被擄人口".

祥轉載].

[甲申[5日], 月犯軒轅:天文2轉載].

己丑[10日], 以旱徙市.

[甲午[15日], 月入南斗:天文2轉載].

丙申[17日], 大雨.

[庚子[21日], 十鹿入城:五行2轉載].

壬寅[23日], [小暑]. 遣左正言郭如弼[郭汝弼]如蒙古, 獻鷂.[170]

[是月, 旱:五行2轉載].

[○左諫議大夫鄭義, □□□□□[掌國子監試], 取金良裕等五十五人:選擧2國子試額轉載].

[是月戊子[9日], 大蒙古國陞開平府爲上都:追加].[171]

六月[己酉朔大盡,己未], 庚戌[2日], 王如奉恩寺.

[辛酉[13日], 月掩箕星:天文2轉載].

是月, 日本官船大使如眞等, 將入宋求法, 漂風, 僧俗幷二百三十人泊開也召島, 二百六十五人到群山·楸子二島.[172]

○大宰府少卿[少貳]殿白商船七十八人, 自宋將還本國, 漂風失船, 以小船泊宣州加次島.[173] 命全羅道按察使, 給糧船, 護送其國.[174]

---

170) 郭如弼은 『고려사절요』 권18에는 郭汝弼로 되어 있고, 『고려사』, 원종세가에도 1269년(원종 10) 7월 7일(辛亥) 이후에는 郭汝弼로 되어 있음을 보아 前者는 誤字일 것이다.

171) 이는 『원사』 권5, 본기5, 세조2, 中統 4년 5월 戊子에 의거하였다.

172) 일본의 官船大使 如眞은 가마쿠라 바쿠후[鎌倉幕府]가 寺社의 建立·營繕 등을 위해 許諾했던 '寺社造營料唐船'과 같이 公的으로 出航을 허락한 貿易船[公許船]의 우두머리[大使, 使頭]인 僧侶 如眞으로 추측된다(榎本 涉 2009年·2014年).

173) 宣州 加次島는 조선시대의 鐵山郡에 위치한 加次里島(혹은 加次島)를 指稱하는 것 같고, 이곳은 鐵山郡의 假島(현재의 平安北道 鐵山郡 椵島里)와 인접한 島嶼인 것 같다.

- 『신증동국여지승람』 권53, 鐵山郡, 山川, "椵島, 在郡南四十七里, 有牧場, 周四十一里. 加次里島,在郡南四十里".
- 『仁祖實錄』 권16, 5년 6월, "壬寅[7日], [平安道觀察使]金起宗馳啓曰, '都督[毛文龍]領兵船五十艘, 來泊于加次島, 聞賊在義州, 乘潮進向義州云".

174) 少卿은 少貳의 오자일 것이다. 大宰府의 少貳는 日本의 律令이 全國에 시행되고 있을 시기[古代]에 帥·大貳와 함께 중앙에서 파견된 官員이었다. 建久年間(1190~1199) 이래 武藤資頼(무토우 수요리)가 大宰少貳에 임명된 이래 그의 後孫들이 이 職位를 세습하게 되어 少貳氏로 바꾸었는데, 이때의 少貳(실제는 守護)는 武藤資頼이다. 이후 少貳氏가 豊前·筑前·肥前·壹岐·對馬 등의 지역 곧 九州의 三前二島의 守護職을 계속 맡아 왔다. 그러다가 1281년(弘安

秋七月己卯朔小盡,庚申, [己丑11日, 月入南斗魁:天文2轉載].

[癸巳15日, 月食:天文2轉載].[175]

[乙未17日, 月與歲星同舍:天文2轉載].

[戊戌20日, □月犯昴星:天文2轉載].

[壬寅24日, □月犯五諸侯:天文2轉載].

乙巳27日, 日本商船三十人漂風, 到龜州艾島, 命賜糧護送.

[○月犯軒轅:天文2轉載].

[某日, 慶尙道按察使張鎰, 仍番:慶尙道營主題名記].

八月戊申朔大盡,辛酉, 洪泞·郭王府郭預等, 自日本還, 奏曰, "窮推海賊, 乃對馬島倭也, 徵米二十石·馬麥三十石·牛皮七十領而來".[176]

[甲寅7日, 月犯心星:天文2轉載].

辛酉14日, 册子珆△爲檢校太尉·守司空·始陽郡開國侯,[177]

[→賜名加元服, 封爲侯. 册曰, "維歲次癸亥八月朔, 某王若曰, 朕聞欲理其國, 先齊其家~~先濟其家~~, 況子弟之廣封, 實國家之令則. 迺緣多故. 姑待其時, 幸今風淸玉塞之塵, 晏然無事, 月瀒金莖之露, 正是良辰. 宜展縟儀, 以將厚意. 咨爾珆, 天然性質,玉乎玲瓏. 學就日將學將日就而無愧於成人, 德與年豊而可升於賞典, 肆縻我之好爵, 用立爾于上公. 無淫于逸于遊, 博究皇王之墳典, 非禮勿言·勿動, 蔚爲宗室之表儀, 茂綏福履之休, 翊致泰平之業. 今遣~~使金紫光祿大夫~~某官某, ~~副使銀靑光祿大夫~~某官某等, 持節備禮, 册命爾爲開府儀同三司·檢校太尉·守司空守司徒·上柱

---

4) 이래 鎌倉幕府의 北條氏 세력이 鎭西 지역에 직접 영향력을 끼치면서 北條時定이 少貳氏로부터 守護職을 빼앗아 차지하였다(張東翼 2004년 146面).

175) 이때 일본의 가마쿠라에서는 7월 17일(乙未)에 월식이 예측되었으나 陰雲으로 인해 보이지 않았던 것 같다. 또 이날(15일)은 율리우스曆의 1263년 8월 20일이고, 월식 현상이 심했던 때의 世界時는 18시 31분, 食分은 0.77이었다(渡邊敏夫 1979年 481面).

· 『吾妻鏡』제51, 弘長 3년 7월, "十七日乙未, 陰, 月蝕不正現, 司天·宿曜道等有相論云々".

· 『續史愚抄』1, 弘長 3년 7월, "十七日乙未, 相模記, 月蝕, 陰雲不見, 司天·宿曜兩道等有雙論云".

176) 郭王府는 郭預의 初名인데, 1263년(원종4) 8월 1일에서 1270년(원종11) 5월 16일 사이에 改名하였다.

177) 이때의 册文이 『동문선』 권29, 王子珆爲開府儀同三司·□□□□檢校太尉·守司徒·上柱國·始陽□□□郡開國侯竹册文(鄭義 撰)으로 추측되는데, 兩者 사이에 守司徒와 守司空의 차이가 있다(册封年月은 同一하다). 또 이날 일본의 가마쿠라[鎌倉]에서는 大風이 있었다고 하는데, 여기에서 '御上洛'은 京都에 上京하는 것을 指稱한다.

· 『鎌倉年代記裏書』, "今年弘長三, 八月十四日, 大風, 仍將軍家於上洛延引".

國·始陽郡開國侯·食邑三百戶·食實封一百戶. 於戲, 恩雖父子, 義兼君臣, 體朕意之睠憐~~眷憐~~, 肩乃心於忠孝, 不其諱歟?". 府曰始陽, 置典籤·錄事各一人:列傳4元宗王子始陽侯珆轉載].[178]

○悰△爲檢校守司徒·順安郡開國侯.[179]

[→賜名加元服, 封爲侯. 册曰, "廣置侯封, 以藩王室, 是古之常典, 非朕之私恩. 咨爾琮挺岐嶷之資, 蘊聰明之質, 朕之所以愛汝保汝. 汲汲望其成人者, 不惟天性之自然, 蓋爲本支之益固. 肆頒位號, 用示寵光. 今遣某官某等, 命爾爲開府儀同三司·檢校守司徒·上柱國·順安郡開國侯·食邑二百戶·食實封一百戶. 於戲, 惟仁可以下獲民心, 惟德可以上承天命, 日愼所守, 時敏厥修. 夙夜惟寅, 服勤於子職, 明哲以保, 對揚於王休". 府曰大寧, 置典籤·錄事各一人:列傳4元宗王子順安公琮轉載].

甲子17日, 禮賓卿朱英亮等還自蒙古, 詔曰, "~~省表具知,~~ 朕黜以細事, 見卿心之未孚, 是故有責備之報. 今慈來復丐, 候生民稍集, 然後惟命, 辭意懇實, 理當兪允. ~~朝貢物數, 亦宜稱其力焉~~. 凡百所言者, 能踐與否, 卿其圖之". 仍賜羊五百.[180]

○分賜諸王·宰樞·承宣·致仕三品·顯官四品·近侍省臺五品員, 有差.

[丁卯20日, 月犯五車:天文2轉載].

戊辰21日, 設消災道場於內殿.

丁丑30日, 幸賢聖寺.

---

178) 添字는 『동문선』 권29, 王子珆爲開府儀同三司 … 竹册文(鄭義 撰)에 의거하였다.

179) 順安侯 悰(元宗의 3子, 忠烈王의 異腹弟)은 悰(열전1, 后妃1, 元宗 慶昌宮主 柳氏) 또는 琮悰(열전4, 宗室2, 元宗 順安公 琮悰)으로 달리 표기되어 混亂을 일으키고 있다. 世家篇에 의하면 悰은 元宗 4년 8월 14일, 10년 12월 19일, 14년 閏6월 9일, 忠烈王 즉위년 10월 19일, 9년 8월 2일에 사용되었다. 또 琮은 충렬왕 3년 7월 29일, 같은 해 8월 10일, 9월 16일에 나타난다. 이는 『고려사』의 편찬자가 성실하게 편찬하지 않았음을 보여주는 사례의 하나일 것이다. 이 책에서는 당시의 기록인 『동안거사집』行錄권4, 賓王錄幷序에 의거하여 悰으로 통일한다.

180) 이 조서는 몽골제국에서 6월에 하사되었던 것 같은데, ~~添字~~는 이에 의거하였다. 또 이때 蒙古가 고려의 入貢에 대해 대처한 사실은 다음과 같다.

- 『원고려기사』本文, 世祖, "中統四年六月, 聖旨諭植曰, 聖旨諭植曰, 省表具知, 朕黜以細事, 見卿之心未孚, 故有責備之報. 今茲來復丐, 俟民生稍集, 然後惟命, 辭意懇實, 理當兪允. 朝貢物數, 亦宜稱其力焉. 第凡所言者, 能踐與否, 卿其圖之".
- 『원사』 권5, 본기5, 세조2, 中統 4년 6월, "己未11日, 賜高麗國王王禃羊五百".
- 『원사』 권208, 열전95, 外夷1, 高麗, "中統四年, … 禃表乞俟民生稍集, 然後惟命. 帝以其辭懇實, 允之. 朝貢物數, 亦命稱其力焉. 自三月至于六月, 禃凡三遣使入貢, 賜禃羊五百".

[九月戊寅朔[小盡,壬戌], 雷:五行1雷震轉載].[181]
[癸巳[16日], 月掩昴:天文2轉載].
[是月庚寅[13日], 蒙古諭高麗上京等處, 毋重科斂民:追加].[182]

冬十月[丁未朔大盡,癸亥], [辛亥[5日], 月與太白同舍:天文2轉載].
[○雷:五行1雷震轉載].
壬戌[16日], 遣大司成韓就如蒙古,[183] 賀正兼謝賜羊.[184]
[丁卯[21日], 月掩軒轅:天文2轉載].

十一月[丁丑朔大盡,甲子], [己卯[3日], 流星出參, 入天垣[~~天市垣~~]:天文2轉載].[185]
[辛巳[5日], 月與太白, 同舍于虛:天文2轉載].
[壬午[6日], 熒惑犯房:天文2轉載].
[戊子[12日], 月掩昴星:天文2轉載].
乙未[19日], 太白晝見, 經天.
己亥[23日], 永安公僖卒.[186]

---

181) 戊寅에 朔이 탈락되었다. 일본의 가마쿠라[鎌倉]에서는 9월 12일 落雷가 있었다고 한다(中央氣象臺 1941年 2册 431面).
· 『吾妻鏡』제51, 弘長 3년 9월, 10월, "十二日己丑, 終夜甚雨, 戌刻雷鳴, 武藏大路霹靂, 蹴裂卒都婆, 其上三尺余, 爲雷火燒, 蹴裂之聲, 響人屋, 聞者甚多云云. … [十月]一日戊申, 晴, 大藏權大輔泰房於御所南庭行天地災變祭, 是去月十二日大雷御祈禱也". 당시 日本曆의 10월 戊申(1일)은 송력·고려력의 10월 2일(戊申)에 해당한다.

182) 이는 다음의 자료에 의거하였다.
· 『원사』 권5, 본기5, 세조2, 中統 4년 9월, "庚寅[13日], 諭高麗上京等處, 毋重科斂民".

183) 韓就는 11월 10일(丙戌) 몽골제국에서 謝恩하였다.
· 『원사』 권5, 본기5, 세조2, 中統 4년 11월 丙戌, "高麗國王王禃以免置驛·籍民等事, 遣其臣韓就奉表來謝. 賜中統五年曆幷蜀錦一, 仍命禃入朝".
· 『원사』 권208, 열전95, 外夷1, 高麗, "[中統四年]十一月, 禃以免置驛·籍民等事, 遣其翰林學士韓就奉表入謝".

184) 이때의 謝表는 『동문선』 권37, 謝賜羊表(金坵 撰)로 추측된다. 또 韓就는 明年 正旦에 世祖를 謁見하고 賀禮를 드렸던 것 같다.
· 『원사』 권5, 본기5, 세조2, 至元 1년, "春正月丁丑朔, 高麗國王王禃遣使, 奉表來賀".
· 『원사』 권208, 열전95, 外夷1, 高麗, "[中統]五年正月丁丑朔, 禃遣使奉表入賀. 諭還使, 令禃親朝京師".

185) 天垣은 天市垣에서 市가 탈락되었을 것이다(孫曉 等編 2014年 1494面).

186) 이 기사는 지18, 禮6, 諸臣喪과 열전4, 神宗王子, 襄陽公恕에도 수록되어 있다. 이날은 율리우

[壬寅26日, 月犯房星:天文2轉載].187)
[丙午30日, 大霧, 咫尺不辨人:五行3轉載].

十二月丁未朔大盡,乙丑, [己酉3日, 太白犯壘壁:天文2轉載].
[乙卯9日, 木稼:五行2轉載].
[丁巳11日, 月犯五車:天文2轉載].
辛酉15日, 中書侍郎平章事李藏用·知門下省事柳璥上書, 薦吏部侍郎金坵.188)
壬戌16日, 流朱英亮·鄭卿甫于島. 英亮等, 嘗赴北朝時, 受人貨賂, 帶十七人而行, 多行買賣. 至是, 事覺, 沒十七人銀甁一百七十口·眞絲七百斤, 皆配島, 徵英亮銀九斤·卿甫七斤.
[甲子18日, 木稼:五行2轉載].
丙寅20日, 以中書侍郎平章事李藏用△爲守太傅·判兵部事·太子太傅, 知門下省事柳璥△爲守太保·參知政事·太子太保, 樞密院使金俊△爲守太尉·參知政事·判御史臺事·太子少師,189) [俊卽仁俊也:節要轉載], 金佺△爲守司徒·知門下省事·太子少傅, 樞密朴松庇△爲守司空·左僕射·太子少保, 李應韶爲樞密院使, 崔允愷△爲知樞密院事, 樞密院副使?李之葳·崔瑛並△爲同知樞密院事·太子賓客, 羅得璜·韓就並爲樞密院副使,190) 蔡楨爲樞密院副使·御史大夫, 宋義·洪縉爲尙書左·右僕射,191) 申思佺爲兵部尙書, 兪千遇·朴倫爲樞密院左·右承宣, 金冲爲右副承宣, 大將軍金方慶△爲知御史臺事, 吏部侍郎金坵·李松縉爲左·右諫議大夫,192) 李世材△爲守太傅·門下侍郎平章事, 仍令致仕, 金

스曆으로 1263년 12월 24일(그레고리曆 12월 31일)에 해당한다.

187) 이와 같은 현상이 일본의 가마쿠라에서도 관측되었던 것 같다. 여기에서 日本曆의 壬寅(25일)은 宋曆·高麗曆의 11월 26일에 해당한다.
- 『吾妻鏡』제51, 弘長 3년 11월, "廿五日壬寅, 寅剋, 月犯房第三星, 相去四寸所. 房主左右馬寮也, 左典廐時宗殊可有御愼之由, 司天輩申之".
- 『續史愚抄』1, 弘長 3년 11월, "廿五日壬寅, 今夜寅剋, 月犯房第三星, 相去四寸所".

188) 金坵는 初名이 金百鎰이었으나 金坵로 改名하였는데, 1251년(고종38) 7월에는 金百鎰로, 1254년(고종41) 6월에는 金坵로 되어 있음을 보아 그 사이에 改名하였던 것 같다(열전19, 金坵 ; 薛愼墓誌銘 ; 梁宅春墓誌銘).

189) 金俊의 陞進은 그의 열전에서도 확인된다(열전43).

190) 羅得璜은 그의 孫子인 羅益禧의 묘지명에 의하면 守司空·尙書左僕射·判戶部事로 致仕한 것 같다.

191) 이후 宋義(尹秀의 丈人)는 樞密院副使로 致仕하였던 것 같다(→열전37, 폐행2, 尹秀).

192) 이때 金坵는 中大夫·國子祭酒·左諫議大夫·翰林侍講學士·知制誥에 임명되었던 것 같다(『동문

純△[爲]守太傅·門下侍郞平章事, 崔昷△[爲]守太傅·中書侍郞平章事, 金允侯[金允侯]△[爲]守司空·右僕射, 奉禧爲樞密院副使·工部尙書, 並令致仕, [[處仁縣令]崔瑞爲大官丞兼式目都監錄事:追加].[193)]

[庚午[24日], 月掩心星:天文2轉載].

[是年, 改稱東州道爲交州道, 溟州道爲江陵道:轉載].[194)]

[○以金賆爲東面都監判官:追加].[195)]

[○以[元傅之子]元貞爲江華郡判官. 時貞年十七:追加].[196)]

[○以[隊正]趙仁規爲校尉:追加].[197)]

[○以金甄爲永州副使, 復置判官, 以金宣爲永州判官:追加].[198)]

[○以張舘爲延安副使, 張孝之爲延安判官:追加].[199)]

선』 권44, 讓中大夫·國子祭酒·左諫議大夫·翰林侍講學士表 ; 권30, 金坵讓中大夫·國子祭酒·左諫議大夫·翰林侍講學士依前知制誥不允批答). 또 그의 열전에는 右諫議大夫로 되어 있으나 오류일 것이다(“元宗四年, 拜右[左]諫議大夫, 坵之祖僧也, 不宜在臺諫, 然以坵有才, 乃署告身”).

193) 이는 「崔瑞墓誌銘」에 의거하였다.

194) 이는 다음의 자료를 전재하였다.

· 지12, 지리3, 交州道, “後稱東州道. 元宗四年, 稱交州道”.

· 지12, 지리3, 東界, “元宗四年, 稱江陵道”.

195) 이는 「金賆墓誌銘」에 의거하였다.

196) 이는 元貞(元傅의 子)의 墓誌銘에 의거하였는데, 그는 1295년(충렬왕21, 元貞1) 元의 연호인 元貞을 피하여 元瓘으로 개명하였다. 그의 묘지명은 1670년(현종11) 長湍府 金洞里(現 開城市 長豊郡 地域)에서 발견되었던 것 같다.

· 『宋子大全』 권164, 高麗僉議贊成事元公墓碑, “崇禎庚戌, 有金姓人發古墓於長湍金洞里, 有誌石焉, 間有剝缺, 而其餘皆可讀, 其標題曰僉議贊成事元公墓誌. 其序有云公諱瓘, 字退翁, 原州人也, 本名貞, 以姓名與上國年號相同故改之. 曾祖左司諫知制誥諱承胤, 祖追封樞密院副使諱瑨, 父金紫光祿大夫·守太傅·門下侍郞同中書門下平章事·修文殿大學士·監修國史·判兵部事, 謚文純公諱傅, 母峯城郡大夫人廉氏, 禮賓卿諱守藏之長女, 中古名宰相信若之孫也. 凡一百十七字, 其下歷敍公性行履歷, 以至七十卒, 八百三十七字, 而所缺又二十四字. 又其下有三百九字, 敍三娶及子壻然後終之以銘, 而所缺又十三字, 末行書重大匡·檢校僉議政丞·右文館大提學·監春秋館事·驪興君閔漬撰二十六字. 今以此參之國史及家乘, 公生於宋理宗淳祐七年丁未[高宗34年], 景定四年癸亥[元宗4年], 公年十七, 而爲江華判官, 元忽必烈[世祖至元]三年丙寅及第, 其庚午[元宗11年], 陪文純公, 從高麗元宗如元. 其後以宰相子有才能再入, 丁亥[忠烈13年], 文純卒, 公自元東還, 乙未[21年], 元改元元貞, 公遂改名. …”.

197) 이는 「趙仁規墓誌銘」에 의거하였다. 이때 趙仁規는 通譯官[譯語]으로서 起家하였던 것 같다.

· 열전18, 趙仁規, “生而穎悟, 稍長就學, 略通文義. 國家選子弟通敏者, 習蒙古語, 仁規與是選. 以未能出儕輩, 閉戶三年, 晝夜不懈, 遂知名, 得補諸校”.

198) 이는 『영천선생안』에 의거하였다.

[○以閔宗儒爲淸道郡監務, 時宗儒年十九:列傳20閔宗儒轉載].[200]

[○以三重大師惠永爲首座:追加].[201]

[仁同人 張東翼 校注, 增補].

199) 이는 『연안부지』에 의거하였다.

200) 이는 「閔宗儒墓誌銘」에도 수록되어 있다.

201) 이는 「桐華寺住持五敎都僧統普慈國尊贈諡弘眞碑銘」에 의거하였다.

『高麗史』卷二十六 世家卷二十六

[輔國崇祿大夫·議政府左贊成·知集賢殿經筵春秋館成均事·世子賓客·臣金宗瑞奉敎撰]
正憲大夫·工曹判書·集賢殿大提學·知經筵春秋館事兼成均大司成·臣鄭麟趾奉敎修

元宗 二

甲子[元宗]五年, 蒙古中統五年→8月至元元年, [南宋景定五年], [西曆1264年]

1264년 1월 31일(Gre2월 7일)에서 1265년 1월 18일(Gre1월 25일)까지, 354일

春正月丁丑朔小盡,丙寅, 放朝賀.
[甲申8日, 月犯五車:天文2轉載].
壬辰16日, 親設仁王道場于內殿.
[癸巳17日, 赤氣, 浮於天東:五行1轉載].
己亥23日, 醮太一於內殿.
[某日, 以李□某爲慶尙道按察使:慶尙道營主題名記].

二月丙午朔大盡,丁卯, 壬子7日, 京城地震.
[乙卯10日, 流星出張, 入西方:天文2轉載].
[丁巳12日, 月犯軒轅左角:天文2轉載].
己未14日, 燃燈, 王如奉恩寺.
[甲子19日, 月掩房次將:天文2轉載].
丙寅21日, 樞密院副使韓就還自蒙古, 帝賜西錦一叚段·曆日一本, 詔曰, "獻歲發春, 式遘三陽之會, 對時育物, 宜同一視之仁. 睠爾外方, 忠於內附, 肇因正旦, 庸展賀儀, 方使介之還歸, 湏須筴書之播告. 今賜卿中統五年曆日一道, 卿其若稽古典, 敬授民時, 勸彼東隅之氓, 勤於南畝之事. 茂迎和氣, 迄及康年, 時乃之休, 惟朕以懌".[1)]
[丁卯22日, 月掩南斗魁:天文2轉載].

---

1) 이 詔書는 1월에 하사되었던 것 같다. 이는 翰林學士 王鶚(1190~1273)이 지은 것으로 위의 기사와 字句에 出入이 있다(『國朝文類』 권9, 賜高麗國王曆日詔, 中統五年正月 ; 張東翼 1997년 71面).
· 『원고려기사』本文, 世祖, "中統五年正月, 諭高麗回使, 令其主植, 躬朝闕廷".

己巳[24日], 親設消災道場於內殿.

三月[丙子朔小盡,戊辰], 己卯[4日], 親醮三界於內殿.
[庚辰[5日], 月犯東井:天文2轉載].
[辛巳[6日], □[月]又犯五諸侯:天文2轉載].
[癸未[8日], 流星出柳, 入參:天文2轉載].
辛卯[16日], [穀雨]. 幸賢聖寺.
戊戌[23日], 幸乾聖·福靈二寺.
[辛丑[26日], 月與太白同舍:天文2轉載].
癸卯[28日], 幸普濟寺.

夏四月[乙巳朔小盡,己巳], 丁未[3日], 幸妙通寺.
乙卯[11日], 遣禮賓卿金祿延如蒙古, 謝賜曆日·西錦.[2)]
戊辰[24日], 太白晝見, 經天.
[○月與熒惑, 同舍于奎:天文2轉載].
[辛未[27日], 以□□□[永安公]僖卒[~~葬事~~], 輟朝三日:禮6諸臣喪轉載].[3)]

五月[甲戌朔大盡,庚午], [戊寅[5日], 太白·熒惑, 同舍于婁:天文2轉載].
[己卯[6日], 月犯軒轅:天文2轉載].
庚辰[7日], 蒙古遣官人胡都多乙者·禮部員外郎趙泰·康和尙等來.
[是時, 蒙古頒賜羊, 中書侍郎平章事柳璥受賜, 而作古調一篇, 放于禪源社後園中, 蓋欲其聞佛法而化生者也:追加].[4)]
辛巳[8日], 受詔於大觀殿, 詔曰, "朝覲, 諸侯之大典也. 朕[~~粵自~~]纘承丕緖, 于今五年, 第以兵興, 有所不暇. 近西北諸王率衆款附, 擬今歲朝, 王公·群牧於上都,[5)] 卿宜乘

---

2) 金祿延은 4월 24일(戊辰) 燕京에 도착하여 貢物을 바쳤다.
·『원사』 권5, 본기5, 세조2, 至元 1년 4월 戊辰, "高麗國王王禃遣其臣金祿□[延]來貢".

3) 永安公 僖는 前年(원종4) 11월 23일에 逝去하였으므로 이날은 葬禮日[葬事]이어서 輟朝를 施行한 것 같다.

4) 이는 是年 是年條의 脚注에 의거하였다.

5) 王公과 群牧은 分封된 諸王과 地方의 長官을 指稱한다. 또 고려왕조는 이 시기 前後부터 멸망할 때까지 거의 130餘年에 걸쳐 蒙古帝國에 每年 數次에 걸쳐 각종 國贐物을 바쳤는데, 그 흔

馹而來, 庸修世見之禮, 尙無濡滯, 其體朕懷".[6)]

[某日, 會宰相議親朝, 皆持疑曰, "不可". 中書侍郎平章事李藏用, 獨奏曰, "王覲則和親, 否則生釁". 王從其言, 定入朝之議:節要轉載].

[→元宗五年, 蒙古徵王入朝, 王命宰相會議, 皆持疑未決. □李藏用獨曰, "王覲則和親, 否則生釁". 參知政事金俊曰, "旣就徵, 萬一有變, 乃何?". 曰, "我以爲必無事也. 脫有變, 甘受孥戮". 議乃定, 遂從王入朝:列傳15李藏用轉載].

丙戌13日, 宴蒙使.

[○流星出奎, 入胃:天文2轉載].

己丑16日, 蒙使胡都·康和尙先還, 王餞于郊外, 以□借國子祭酒張鎰·譯語郎將康允紹, 伴行.[7)] 附表曰, "華使鼎至, 疾於星火之馳, 璽書帶來, 諭以風雲之會, 頒宣已往, 舞蹈惟勤. 伏念, 臣依蔭上朝, 撫封東徼. 萬宇皆歸於覆燾, 仰化無遺, 三韓別荷於矜憐, 銜恩罔極. 嚮也, 躬參而將返, 俄然, 語及於再朝, 而臣奏云, 退修離散之殘民, 咸使出居於舊土, 訖有所定, 盍往乎來. 恭承明訓以旋歸, 爰示小邦之形

적의 하나가 上都(現 內蒙古自治區 錫林郭勒盟 正藍旗, 多倫縣 西北쪽 閃電河 北岸의 草原, 金代 秋山巡幸地의 하나)의 유적지에 발견된 高麗紋樣의 각종 陶磁器의 破片일 것이다(東亞考古學會 編 1941年 圖版56).

· 『書經集傳』, 舜典, "… 輯五瑞, 旣月乃日, 覲四岳群牧, 班瑞于群后[鄭氏註云, … 旣盡覲見四岳, 四方之諸侯·群牧. 群牧, 九州之牧伯也]".

6) 이 詔書는 4월 11일(乙卯) 내려진 것이고, 使臣으로 必闍赤 古乙獨(胡都多乙, 忽兀禿, Qutug)이 派遣되었다고 한다. 또 添字는 『원고려기사』에 의거하였다.

· 『원사』 권5, 본기5, 세조2, 中統 5년 4월, "乙卯, 詔高麗國王王禃來朝上都, 修世見之禮".

· 『원사』 권208, 열전95, 外夷1, 高麗, "中統五年四月, 以西北諸王率衆款附, 擬今歲朝王公·群牧于上都, 又遣必闍赤古乙獨徵禃入朝, 修世見之禮".

· 『원고려기사』本文, 世祖, 中統 5년, "四月十一日, 遣必闍赤古乙獨, 賫勅使高麗, 徵植入朝曰, 朝覲會同, 國家之大典也. 朕粤自纘承丕緒, 於今五年, 第以兵興之故, 有所未暇. 近西北諸王, 率衆歸附, 擬今歲朝王公·群牧於上都, 卿宜乘馹而來, 庸修世見之禮, 尙無濡滯, 其體朕懷".

· 『익재난고』 권9상, 忠憲王世家, "中統五年夏五月, 天子遣必闍赤忽兀禿來詔曰, 今歲王公·群牧, 咸會上都, 王其陸驛而朝".

· 『明太祖實錄』 권45, 洪武 2년 9월, "壬子21日, 定蕃王朝貢禮, 禮部官奏言, 先王脩文德以來, 遠人而夷狄朝覲, 其來尙矣, … 元太祖五年, 畏吾兒國王奕都護朝, 世祖至元元年, 勑高麗國王植, 令脩世見之禮. 六月, 植來朝上都, 其後, 蕃國來朝侯正旦·聖節·大朝會之日, 而行禮焉. …". 여기에서 元宗 植이 6월에 上都에 도착하였다는 것은 사실에 부합되지 않는다(→是年 9월 29일).

7) 이날[是日]의 日辰이 중국 측의 자료에 그대로 受用되어, 마치 張鎰은 같은 달에 燕京으로 들어가 世祖를 謁見하였던 것처럼 記述하였다.

· 『원사』 권208, 열전95, 外夷1, 高麗, "中統五年五月, 禃遣其借國子祭酒張鎰從古乙獨入見".

· 『원고려기사』本文, 世祖, 중통 5년, "五月十六日, 植遣其借國子祭酒張鎰, 與古乙獨入朝".

狀，兵戎飢疫之相壓三十年，垂盡耗亡，山海蕩流之孑遺四五載，詎能招集．完復經營之未旣，往還使佐之實觀，今被招徵，實增兢悚．有召，不宜於俟駕，應是，當趣於登途，然薄贄單裝，亦豈殘藩之易辦．遐程酷暑，亮非劣質之能戡，要趂凉辰，方朝邃闕．迺此私便之覬徇，亦專恕卹之恃優，惟冀至仁，永加深睠”．

○且獻金鍾·金盂各三隻·白銀鍾四隻·銀盂十隻·眞紫羅三匹．

[某日，中郎將白勝賢，因參政[參知政事]金俊奏曰，“親醮塹城，又於三郞城神泥洞，造假闕，親設[大佛頂]五星道場，則可寢親朝，三韓變爲震旦，大國來朝也”．王信之，命大將軍趙文柱·[國子]祭酒金坵·將軍宋松禮及勝賢等，創假闕．○禮部侍郞金軌，謂右僕射[左僕射]朴松庇曰，“穴口凶山也，勝賢，以爲大日王常往處，嘗奏高宗，大開佛事，以安御衣帶，未幾升遐．今又敢作浮言，奏營假闕，且請於穴口寺，親設大日王道場，是不可信也，請公禁之”．松庇以告金俊，俊深惑勝賢之言，故欲斬軌，而止:節要轉載]．[8]

[→元宗五年，蒙古徵王入朝，[中郎將白]勝賢又因[參知政事]金俊奏曰，“若於摩利山塹城，[9] 親醮，又於三郞城神泥洞，造假闕，親設大佛頂五星道場，則未八月，必有應，而可寢親朝．三韓變爲震旦，大國來朝矣”．王信之，命勝賢及內侍大將軍趙文柱，國子祭酒金坵·將軍宋松禮等，刱假闕．○禮部侍郞金軌，謂右僕射[左僕射]朴松庇曰，“穴口凶山也，勝賢，以爲大日王常住處，嘗奏高宗，作穴口寺，以安御衣帶，未幾昇遐．今又敢作浮言，奏營假闕，且請於穴口，親設大日王道場，是不可信也．請公禁之”．松庇以告俊，俊深惑勝賢之言，欲斬軌，乃止:列傳36白勝賢轉載]．

戊戌[25日]，賜[前權都兵馬錄事]金周鼎等及第．[10]

○親設消灾道場於內殿．

---

8) 右僕射는 左僕射의 오자일 것이다. 朴松庇는 前年(원종4) 12월 20일 守司空·左僕射에 임명되었고, 是年 8월 2일 이 官職에서 免職되었다.

9) 摩利山[摩尼山] 塹城壇(塹星壇, 현 仁川市 江華郡 華道面 興旺里 산42-1, 史迹 제136호)에 대한 자료로 다음이 있다.

· 『신증동국여지승람』 권12, 江華都護府, 祠壇, “塹城壇, 在摩尼山頂. 累石築之. 壇高十尺, 上方下圓, 上四面各六尺六寸, 下圓各十五尺. 世傳檀君祭天處, 本朝仍前朝之舊, 醮星于此, 祠下有齋宮”.

10) 이와 관련된 기사로 다음이 있다.

· 지27, 선거1, 科目1, 選場, “[元宗]五年四月, 知中樞院事[知樞密院事]崔允愷知貢擧, 右承宣朴倫同知貢擧, 取進士. □□[~~某日~~], 賜[前權知都兵馬錄事]金周鼎等二十五人及第”. 여기에서 知中樞院事는 知樞密院事의 오류이다.

壬寅29日, 移御長峯宮.

癸卯30日, 始設大佛頂五星道場於三郎城假闕, 凡四月.

是月, 盜起橫川, 殺橫及洪川二縣民三十餘人. 初, 橫川民屎加大, 有八子一壻, 居山谷間, 九人漁獵以生. 洪·橫人疾之, 訴於道內巡行夜別抄指揮, 請捕之, 至其家, 會九人出獵, 惟取父母妻子, 盡殺之. 於是, 九人謀報讎, 遂起爲盜, 至忠淸道, 夜涉簞淺, 疑爲狄兵, 朝野驚擾, 使夜別抄探之, 乃知.

六月甲辰朔小盡,辛未, 乙巳2日, 王如奉恩寺.

丙午3日, 幸三郎城五星道場.

[○流星出天津·紫微宮, 入北極:天文2轉載].

[○白虹見于南北方:五行2轉載].

[某日, 中郎將白勝賢奏曰, "圖讖, 有姬龍之後, 重興之說, 宜改王諱, 以周康王諱釗字, 王從之, 旣而忌高勾麗王釗故國原王不得其死, 乃復舊名":節要轉載].

[→中郎將白勝賢又奏曰, "圖讖, 有姬龍之後, 重興之說, 宜以周康王諱釗字, 改御押, 從之. 旣而忌高勾麗王釗不得其死, 乃復舊諱":列傳36白勝賢轉載].

庚戌7日, 移御妙智寺, 又親醮于磨利山塹城.

辛亥8日, 移御神泥洞假闕, 設大佛頂五星道場.

[○夜, 白虹見于西南方:五行2轉載].

壬子9日, 設大日王道場于穴口寺,

乙卯12日, 親幸行香.

丙辰13日, 還御長峯宮, 宥境內二罪以下.

[丙寅23日, 太白犯東井:天文2轉載].

[庚午27日, 歲星與熒惑, 同舍于胃. 太白入東井:天文2轉載].

[是月, 取□□□升補試李方衍李瑱等四十七人:選擧2升補試轉載].[11)]

秋七月癸酉朔小盡,壬申, 蒙古使多乙者·趙泰等還, 欲到大夫營, 以待王行.

---

11) 李方衍은 李瑱의 初名이고(열전22, 李瑱), 이때 閔漬(1248~1326)가 17세로 司馬試에 합격하였다고 한다. 또 이때 李松縉이 李方衍의 능력을 알아보았다고 한다.

- 「閔漬墓誌銘」, "十七中司馬試".
- 열전22, 李瑱, "少好學, 博通百家, 有能詩聲, 人或試以强韻, 援筆輒賦, 若宿構然. 尙書李松縉, 一見奇之曰, 大器也".

甲戌[2日]，彗星見于艮方，至九月乙酉[13日]，凡七十二日，乃滅.[12)]

[→彗星始見于艮方，尾長七八尺，漸分爲五，向西北方:天文2轉載].

庚辰[8日]，以[左承宣]兪千遇△[爲]知御史臺事，柳洪休爲殿中監.

[某日，命諸道，科歛[斂]白金，以備親朝盤纏:節要轉載].

[→命外方各道，科斂白銀，以備親朝盤纏:食貨2科斂轉載].

癸巳[21日]，[處暑]. 制曰，"朕以凉德，臨涖三韓，于今五載. 爲保社稷萬民，將親朝於萬里絶域，宜以殊恩，覃及中外. 今七月二十一日昧爽以前，斬絞徒流以下，咸赦除之".

[○是時，置行從都監:百官2行從都監轉載].[13)]

[丙申[24日]，熒惑犯鎭星. 太白犯軒轅:天文2轉載].

[丁酉[25日]，月犯昴星:天文2轉載].

己亥[27日]，宣旨曰，"自祖聖以來，全仗佛敎，密護延基. 夫仁王般若，偏爲護國安民，最勝法文，如經所說百師子等，法寶威儀，乃道場之急具也. 往者，移都時，師子座不能輸入，及乎法筵，儀不如法. 金俊爲寡人親朝，欲設仁王法會，印成是經新舊譯各一百二部，造師子座一百，彩畵粧飾，至於供具·衣物，無不精備，忠誠深重. 以金俊丘史十人，許初入仕，十人，眞拜把領，親侍二十人，假著幞頭，造成監役人，皆賜爵，諸色匠人，亦賜物有差".[14)]

庚子[28日]，親設仁王道場于大觀殿.

[某日，慶尙道按察使李□[某]，仍番:慶尙道營主題名記].

八月 [壬寅朔[大盡,癸酉]，彗星光芒，復合爲一，而漸長:天文2轉載].[15)]

---

12) 凡은 延世大學本과 東亞大學本에는 几로 되어 있으나 오자이다(東亞大學 2008년 7책 264面). 또 이때 일본의 교토에서 6월 26일(己巳)부터 彗星이 출현하였다고 한다(高麗曆과 同一).
- 『師守記』，康永 4년 7월，文永以來天變年々幷御祈以下被行事，"文永元年七月五日，寅時彗星見東方，去月廿六日見西方歟云々. 此後及翌年，同三年正月一日，又出現".
- 『東寺長者補任』，文永 1년，"甲子七月廿八日，僧都定親，於萬里少路仙洞，彗星御祈，修仁王經法"；僧正隆澄，"… 七月日，依彗星御祈，五壇法中壇參勤之，賞".
- 『續史愚抄』1，文永 1년 6월，"廿六日己巳，有彗星見東北，寛元三年後云".
- 『鎌倉年代記裏書』，今年[文永元]，"七月五日寅剋，彗星見寅方，芒氣丈餘及旬月之間，及半天未曾有之例也".

13) 이는 지31，百官2，行從都監，"元宗五年置，有判事·使·副使·判官·錄事"를 적절히 變改하였다.

14) 이 기사는 열전43，金俊에 압축되어 있다("明年[元宗5年]，蒙古徵王入朝，俊爲王設百高座於大觀殿，講仁王經. 王謂[俊]有忠誠，賜從者爵有差").

乙巳[4日], 命參知政事金俊爲敎定別監, 糾察國家非違.[16]

壬子[11日], 守司空·左僕射朴松庇罷, 以樞密院使李應韶代之.

癸丑[12日], 王如蒙古, 太子·諸王·文武百僚, 至梯浦辭.[17] 命[參知政事]金俊先入京, 使之監國. [□[俊], 以別抄三十人, 晝夜衛其家:節要轉載].[18]

○政堂文學致仕鄭芝卒. 謚章憲.[19]

[壬戌[21日], 彗星光芒, 益熾竟天. 流星出參, 貫中央正星:天文2轉載].

[癸亥[22日], 秋分. 流星出東方, 大如椀, 尾長十五尺許:天文2轉載].

庚午[29日], 宮主[慶昌宮主]幸妙通·普濟二寺, 爲王祈福.

[是月乙卯[14日], 大蒙古皇帝下詔, 改燕京爲中都, 其大興府仍舊. 增都省參佐·掾史月俸:追加].[20]

[○丁巳[16日], 蒙古改元至元:追加].

九月[壬申朔大盡, 甲戌], [壬午[11日], 太白掩大微[~~太微~~]左執法:天文2轉載].

[乙酉[14日], 彗星滅, 自七月至是, 凡七十二日:天文2轉載].

---

15) 壬寅에 朔이 탈락되었다.

16) 이와 관련된 기사로 다음이 있으나 ~~添字~~와 같이 고쳐야 할 것이다.
- 열전43, 金俊, “又命爲校定別監[~~敎定別監~~], 糾察國家非違”.

17) 이때 中書侍郞平章事 李藏用·樞密院副使 蔡楨·內備院의 官員 蔡謨(蔡謨墓誌銘)가 隨從하였고, 10월 1일(壬寅) 中都[燕京]에서 世祖 쿠빌라이를 謁見하였던 것 같다.
- 『원사』 권5, 본기5, 세조2, 至元 1년, 6월 戊申[5日], “高麗國王王禃來朝”.
- 『원사』 권208, 열전95, 外夷1, 高麗, “[中統五年]六月乃親朝”.
- 『원고려기사』, 序, “至元元年八月, 植以王朝京師”.
- 『원고려기사』本文, 世祖, 중통 5년, “八月十一日[~~十二日~~], 植親朝”. 여기에서 ~~添字~~와 같이 고쳐야 옳게 될 것이다.
- 『국조문류』 권41, 잡저, 정전총서, 征伐, 高麗, “至元元年八月, 植以王, 朝京師”.
- 『국조문류』 권41, 잡저, 정전총서, 정벌, 고려[注, 至元元年八月, 植朝]. 이때 元宗이 8월 12일(癸丑) 고려에서 출발하였기에 이상의 기록은 모두 잘못된 것이다. 이는 『經世大典』을 편찬할 때 고려가 제공한 자료를 바탕으로 하였기에 元宗이 고려에서 출발했던 8월을 燕都에 도착한 것처럼 기록한 것이다.
- 『원사』 권5, 본기5, 세조2, 至元 1년, “冬十月壬寅朔, 高麗國王王禃來朝”.
- 『원사』 권208, 열전95, 外夷1, 高麗, “[中統五年]十月, 禃入朝”. 이상이 사실에 적합한 내용이다.

18) 여기에서 ~~添字~~가 추가되어야 옳게 될 것이다(열전43, 金俊, “王如蒙古, 命俊監國, 俊以別抄三十人, 晝夜衛其家”).

19) 이날은 율리우스曆으로 1264년 9월 3일(그레고리曆 9월 10일)에 해당한다.

20) 이는 『원사』 권5, 본기5, 세조2, 至元 1년 8월 乙卯에 의거하였다.

庚子29日, 王至燕都, □□□~~十月朔,~~ 謁帝世祖, 帝再親宴, 又賜宴中書省, 仍賜匹錦, 下及侍從臣僚.[21]

[□□~~是時~~, 帝甚厚待王, 諸侯王莫敢望. 東民之被擄掠及逋逃, 而入中原者, 斷自己未年高宗46年, 後悉歸之:追加].[22]

冬十月壬寅朔大盡,乙亥, [乙巳4日, 流星出王良, 入紫微. 辰星見于東方, 與太白犯行, 鎭星·熒惑同舍, 逆行昴·畢間:天文2轉載].

[丙午5日, 日暈:天文1轉載].

[○月掩食南斗魁, 又與熒惑同舍:天文2轉載].

戊申7日, 上將軍申思佺賫詔書, 還自蒙古, 帝改元爲至元, 大赦天下.[23]

己未18日, 王辭於萬壽山殿, 帝賜駱駝十頭.

[○白氣二道, 見于坤·艮方, 竟天:五行2轉載].[24]

辛酉20日, 地震.

[→地震, 聲如雷:五行3轉載].

[丁卯26日, 流星出天囷, 入水府:天文2轉載].

[□□~~是月~~, 時, 永寧公綧在蒙古言, 高麗有三十八領, 領各千人, 通爲三萬八千人. 若遣我, 當盡率來, 爲朝廷用. 史丞相右丞相史天澤召藏用, 至中書省問之, 藏用曰, "我太祖之制, 盖如此, 比來, 死於兵荒, 雖曰千人, 其實不然. 亦猶上國萬戶牌子頭,

---

21) 이후 元宗은 10월 1일(壬寅) 世祖를 謁見하고 몇 차례에 걸쳐 宴會를 下賜받았던 것 같다(→是年 9월 29일).

22) 이는 다음의 자료에 의거하였다.

- 『익재난고』 권9상, 忠憲王世家, "中統五年秋八月, 王親朝, 從之者, 平章事李藏用·樞密院副使蔡楨等五十人. 天子所以待遇之, 諸侯王莫敢望. 東民之被擄掠及逋逃, 而入中原者, 斷自己未年, 後悉歸之".

23) 蒙古가 阿里不哥[Ali Buke]를 平定한 후 改元하고 天下에 大赦를 내린 것은 8월 16일(丁巳)이다. 이를 고려에 알린 것은 다음과 같이 9월 1일(壬申) 또는 9월 16일의 두 자료가 있다.

- 『원사』 권5, 본기5, 세조2, 至元 1년 9월 壬寅朔, "以改元詔諭高麗國, 幷赦其境內".
- 『원사』 권208, 열전95, 外夷1, 高麗, "中統五年九月, 帝以改中統五年爲至元元年, 遣郎中路得成持赦令, 與植, 郎將康允玿康允紹頒其國".
- 『원고려기사』本文, 世祖, 中統 5년, "九月十六日, 遣郎中路得成, 以改中統五年爲至元元年聖旨·赦書各一道, 與植. 郎將康允紹頒於其國".
- 『國朝文類』 권41, 잡저, 정전총서, 征伐, 高麗[注, 至元元年九月, 頒改元, 詔于其國].

24) 이날 元宗에 관한 기사는 中都(燕京, 現 北京市]에서, 五行에 관한 기사는 開京에서 일어난 사실이다.

數目未必足也. 請與綧東歸點閱, 綧言是, 斬我, 我言是, 斬綧". 綧在側, 不敢復言. 又問高麗州郡戶口幾何?, 曰"不知". 曰, "子爲國相, 何爲不知?". 藏用指窓櫺曰, "丞相以爲凡幾箇". 丞相曰, "不知". 藏用曰, "小國州郡戶口之數, 有司存, 雖宰相, 焉能盡知". 丞相默然. ○翰林學士王鶚, 邀宴其第, 歌人唱吳彥高人月圓·春從天上來二曲. 藏用微吟, 其詞中音節, 鶚起執手歎賞曰, "君不通華言, 而解此曲, 必深於音律者也". 益敬重. 帝聞藏用陳奏, 謂之阿蠻滅兒里干李宰相, 見者亦謂海東賢人, 至有寫眞以禮者:列傳15李藏用轉載].

[是月丁卯26日, 南宋理宗崩, 度宗趙禥卽位, 不改元:追加].

十一月壬申朔小盡,丙子, [丙戌15日, 月掩東井:天文2轉載].

[己丑18日, □月掩軒轅:天文2轉載].

庚寅19日, 參知政事致仕朴成梓卒.[25]

癸巳22日, 參知政事致仕崔永卒, 諡莊平.[26]

[丁酉26日, 日暈:天文1轉載].[27]

[是月己丑18日, 帝世祖賜至元二年曆日. 又禁登州·和州等處幷女直人入高麗界剽掠:追加].[28]

十二月辛丑朔大盡,丁丑, 丙午6日, 樞密院副使韓就等六人率夜別抄, 迎駕于義州.

[辛亥11日, 日暈:天文1轉載].

[○月犯昴星:天文2轉載].

[乙卯15日, 月食:天文2轉載].[29]

---

25) 이날은 율리우스曆으로 1264년 12월 9일(그레고리曆 12월 16일)에 해당한다.

26) 이날은 율리우스曆으로 12월 12일(그레고리曆 12월 19일)에 해당한다.

27) 이 기사는 "十一月丁酉, 日暈, 辛亥, 日暈, 丁巳, 日北, 有氣如虹, 色靑赤, 長三十尺許, 癸亥, 日有珥"로 되어 있다(지1, 천문1, 日薄食·暈·珥及日變). 이 중에서 辛亥는 12월 11일, 丁巳는 17일, 癸亥는 23일이므로 辛亥의 앞에 十二月이 탈락되었다.

28) 이는 다음의 자료에 의거하였다. 『익재난고』 권9上, 忠憲王世家에 의하면, 이때 世祖가 1259년(己未, 고종 46), 곧 고려가 몽골제국에 歸附한 이후에 이루어진 被擄人과 逋逃한 高麗人을 모두 돌려보내게 하였다고 한다.

· 『원사』 권5, 본기5, 세조1, 至元 1년 11월, "己丑, 以至元二年曆日, 賜高麗國王王禃. 禁登州·和州等處幷女直人入高麗界剽掠".

29) 이날 일본의 교토[京都]에서도 월식이 있었다고 한다. 이날은 율리우스력의 1265년 1월 3일이고,

[丁巳[17日], 日北, 有氣如虹, 色靑赤, 長三十尺許:天文1轉載].

[○月犯軒轅:天文2轉載].

壬戌[22日], 王至自蒙古, 次梯浦館, 太子及諸王, 迎駕.[30]

癸亥[23日], [日有珥:天文1轉載].

○王發梯浦, 內學博諭正錄等率七管諸生,[31] 外學十二徒中敎導等率進士生徒, 各上表及歌謠, 致仕宰樞·三品員等, 迎于郊外, 八坊廂兩部奏樂, 爭呈百戲. 王駐輦綵棚前, 觀樂, 至晡還宮, 賜八坊廂白金各二斤, 娼女·樂工, 賜物有差.[32]

翌日[甲子24日], 百官表賀.

[甲子[24日], 月犯房次將:天文2轉載].

丁卯[27日], 以[參知政事]金俊壻任資忠, 特授掖庭內寺伯[~~內侍伯~~], 賜紅鞓, 改名資輔.[33]

○賜扈從親朝臣僚及卒徒米, 有差.

[某日, 制曰, "[參知政事]金俊, 事我先王, 誅戮權臣, 復政王室, 扶立寡躬, 奉承宗祀. 又於今夏, 北使來督親朝, 朝議紛紛, 罔知所從, 俊奏留使臣, 督辦方物·盤纏等事, 俾不違約, 與使偕行. 果蒙天眷, 錫與便蕃, 不日還國, 社稷復安, 厥功重大, 宜答以殊恩. 有司, 其議封侯立府":節要轉載].

[→王還國, 欲封侯立府, 下制曰, "叅政[參知政事]金俊, 事我先王, 誅戮權臣, 復政王室, 扶立寡躬, 奉承宗祀, 功業之盛, 敻出千古. 頃者, 北朝責令親朝, 以無舊例, 依違未決. 大兵連歲來侵, 國勢日危, 又北使來督親朝, 朝議紛紛, 罔知所從. 俊爲國深謀, 奏留使臣, 督辦方物盤纏, 俾不違約, 與使偕行. 果蒙天眷, 錫與便蕃, 不日還國, 社稷復安, 厥功重大. 宜答以殊恩, 有司, 其議以聞:列傳43金俊轉載].

[冬某月, 以[兵部侍郞]李深爲東界安集使:追加].[34]

월식 현상이 심했던 때의 世界時는 12시 43분, 食分은 0.44이었다(渡邊敏夫 1979年 481面).

30) 이와 같은 기사로 다음이 있다.

· 『원고려기사』本文, 世祖, 至元 1년, "十二月二十三日 遣植還國, 此後歲貢, 詳見春官".

31) 이에서 '內學博諭正錄'은 國學의 國子博士(정7품)·大學博士(종7품)·學諭(종9품)·學正(정9품)·學錄(정9품)을 指稱한다(지30, 백관1, 成均館).

32) 원종의 還國과 관련된 기사로 다음이 있다.

· 『원사』 권208, 열전95, 外夷1, 高麗, "[中統五年]十二月, 遣禃還國. 是年, 春, 禃遣使入貢. 自是, 終世祖三十一年, 其國入貢者凡三十有六".

33) 內寺伯은 掖庭局의 官員인 內侍伯(正7品)의 오자일 것이다. 高麗 制度의 母體였던 隋·唐의 內侍省에서는 內寺伯으로 설치되어 있었다(『通典』 권27, 職官典, 諸卿下, 內侍省).

[是年, 李藏用爲門下侍中, 柳璥爲中書侍郎平章事, 崔允愷爲判樞密院事, 韓就爲樞密院副使, 兪千遇爲知奏事, 朴恒爲翰林學士, 崔守璜爲太府主簿,[35] 金承茂·洪佇並爲直史館, 在職. 又國學直講崔寧·少卿元傅·許珙等久在政房, 掌銓選:追加].[36]

[○以崔白卿爲東京副留守:追加].[37]

[增補].[38]

乙丑[元宗]六年, 蒙古至元二年, [南宋咸淳元年], [西曆1265年]

1265년 1월 19일(Gre1월 26일)에서 1266년 2월 6일(Gre2월 13일)까지, 13개월 384일

春正月[辛未朔大盡,戊寅], 乙未[25日], 遣廣平公恂·大將軍金方慶·中書舍人張鎰等, 如蒙古, 謝恩獻方物.[39]

---

34) 이는 下記의 脚注에 의거하였다.

35) 原文에서 崔守璜은 崔大傅守璜으로 되어 있지만, 이때는 守太傅[太傅] 아니고 다른 직책이었을 것이다..

36) 이는 다음의 자료에 의거하였다.

· 『동안거사집』行錄1, 求官詩并序, "僕[李承休]林棲澗飮, 已分終身者十有二年矣, 越癸亥[元宗4年]冬月, 兵部李侍郎深以安集使, 出鎭關東, 素所不知, 一言而善, 謂曰, '今明君在上, 賢相當前, 擢用人材, 盧老窮山, 以負君臣之義, 其亦可乎? 乃給僕馬, 勸令入洛. 其明年甲子[5年]正月, 吾貳座主蓬庵皇甫相國[注, 公諱琦, 時已解政]上箚子, 差同文院修製, 喟然歎曰, '且此閑官, 已云疎矣, 況都目上有許多人每, 何時得佩魚符, 子其作詩, 呈文地諸相與夫竹堂諸學士求之可矣'. 承命而退, 因課成若干首詩一一奉獻者. ○慶源李侍中 公諱臧用[注, 時公捨私第爲寺], … ○始寧柳平章公諱璥, 是年春, 上國遣使頒羊, 公受賜而作古調一篇, 放于禪源社後園中, 蓋欲其聞法而化生者也. … ○崔判樞[注, 公諱允愷], … ○韓樞使[注, 公諱就, 再聘中朝, 皆有顯效], … ○兪內相[注, 公諱千遇], … ○崔直講[注, 諱寧], … ○元少卿[注, 諱傅], … ○許少卿[注, 公諱珙], … ○贈朴翰林恒, … ○贈崔大傅守璜·金史館承戊[承茂]·洪史館佇".

37) 이는 『동도역세제자기』에 의거하였다.

38) 이해부터 몽골제국[大蒙古國]의 사신이 고려에 와서 通度寺의 釋迦牟尼 眞身舍利를 拜見하였다고 한다.

· 『삼국유사』 권3, 塔像第4, 前後所將舍利, "自至元甲子[元宗5年]已來, 大朝使佐, 本國皇華, 爭來瞻禮, 四方雲水輻湊來參, 或擧不擧. 眞身四枚外, 變身舍利碎如砂礫, 現於礶外, 而異香郁烈, 彌日不歇者, 比比有之, 此末季一方之奇事也".

39) 廣平公 恂은 1274년(충렬왕 즉위년) 10월 19일(辛酉) 이전에 譓로 改名하였다(『고려사』열전4, 종실2, 熙宗 慶原公祚). 또 중국 측의 자료에는 이달의 27일(丁酉)에 廣平公 恂이 表를 올리며 方物을 바쳤다고 하였으나, 이는 고려 측이 제공한 자료를 바탕으로 편찬되었기에 시기정리[繫年]에 실패한 것이다.

○以[門下侍郎同中書門下平章事?]金俊爲侍中, [[中書侍郎平章事]李藏用爲門下侍郎·同中書門下平章事·慶源郡開國伯·食邑一千戶·食實封一百戶:列傳15李藏用轉載].

[某日, 以閔晄爲慶尙道按察使:慶尙道營主題名記].

[是月朔, 南宋改元咸淳:追加].

二月辛丑朔[小盡,己卯], 親設靈寶道場于神格殿.

丙辰[16日], 燃燈, 王如奉恩寺.

三月庚午朔[大盡,庚辰], 幸賢聖寺.

[乙亥[6日], 月犯熒惑:天文2轉載].

[丙子[7日], 雨雹:五行1雨雹轉載].

癸未[14日], 親醮三界于內殿.

甲申[15日], 幸乾聖·福靈二寺.

乙酉[16日], 設功德天道場于內殿.

[丙戌[17日], 太白·歲星, 同舍于婁:天文2轉載].

[丁亥[18日],微雨, 白如洒粉:五行2轉載].

戊子[19日], 咸寧節.[40] 金俊使將軍李揣, 進御膳酒果, 極爲侈盛, 賜揣鞓帶一腰.[41]

辛卯[22日], 幸普濟寺.

[甲午[25日], 日西, 有背暈, 色靑赤, 長可十尺:天文1轉載].

[某日, 將軍吳壽山, 道遇秘書郞崔冲若, 鞭之. 冲若墮馬, 壽山盤馬欲蹋殺之, 大將軍朴琪, 救而免之. 初, 金俊之開府也, 壽山請以其族朱然, 爲其府錄事, 知奏事兪千遇, 以冲若署之. 故壽山疾冲若, 欲殺之不得:節要轉載].

[→元宗初, 拜[兪千遇爲]樞密院右副承宣, 尋加知奏事, 掌銓選. 引同年田文胤爲殿中侍御史, 崔牧爲正言, 衛社諸功臣以爲, 千遇擢所親置臺省, 欲以相援. 於是, 始構隙. 功臣多倚仁俊, 請官其族, 千遇每以義抑之, 功臣皆怨. ○有白就文者, 嘗於千遇門下登第, 娶內僚金衍女, 衍卽仁俊舅也. 衍請仁俊, 以就文爲海陽府錄事, 仁俊許之, 千遇不聽. ○大將軍吳壽山, 勇而暴, 亦爲其甥朱然, 求海陽府錄事. 千遇

· 『원사』 권6, 본기6, 세조3, 至元 2년 1월 丁酉, "高麗國王王禃遣其弟□□[廣平]公珣[恂]奉表來賀".

40) 咸寧節은 元宗의 誕日이다.

41) 李揣(이췌)는 글자가 木偏으로 되어 있으나 扌偏인 揣[헤아릴 췌]가 옳을 것이다.

以然無才望，乃用秘書郎崔冲若．壽山道遇冲若鞭之，冲若墮馬，壽山欲躍馬蹋殺之．大將軍朴琪救免，冲若竟以恐怖，得疾死．壽山言於朝曰，“兪承宣擅政，會當數其罪戮之．約諸武人，會禮賓省伺之”．或以告千遇，千遇笑曰，“命也”．承俊呼壽山曰，“與奪之權，不在主上乎?．若等敢辱承宣，是不有主上與令公也，而可乎?”．令公指仁俊．於是皆散:列傳18兪千遇轉載]．

夏四月庚子朔[小盡,辛巳]，親設消灾道場．

癸卯[4日]，勅有司，景靈殿仁·明二聖眞容，失次已久，始合順祀．[42)]

戊申[9日]，幸王輪寺．

己未[20日]，有一小君犯禁，臺吏折辱之，王不能禁，下街衢獄．國制，宮人侍幸而有子，則祝髮爲僧，稱爲小君．

庚申[21日]，太子邀宴安慶公□[湣]，奏樂達曙．國俗，以道家說，每至是日，必會飮，徹夜不寐，謂之守庚申．太子亦徇時俗，時議非之．[43)]

---

42) 이에서 順祀의 意味를 분명히 알 수 없으나 4祖[四親]를 順次대로 奉祀하게 하는 조치였을 것인데, 이에 대한 검토가 있었다(張東翼 2009년b). 곧 昭穆의 차례대로 奉祀하는 것을 가리킨다.
- 『춘추좌씨전』傳, 定公 8년, “冬十月，順祀先公而祈焉．辛卯，禘于僖公”．
- 『春秋左傳正義注疏』 권55, 經8年 7월, “從祀先公，從順也，先公閔公·僖公也．… ‘正義’曰，傳言順祀，是從爲順也”．

43) ~~添字는~~ 『고려사절요』 권18에 의거하였다. 또 일반적으로 12월[臘月] 庚申日에 행해지는 守庚申의 習俗은 고려시대에서 朝鮮後期에 이르기까지 支配層의 老少에게도 이어졌던 것을 보아 基層民들에게도 널리 행해졌던 것 같다.
- 『동국이상국집』 권13, 守歲, “門上插桃何詭誕，庭中爆竹奈支離，辟溫丹粒猶虛語，爲倒醇醅故不辭”．
- 『牧隱詩藁』 권6, 十二月十六日庚申，是夜兒女達旦不睡，“歲闌今夜是庚申，共說三尸事最神，瞪視莫教過海眼，天庭咫尺玉皇宸，兒女無知寂可憐，猶知頭上有蒼天，明明不待三尸報，休把微勞欲蓋愆，…”．
- 『용비어천가』 권9, 78章, “… ○庚申，夜[注，道家云，‘三尸神，在人身中，上尸名彭踞，中尸名彭躓，下尸名彭蹻．一云，上尸名青姑，好伐人目，中尸名白姑，好伐人五臟，下尸名血姑，好伐人胃命．一居人頭，能命人多思欲，好車馬．一居人腸[腴]，能命人嗜飮食，好恚怒，多忘少氣．一居人足，能命人耽色慾，喜殺害，關節搔擾[~~下關搔擾~~]，五臟踴動．三尸伺人隱徵失誤，輒籍記，每至庚申日，行其人之昏睡，與身中七鬼，上詣天曹，言罪逼以求餐．以是人多謫過，疾瘟夭死，修道之人，當先絶去．三守庚申三尸伏，七守庚申三尸滅，守者不寐也．不欲三尸，得以言其過也’．國俗，自古每當歲終庚申之夜，必會守懽宴，雖因道家之說，實取月令，季冬命樂師，大合吹而罷之義也．故三時庚申，皆不守也]，太祖召判三司事鄭道傳等諸勳臣，置酒長樂，酒酣，太祖謂鄭道傳曰，寡人之得於此，卿等之力也，…”．이는 『태조실록』 권8, 4년 10월 30일(庚申)의 記事에 注를 추가한 것이고, 注의 내용은 『宣室志』 권1, 浮屠氏…의 三尸(15右末行) ; 『抱朴子』 권1,

五月己巳朔[小盡,壬午], 廣平公愐·大將軍金方慶還自蒙古, 帝厚慰遣之, 中外稱慶.

[辛未[3日], 熒惑入輿鬼, 犯積屍:天文2轉載].

[某日, [門下侍中]金俊, 募射士于城東樓, 多出銀罌, 令中者取之, 未有中者, 俊不樂. 卒有一人中之, 俊大喜, 賞以散員:節要轉載].

[→[門下侍中金俊,] 又募射士, 多出銀罌, 許中者取之. 時能射者以百數, 未有中者, 有一人中之, 卽授散員:列傳43金俊轉載].

[是月頃, 任睦, □□□□□[掌國子監試], 取朴安等:選擧2國子試額轉載].

[閏五月[戊戌朔大盡,壬午], 庚子[3日], 太白·熒惑, 相犯:天文2轉載].

[辛酉[24日], 歲星·鎭星, 入畢:天文2轉載].

[六月[戊辰朔小盡,癸未], 癸酉[6日], [歲星·鎭星]出北斗, 入角:天文2轉載].

[丙子[9日], 月犯熒惑:天文2轉載].

[是月, 遣□□伯□[某]如蒙古, 上表賀聖節:追加].[44)]

秋七月丁未朔[~~于酉朔~~小盡,甲申],[45)] 倭寇南道沿海州郡, 命將軍安洪敏等率三別抄軍, 禦之.

己未[23日], 幸妙通寺.

[壬戌[26日], 虎入闕東門外, 咬殺人:五行2轉載].

[某日, 以郭□[某]爲慶尙道按察使:慶尙道營主題名記].

微旨第6의 三尸(59左7行, 以上 四庫全書本), 『河圖紀命符』의 三尸(『重修緯書集成』6 所收) 등에 관한 내용을 적절히 拔萃, 정리한 것이지만 字句에 출입이 있다. 添字는 이들 底本에서 달리 표기된 것인데, 그렇게 고쳐야 옳게 될 것이다.

· 『象村稿』 권10, 乙卯[光海王7年]十二月十八日庚申, 卽丙辰立春也, 與兒小守夜.

· 『無名子集』詩稿册1, 俗以庚申日, 三彭伺人眠時, 卽以平日過惡, 訴于上帝, 遇此夜輒不眠, 余思之有不然者, 漫筆示兒輩.

44) 이는 다음의 자료에 의거하였다. 이때 고려가 6월에 榮亂伯 □[某]를 蒙古에 파견하여 世祖 쿠빌라이의 誕日(8월 28일)을 賀禮하였다는 기사를 『원사』의 편찬자가 잘못 정리한 것으로 추측된다. 또 榮亂伯 □[某]는 누구인지 알 수 없는데, 그는 8월 13일(戊寅) 蒙古에서 方物을 바쳤다고 한다.

· 『원사』 권6, 본기6, 세조3, 至元 2년 6월 己卯[12日], "高麗國王王禃遣其臣榮亂伯奉表來, 賀聖誕節".

· 『원사』 권6, 본기6, 세조3, 至元 2년 8월 戊寅[13日], "高麗國王王禃遣使來, 貢方物".

45) 丁未朔은 丁酉朔의 오자일 것이다.

[八月丙寅朔大盡,乙酉:追加].

[九月丙申朔大盡,丙戌:追加].

冬十月丙寅朔小盡,丁亥, 庚午5日, [小雪]. 御便殿, 遣門下侍郎平章事李藏用·左僕射蔡楨, 冊門下侍中金俊爲海陽侯. [一依晋陽公崔怡故事:節要轉載].[46]

[○大霧:五行3轉載].

丙子11日, 太子集諸生徒, 賦詩, 選進士宣招等五人.

辛巳16日, 刑部郎中崔資慶·崔祿興·大官丞崔松峻等, 坐贓, 流于島.

[丙戌21日, 禮賓卿致仕廉守藏卒:追加].[47]

庚寅25日, 遣侍御史李穎李松縉·郎將金靖, 如蒙古, 賀正.[48]

十一月乙未朔大盡,戊子, 壬子18日, 親設百座仁王道場.

[十二月乙丑朔大盡,己丑, 是月丁丑13日, 蒙古賜'至元三年曆日':追加].[49]

[是月丁亥23日, 蒙古增侍衛親軍一萬人, 內選女直軍三千, 高麗軍三千:追加].[50]

[是年, 陞知長興府事爲懷州牧:轉載].[51]

[○以李應照以爲知東京副留事:追加].[52]

---

46) 金俊의 海陽侯 冊封은 그의 열전에도 수록되어 있다(열전43).

47) 이는 「廉守藏墓誌銘」에 의거하였는데, 이날은 율리우스曆으로 1265년 11월 30일(그레고리曆 12월 7일)에 해당한다.

48) 李穎은 李松縉의 改名인데, 그의 열전에는 반영되어 있지 않다(열전19, 李穎). 改名 時期는 1263년(원종4) 12월 20일에서 1265년(원종6) 10월 25일 以前이다. 또 李穎은 明年 正旦에 世祖를 謁見하고 賀禮를 올렸다.

· 『원사』 권6, 본기6, 세조3, 至元 3년, "春正月乙未□朔, 高麗國王王禃遣使來賀".

49) 이는 다음의 자료에 의거하였다.

· 『원사』 권6, 본기6, 세조3, 至元 2년 12월, "丁丑, 詔諭高麗, 賜至元三年曆日".

50) 이는 다음의 자료에 의거하였다.

· 『원사』 권6, 본기6, 세조3, 至元 2년 12월, "丁亥, 敕選諸翼軍富强材勇者萬人, 充侍衛親軍".

· 『원사』 권99, 지47, 병2, 宿衛, "至元二年十二月, 增侍衛親軍一萬人, 內選女直軍三千, 高麗軍三千, … 每千人置千戶一員, 百人置百戶一人, 以領之. 仍選丁力壯銳者, 以應投焉".

51) 이는 다음의 자료를 전재하였는데, 昇格의 事由는 분명하지 않다(尹龍爀 2008년).

· 지11, 지리2, 長興府, "元宗六年, 又陞懷州牧".

52) 이는 『동도역세제자기』에 의거하였다.

[○以李先信爲延安副使, 高夢卿爲延安判官, 尋以沈碩代之:追加].[53]
[○始重刱濟州法華寺:追加].[54]
[○蒙古以高麗人趙彝等言日本國可通, 擇可奉使者:追加].[55]

丙寅[元宗]七年, 蒙古至元三年, [南宋咸淳二年], [西曆1266年]

1266년 2월 7일(Gre2월 14일)에서 1267년 1월 26일(Gre2월 2일)까지, 354일

春正月乙未朔大盡,庚寅, 丙辰22日, [驚蟄]. 始陽侯<u>玶卒</u>.[56]
[某日, 以<u>朱悅</u>爲慶尙道按察使:慶尙道營主題名記].[57]

二月乙丑朔小盡,辛卯, 戊寅14日, 燃燈, 王如奉恩寺.
癸巳29日晦, 守太傅·中書侍郞平章事致仕<u>金之岱</u>卒. [□□~~之岱~~, 得疾, 剃髮坐逝, 年七十七, 諡英憲:列傳15金之岱轉載].[58]

---

53) 이는 『연안부지』에 의거하였다.
54) 이는 濟州島 西歸浦市 하원동 1046-1에 위치하였던 法華寺址에서 발굴된 기와의 銘文에 의거하였다(濟州大學博物館 1997년).
· 銘文, "至元六年乙巳始重刱, 十六年己卯畢".
55) 이는 다음의 자료에 의거하였다.
· 『원사』 권208, 열전95, 外夷1, 日本, "元世祖之至元二年, 以高麗人<u>趙彝</u>等言日本國可通, 擇可奉使者".
· 『국조문류』 권41, 經世大典, 政典總序, 征伐, 日本[注, 至元二年, 命兵部侍郞<u>黑迪</u>黑的·禮部侍郞<u>殷弘</u>, 持國書往使日本, 書稱大蒙古皇帝<u>本書</u>~~奉書~~日本國王云云, 不宣白]. 여기에서 ~~添字~~는 四庫全書本에 의거하였다.
56) 이 기사는 열전4, 元宗王子, 始陽侯玶에도 수록되어 있다. 이날은 율리우스曆으로 1266년 2월 28일(그레고리曆 3월 7일)에 해당한다.
57) 朱悅이 慶尙道按察使에 임명된 것은 그의 열전에서도 확인된다.
· 열전19, 朱悅, "元宗朝, 以兵部郞中, 連按忠淸·慶尙·全羅, 威名日振, 人皆敬畏. 國有大事, 擇使命則必首擧之. 爲按廉時, 有內臣<u>崔仲卿</u>, 奉使至, 服美誇人. <u>悅</u>疾之, 衣敝衣, 伸脚坐, 捫虱而談, 旁若無人, <u>仲卿</u>慚赧. <u>悅</u>, 嚴重不苛細. 嘗宿一州, 夜半火發突隙, 燃寢席, <u>悅</u>驚起, 邑吏大懼, 終不問. 有人告某邑宰受賂, 其宰乃中郞將也, <u>悅</u>曰, '貪鄙武夫, 受些小賂, 如狗食不潔, 何足數也'. 遂不罪".
58) 이날은 율리우스曆으로 4월 6일(그레고리曆 4월 13일)에 해당한다. 또 金之岱는 경상남도 密陽市 淸道面 杜谷里 366의 南溪書院에 祭享되어 있다(具山祐 2008년 139面).

[是月癸酉[9日], 蒙古立瀋州, 以處高麗降民:追加].[59)]

三月[甲午朔大盡,壬辰], 己酉[16日], 幸乾聖·福靈二寺.
庚戌[17日], 赦二罪以下.

夏四月[甲子朔小盡,癸巳], 癸酉[10日], 幸普濟寺.

五月[癸巳朔小盡,甲午], 丙午[14日], 賜閔漬等及第.[60)]
[○命新及第綴行, 令八坊廂父老·士庶,[61)] 笙歌盛服隨從, 以寵之, 前所無也:節要·選擧2轉載].
[○是月甲寅[22日], 匠人洪主造成靑銅盤子一口, 重四斤十兩:追加].[62)]

六月[壬戌朔大盡,乙未], 庚午[9日], 遣大將軍朴琪如蒙古, 賀節日.[63)]

---

59) 이는 다음의 자료에 의거하였다.
· 『원사』 권6, 본기6, 세조3, 至元 3년 2월, "癸酉, 立瀋州, 以處高麗降民".
· 『원사』 권208, 열전95, 外夷1, 高麗, "至元三年 二月, 立瀋州, 以處高麗降民".

60) 이와 관련된 기사로 다음이 있다. 이때 閔漬·[寫經院判官]元貞(改瓘, 丙科, 元瓘墓誌銘)·禹天錫·洪侃(洪之慶의 子) 등이 급제하였다(『등과록』, 朴龍雲 1990년 ; 許興植 2005년). 또 洪縉(洪奎의 父)은 그 外孫女인 權溥의 妻 柳氏(柳陞의 女)의 묘지명에 의하면 同知樞密院事에 이르렀던 것 같다(열전19, 洪奎).
· 지27, 선거1, 科目1, 選場, "[元宗]七年五月, 洪縉知貢擧, 郭汝益同知貢擧, 取進士, [丙午], 賜閔漬等二十七人·明經一人·恩賜二人及第".
· 열전20, 閔漬, "元宗朝, 擢魁科".
· 『耳溪集』 권32, 都僉議舍人洪崖公墓誌, "洪崖先生諱侃, 字平甫, 一字雲夫, 姓洪氏, 豊山人. 始祖國學直學諱之慶之長子, 宋度宗咸淳二年高麗元宗七年丙寅, 與文士閔漬同榜賜第, 歷官朝奉大夫·秘書尹致仕, 都僉議舍人·知制誥, 間出爲原州牧, 又以言貶東萊縣令, 卒于官, 卽忠烈王三十年甲辰也".

61) 여기에서 八坊廂은 坊廂이 坊里, 市街를 가리키므로 八坊廂은 '모든 市街'로 읽는 것이 좋을 것이다[讀].

62) 이는 出處가 불분명한 半子의 銘文에 의거하였다(國立全州博物館 所藏 ; 文明大 1994년 3책 279面).
· 銘文, "丙寅五月二十二日,存成亦次知元水宋□木造,入重四斤拾兩,匠洪主爲遣□下".

63) 朴琪(金俊의 假子)는 다음 해 2월에 右承宣으로 귀환하면서 서북지역 40餘城을 거쳐 왔는데, 이곳 住民들로부터 南京留守로 左遷되었던 金方慶을 西北面兵馬使로 파견해 줄 것을 건의하는 聯名狀을 받아와서 復命하였다(『安東金氏大同譜』1, 1979, 金方慶行狀). 이를 통해 볼 때 朴琪는 이 시기에 大將軍兼右承宣으로 在職하고 있었음을 알 수 있다. 또 朴琪는 8월 28일(戊

[是月，取□□□[升補試]鄭試等三十一人:選擧2升補試轉載].

[秋七月[壬辰朔小盡,丙申]，某日，[海陽侯]金俊，遣使購富民金銀，充國贐．使者，峻法行之，民皆愁怨．又令四品以上，出銀有差:節要轉載].

[→權臣金俊，令四品以上，出銀有差，充國贐:食貨2科斂轉載].

[→[海陽侯金]俊，令四品以上，出銀有差，以充國贐．又遣使，購富民金銀，法苛峻，民多愁怨:列傳43金俊轉載].

[某日，以慶尙道按察使朱悅，仍番:慶尙道營主題名記].

八月[辛酉朔小盡,丁酉]，癸亥[3日]，將軍車松祐獲宋賊船一艘，殺七十餘人，擒五人.

壬申[12日]，[親]設消灾道場.

甲申[24日]，幸賢聖寺.

戊子[28日]，幸乾聖·福靈二寺.

[是月丁卯[7日]，帝[世祖]欲通好日本，以高麗與日本鄰國，可爲<u>鄕</u>導[~~嚮導~~].[64] 遣國信使·兵部侍郞<u>黑的</u>，禮部侍郞殷弘等使日本．先至高麗諭旨:追加].[65]

[□□□[~~是月頃~~]，舊制，八關閱樂日，堂後□[官]·門下□□[~~錄事~~]二人，盛設宴，近因兵荒，廢之已久．[海陽侯金]俊以閱樂不可無宴，乃置廣庭宴禮都監，移牒州郡，備供具，民甚苦之，後遂寢:列傳43金俊轉載].[66]

九月[庚寅朔大盡,戊戌]，戊戌[9日]，謁景靈殿.

丁未[18日]，幸王輪寺.

壬子[23日]，幸普濟寺.

丙辰[27日]，設祈恩道場於<u>內場</u>[~~內殿~~].[67]

子)에 세조 쿠빌라이를 알현하고 생신을 하례하였다.

·『원사』 권6, 본기6, 至元 3년 8월 戊子, "高麗國王<u>王禃</u>遣其大將軍<u>朴琪</u>來，賀聖誕節".

64) 鄕導는 ~~添字~~와 같이 고쳐야 옳게 되는데, 중국 측의 자료에서도 鄕導로 표기한 사례가 많이 찾아진다. 이는 嚮과 같이 劃數이 많아 큰 글자는 彫板할 때 下端部를 缺劃(혹은 缺筆)하는 경우가 많았기 때문이다.

65) 이는 원종 8년 8월 22일(丁丑)에 의거하였다.

66) ~~添字~~가 추가되어야 옳게 읽을 수 있을 것이다(→신종 1년 12월 某日).

67) 여러 판본의 『고려사』에서 內場으로 되어 있는데, 內殿의 오자일 것이다.

己未30日, 幸妙通寺.

冬十月[庚申朔小盡,己亥, <u>立冬</u>. <u>日食</u>:追加].[68]
壬戌3日, 狐鳴于寢殿.
己巳10日, 親設消灾道場於內殿.
癸酉14日, 設佛頂道場于內殿.
乙亥16日, [小雪]. 設禪於內殿.
壬午23日, 親設消灾道場, 以禳星變, 又醮于神格殿.
[戊子29日晦, 雷:五行1雷震轉載].
[是月癸亥4日, 高麗使還, 帝以王病, 詔和藥賜之:追加].[69]

十一月己丑朔大盡,庚子, 己亥11日, 遣□□□~~借禮部~~侍郞<u>張鎰</u>如蒙古, 賀正.[70]
辛丑13日, 以洪瑨爲兵部尙書, 前同知樞密院事李之葳爲刑部尙書.
壬寅14日, 設八關會, 幸法王寺.
[甲辰16日, <u>月食</u>:天文2轉載].[71]
癸丑25日, 蒙古遣兵部侍郞黑的·禮部侍郞殷弘等來, 詔曰, "今爾國人趙彝來, 告日本與爾國, 爲近隣, 典章政治, 有足嘉者, 漢唐而下, 亦或通使中國. 故今遣黑的等, 往日本, 欲與通和, 卿其道達去使, 以撤彼疆, 開悟東方, 向風慕義. 玆事之責, 卿宜任之, 勿以風濤險阻爲辭, 勿以未嘗通好爲解. □□~~勿以~~恐彼不順命, 有阻去使爲<u>托</u>~~託~~. 卿之忠誠, 於斯可見, 卿其<u>勉之</u>".[72] [○趙~~彝~~彝, 本咸安人, 初爲僧, 後歸俗, 叛入

---

68) 이날 中原의 자료에는 일식 기록이 찾아지지 않고, 일본의 교토[京都]에서 일식이 있었던 것 같다.
· 『東寺長者補任』, 文永 3년, "僧正<u>道融</u>, 十一月廿八日, 募日蝕御祈賞, 以權律師<u>寬智</u>申, 任權少僧都".

69) 이는 다음의 자료에 의거하였다.
· 『원사』 권6, 본기6, 세조3, 至元 3년 10월, "癸亥, 高麗使還, 以<u>王禃</u>病, 詔和藥賜之".

70) 張鎰의 官銜은 ~~添字~~가 추가되어야 옳게 될 것이다(→원종 9년 12월 20일의 脚注).

71) 이날 宋에서도 월식이 있었고(『송사』 권52, 지5, 천문5, 月食), 일본의 교토에서도 월식이 있었다고 한다. 이날은 율리우스력의 1266년 12월 13일이고, 월식 현상이 심했던 때의 世界時는 18시 52분, 食分은 0.80이었다(渡邊敏夫 1979年 481面).

72) 이와 같은 기사가 중국 측의 자료에서도 확인되는데, 上記의 ~~添字~~는 이에 의거하였다.
· 『원고려기사』 本文, 世祖, "至元三年八月, 遣國信使·兵部侍郞<u>黑的</u>, 禮部侍郞<u>殷弘</u>, 計議官<u>伯德孝先</u>等, 奉旨至<u>植</u>國, 諭以日本國通好事. 詔曰, 今<u>趙彝</u>奏, '海東諸國, 日本與高麗爲近鄰, 典章

蒙古. 能解諸國語, 出入帝所, 以讒毁本國爲事:節要轉載].

[→趙彝, 初名藺如, 咸安人, 嘗爲僧歸俗, 學擧子業, 中進士. 後反叛入元, 稱秀才, 能解諸國語. 出入帝所, 譖曰, "高麗與日本隣好":列傳43趙彝轉載].[73)]

乙卯27日, 判樞密院事崔允愷卒.[74)]

丙辰28日, 命樞密院副使宋君斐·侍御史金贊等, 與黑的等, 往日本.[75)]

[□□是月][76)], 濟州耽羅星主□□梁浩來見.[77)]

[十二月己未朔大盡,辛丑],[78)] 甲子6日, 遣正言玄錫, 以□□耽羅星主□□梁浩如蒙古.

癸酉15日, 樞密院副使洪瑨卒.[79)]

[是月丁亥29日, 蒙古賜'至元四年曆日':追加].[80)]

政治, 有足嘉尙. 漢唐而下, 亦或通使中國'. 故特遣使持書以往, 得遂通好爲嘉. 苟不諭此意, 以至用兵, 其孰好之. 至於導達去使, 以徹彼疆, 開悟東方, 嚮風慕義. 玆事之責, 卿宜任之. 勿以風濤險阻爲辭, 勿以未嘗通好爲解, 勿以恐彼不順命, 有阻去使爲託. 卿之忠誠於此可見, 卿其勉之".

73) 趙彝에 관련된 중국 측의 자료로 다음이 있다(植松 正 2018年).
- 『臨川吳文正公集』 권43, 劉宣行狀, "公諱宣, 字伯宣, 其先潞人, … 至元初年, 高麗趙開建言, 通日本以窺宋, 數輩奉使, 竟無成約, 率兵征伐, 亦不收功, 驅有用兵, 民取無用地土, 猶珠彈雀, 已爲失策". 여기에서 趙開는 趙彝의 誤字일 것이고, 그의 建議는 是年, 곧 1266년(至元3, 元宗7) 前半期에 이루어졌던 것 같다(劉宣의 行狀은 版本에 따라 권49, 권88에 收錄된 것도 있다).
- 『國朝名臣史略』 권10, 張德輝行狀, "至元三年, 秩參議中書省事宰相. 傳旨令坐都堂議事, 凡軍國大政必咨訪以後行. 有旨令趙彝使日本, 命都堂議勑高麗詔, 以進. 公曰, '趙彝本宋人, 萬一所言不實, 恐妄生邊釁, 貽笑遠邦'. 明日, 同宰執奏之, 遂止". 여기에서 宋人은 高麗人의 오류일 것이다.

74) 이날은 율리우스曆으로 1266년 12월 24일(그레고리曆 12월 31일)에 해당한다.

75) 宋君斐·金贊 등은 黑的[Qedi]과 함께 12월에 일본에 갔다고 한다.
- 『원사』 권208, 열전95, 外夷1, 高麗, "至元三年十二月, 遣其樞密院副使宋君斐·借禮部侍郎金贊等, 導詔使黑的·殷弘等往日本, 不至而還".
- 『원사』 권208, 열전95, 外夷1, 日本, "黑的等道由高麗, 高麗國王王禃以帝命遣其樞密院副使宋君斐·借禮部侍郎金贊等導詔使黑的等往日本, 不至而還".
- 『원고려기사』本文, 世祖, 至元 3년, "十二月, 植遣其樞密院副使宋君裴宋君斐·借禮部侍郎金贊等, 與黑的持書, 赴日本國".

76) 이 위치에 是月이 탈락되었을 것이다.

77) 여기에서 添字와 같이 고치고, 追加되어야 좋을 것이다(金日宇 2002년).
- 『원사』 권6, 본기6, 世祖3, 至元 4년 1월, "乙巳, 百濟耽羅遣其臣梁浩來朝, 賜以錦繡有差". 여기에서도 添字와 같이 고쳐야 옳게 될 것이다.

78) 甲子는 12월 6일이므로, 甲子의 앞에 十二月이 탈락되었다.

79) 이날은 율리우스曆으로 1267년 1월 11일(그레고리曆 1월 18일)에 해당한다.

80) 이는 다음의 자료에 의거하였다.

[是年, 陸固城郡爲州:追加].[81]

[○以內侍金晅爲直史館:追加].[82]

[○以寫經院判官元貞爲國學學錄:追加].[83]

[○以池純爲永州副使, 曹仁碩爲永州判官:追加].[84]

丁卯[元宗]八年, 蒙古至元四年, [南宋咸淳三年], [西曆1267年]

1267년 1월 27일(Gre2월 3일)에서 1268년 1월 15일(Gre1월 22일)까지, 354일

春正月己丑朔大盡,壬寅, [乙卯27日:追加], 宋君斐·金贊與蒙使□□□~~黑的等~~,[85] 至巨濟松邊浦,[86] 畏風濤之險, 遂還. 王又令君斐, 隨黑的如蒙古,[87] 奏曰, "詔旨所諭, 道達使臣, 通好日本事, 謹遣陪臣宋君斐等, 伴使臣以往. 至巨濟縣, 遙望對馬島, 見大洋萬里, 風濤蹴天, 意謂危險若此, 安可奉上國使臣, 冒險輕進. 雖至對馬島, 彼俗頑獷, 無禮義, 設有不軌, 將如之何. 是以與俱而還, 且日本素與小邦, 未嘗通好,

---

· 『원사』 권6, 본기6, 세조3, 至元 3년, 12월 丁亥, "詔賜高麗以至元四年曆日, 仍慰諭之".

81) 이는 다음의 자료에 의거하였다.
 · 지11, 지리2, 固城縣, "元宗七年, 以郡, 陞爲州".

82) 이는 「金晅墓誌銘」에 의거하였다.

83) 이는 「元瓘墓誌銘」에 의거하였다.

84) 이는 『영천선생안』에 의거하였다.

85) ~~添字~~는 『고려사절요』 권18에 의거하였다.

86) 松邊浦는 巨濟縣 管內의 松邊縣의 塔浦를 가리키는 것 같지만, 조선시대의 名稱을 알 수 없다. 또 知世浦(現 巨濟市 一運面 知世浦里에 위치)는 倭船이 往來하는 要衝地였고(『세종실록』 권94, 23년 11월 乙亥12日), 日本에의 행차는 이곳에서 候風, 發船하였다고 한다.
 · 『신증동국여지승람』 권32, 巨濟縣, 山川, "塔浦, 在松邊縣, 有牧場", 關防, "知世浦營, 在縣東二十九里. 有石城, 周一千六百五尺, 高十三尺, 內有二溪. 水軍萬戶一人. 本國人往日本者, 於此候風開洋, 向對馬州".

87) 중국 측의 자료에 의하면 宋君斐는 黑的[Qedi]과 함께 燕京에 도착하여 보고하였다고 하는데, 도착의 시점에서 차이가 있다. a의 1월 27일(乙卯)은 고려에서 출발한 날짜[日辰], b의 2월 19일은 燕京에 도착한 날짜인 것 같다.
 · a 『원사』 권6, 본기6, 세조3, 至元 4년 1월, "乙卯, 高麗國王王禃遣使來朝, 詔撫慰之".
 · 『원사』 권208, 열전95, 外夷1, 高麗, "至元四年正月, 禃遣□宋君斐等奉表, 從黑的等入朝".
 · b 『원고려기사』本文, 世祖, "至元四年二月十九日, 植遣宋君斐·金贊等奉表, 與詔使黑的·殷弘等入朝".

但對馬島人，時因貿易，往來金州耳．小邦自陛下卽祚以來，深蒙仁恤，三十年兵革之餘，稍得蘇息，綿綿存喘．聖恩天大，誓欲報効，如有可爲之勢，而不盡心力，有如天日”.[88)]

[某日，以洪子藩爲慶尙道按察使:慶尙道營主題名記].[89)]

[是月乙巳17日，帝世祖見濟州星主梁浩等，賜以錦繡有差:追加].[90)]

[二月己未朔小盡,癸卯:追加].

[三月戊子朔大盡,甲辰:追加].

[夏四月戊午朔小盡,乙巳:追加].

[五月丁亥朔大盡,丙午:追加].[91)]

[是月頃，金坵，□□□□□掌國子監試，取李繪等:選擧2國子試額轉載].[92)]

[六月丁巳朔小盡,丁未:追加].

---

88) 이 기사는 열전43, 叛逆4, 趙彝에 축약되어 있다.

· “元遣使日本，令本國鄕導，元宗遣宋君斐，偕元使如日本，至巨濟，因波險乃還．王遣君斐如元，奏曰，“日本大洋萬里，風濤險惡，且小邦未嘗通好”.

89) 原文에는 洪子潘으로 되어 있으나 洪子藩의 오자일 것이다. 그는 이 시기에 忠淸·慶尙·全羅의 按察使를 역임하였다고 한다(열전18, 洪子藩, “又按忠淸·慶尙·全羅三道，入爲戶部侍郞”).

90) 이는 다음의 자료에 의거하였다.

· 『원사』 권6, 본기6, 세조3, 至元 4년 1월, “乙巳，百濟耽羅遣其臣梁浩□等來朝，賜以錦繡有差”. 이에서 百濟는 耽羅로 고치고, 等을 더 넣어야 文章이 옳게 될 것이다. 이는 2개월 전인 1266년(원종7) 11월 28일(丙辰) 耽羅[濟州]星主가 開京에 와서 王을 謁見한 후, 12월 6일(甲子) 正言 玄錫과 함께 蒙古에 간 사실이 있다. 이때의 耽羅星主는 梁浩였기에(『신증동국여지승람』 권38, 濟州牧, 古跡, 長坪) 耽羅가 百濟로 달리 표기되었을 가능성이 있다(金日宇 2000년 275~277面).

91) 이날 宋·蒙古國에서도 일식이 있었으나(『송사』 권52, 지5, 천문5, 日食 ; 『원사』 권6, 본기6, 세조3, 至元 4년), 일본의 교토[京都]에서는 일식이 관측되지 않았던 것 같다. 이날은 율리우스曆의 1267년 5월 25일이고, 開京과 교토에서의 일식에 대한 정보가 없음을 보아 이에 대한 예고는 計算上의 예측이었던 것 같다(渡邊敏夫 1979年 310面).

· 『원사』 권48, 지1, 천문1, 日薄食暈珥及日變, “五月丁亥朔，日有食之”.

· 『吉續記』, 文永 4년 5월, “一日，自前夜參宿，依日蝕奉行也，… 漸及日出，虧初申三刻之由，諸道申之，… 雨已屬晴，蝕之分不分明，…”.

· 『續史愚抄』2, 文永 4년 5월, “一日丁亥，日蝕，藥師御讀經，… 日蝕，虧始卯三刻，由諸道言，但雨不見”.

92) 이때 朴全之도 합격하였다(朴全之墓誌銘).

[是月乙酉[29日晦], 帝以王飾辭, 令去使徒還. 復遣黑的與宋君斐等, 以詔諭王, 委以日本事, 以必得其要領爲期:追加].93)

秋七月[丙戌朔大盡,戊申], [某日], 遣秘書□[少]監郭如弼[~~郭汝弼~~]如蒙古, 賀聖節.94)
[某日, 以邊保爲忠淸道按察使, 金□[某]爲慶尙道按察使:慶尙道營主題名記].95)

八月丙辰朔[小盡,己酉], 黑的·殷弘及宋君斐等復來, 帝諭曰, "向者遣使, 招懷日本, 委卿嚮導, 不意, 卿以辭爲解, 遂令徒還. 意者, 日本旣通好, 則必盡知爾國虛實, 故托以他辭. 然爾國人, 在京師者不少, 卿之計, 亦踈矣. 且天命難諶, 人道貴誠. 卿先後食言, 多矣. 宜自省焉. 今日本之事, 一委於卿, 卿其體朕此意, 通諭日本, 以必得要領爲期, 卿嘗有言, 聖恩天大, 誓欲報効, 此非報効而何".96)
[某日, [門下侍郞平章事]李藏用, 以書贈黑的等曰, "日本阻海萬里, 雖或與中國相通, 未嘗歲修職貢, 故中國亦不以爲意, 來則撫之, 去則絶之, 以爲得之無益於王化, 棄之無損於皇威也. 今聖明在上, 日月所照, 盡爲臣妾, 蠢爾小夷, 敢有不服乎. 然蜂蠆之毒, 豈可無慮, 國書之降, 亦甚未宜. 隋文帝時, 上書云, 日生處天子, 致書于

93) 이는 다음의 자료에 의거하였다.
· 『원사』 권6, 본기6, 세조3, 至元 4년 6월 乙酉, "黑的·殷弘, 以高麗使者宋君斐·金贊不能到達至日本, 來奏, 降詔責高麗□[國]王王禃, 仍令其遣官至彼宣布, 以必得要領爲期".
· 『원사』 권208, 열전95, 外夷1, 高麗, "[至元四年]六月, 帝以禃飾辭, 令去使徒還. 復遣黑的與□[宋]君斐等以詔諭禃, 委以日本事, 以必得其要領爲期".
· 『원사』 권208, 열전95, 外夷1, 日本, "[至元]四年六月, 帝謂王禃以辭爲解, 令去使徒還, 復遣黑的等至高麗諭禃, 委以日本事, 以必得其要領爲期. 禃以爲海道險阻, 不可辱天使".
· 『원고려기사』本文, 世祖, 至元 4년, "六月十日, 奉旨, 復遣黑的與[宋]君斐等還, 諭以日本國通好事. 詔曰, 向聞, 卿之東鄰, 有日本國, 故命使而往招懷, 特委卿遣介鄕道[嚮導], 不意卿以辭爲解, 遂令徒還. 意者, 日本旣通, 必盡知而國虛實, 高麗之人, 在玆者爲不少, 何見之遲. 且天命難諶, 人道貴誠, 與其用智數, 而苟延, 何若推至誠, 以保終始. 惟卿前後食言, 多矣, 不待縷數, 而自知焉. 今日本之事, 一以委卿, 凡我朝所行, 卿之所信服者. 當俾官詣彼宣布, 以必得要領爲期, 況卿嘗有言, 聖恩天大, 誓欲報效, 此非報效而何. 今遣兵部侍郞黑的·禮部侍郞殷弘, 持詔赴, 卿其體朕倚注之意, 勿復遲疑".
94) 秘書監(從3品)은 秘書少監(종4품)의 오자일 것이다. 이는 郭汝弼이 次明年(원종10) 7월 7일(辛亥) 中書舍人(종4품)으로 몽골에 파견된 것을 통해 알 수 있다. 또 이때 郭汝弼은 世祖 生辰의 하루 전인 8월 27일(壬午) 世祖를 謁見하고 賀禮를 드렸던 것 같다.
· 『원사』 권6, 본기6, 세조3, 至元 4년 8월 壬午, "高麗國王王禃遣其秘書監郭汝弼來, 賀聖誕節".
95) 邊保는 是年 9월 1일에 의거하였다.
96) 이 조서는 6월 10일 하사되었던 것 같다(→6월 29일의 脚注).

日沒處天子, 其驕傲不識名分如此, 安知遺風不存乎? 國書旣入, 脫有驕傲之答, 不敬之辭, 欲捨之, 則爲大朝之累, 欲取之, 則風濤艱險, 非王師萬全之地. 陪臣, 固知大朝寬厚之政, 亦非必欲致之, 偶因人之上言, 姑試之耳, 然取捨如彼, 尺一之封, 莫如不降之爲得也. 且□[彼]豈不聞大朝功德之盛哉? 旣聞之, 計當入朝, 然而不到[朝], 蓋恃其海遠耳. 然則期以歲月, 徐觀其至否[爲], 至則奬其內附, 否則置之度外, 任其蚩蚩, 自活於相忘之域, 實聖人, 天覆無私之至德也. 陪臣, 再觀[覲]天陛, 親承睿渥, 今雖在遐陬, 犬馬之誠, 思效萬一耳". ○蓋藏用度日本, 竟不至, 將累我國, 故密以書貽黑的, 欲令轉聞, 以寢招懷之事. 然不先聞於王, 故王, 疑有貳心, 卽配靈興島, 接伴·起居舍人潘阜, 亦坐不告, 流彩雲島. 阜, 方對黑的, 武士突入曳出, 黑的怒, 詰問知之, 乃還藏用書, 使止之. 由是皆獲免:節要轉載].[97]

丙寅[11日], 宴蒙使.

[○雉入寢殿:五行1轉載].

丁丑[22日], 移御慶原公第.

○遣起居舍人潘阜, 賫蒙古書及國書, 如日本.[98]

○蒙古書曰, "大蒙古皇帝奉書日本國王, 朕惟, 自古小國之君, 境土相接, 尙務講信修睦. 況我祖宗, 受天明命, 奄有區夏, 遐方遠域, 畏威懷德者, 不可悉數. 朕卽位之初, 以高麗無辜之民, 久瘁鋒鏑, 卽令罷兵, 還其疆域, 返其旄倪. 高麗君臣, 感戴來朝, 義雖君臣, □[而]歡若父子. 計王之君臣, 亦已知之. 高麗朕之東藩也, 日本密邇□□[高麗]. 開國以來, 亦時通中國, 至於朕躬, 而無一乘之使, 以通和好. 尙恐王國, 知之未審, 故遣使持書, 布告朕志. 冀自今以往, 通問結好, 以相親睦. 且聖人, 以四海爲家, 不相通好, 豈一家之理哉. 以至用兵, 夫孰所好, 王其圖之. □□[不宣]".[99]

---

97) 이 書狀은 『동문선』 권62, 遣蒙古使黑的書인데, 兩者 사이에 자구의 출입이 있다. 또 이와 같은 기사가 열전15, 李藏用에도 수록되어 있다.

98) 중국 측의 자료에는 潘阜가 9월 11일에 파견되었다고 되어 있으나 오류일 것이다. 또 李挺은 李仁挺에서 仁字가 脫落되었다

- 『원사』 권208, 열전95, 外夷1, 高麗, "[至元四年]九月, 禃遣其起居舍人潘阜·書狀官李挺[李仁挺]充國信使, 持書詣日本".
- 『원고려기사』本文, 世祖, 지원 4년, "九月十一日, 植遣其起居舍人潘阜·書狀官李挺[李仁挺], 充國信使, 持書詣日本國".
- 열전43, 趙彝, "… 帝大怒詰責. 於是, 王遣潘阜如日本".

99) 이는 다음의 자료에도 수록되어 있다.

- 『원사』 권6, 본기6, 세조3, 至元 3년 8월, "丁卯, 以遣兵部侍郞黑的·禮部侍郞殷弘使日本, 賜書曰, 皇帝奉書日本國王. 朕惟自古小國之君, 境土相接, 尙務講信修睦. 況我祖宗, 受天明命,

○國書曰, "我國臣事蒙古大國, 稟正朔有年矣. 皇帝仁明, 以天下爲一家, 視遠如邇, 日月所照, 咸仰其德. 今欲通好於貴國, 而詔寡人云, 日本與高麗爲隣, 典章政治, 有足嘉者. 漢唐而下, 屢通中國, 故特遣書以往, 勿以風濤阻險爲辭. 其旨嚴切, 玆不獲已, 遣某官某, 奉皇帝書前去. 貴國之通好中國, 無代無之, 況今皇帝之欲通好貴國者, 非利其貢獻, 盖欲以無外之名, 高於天下耳. 若得貴國之通好, 必厚待之, 其遣一介之士, 以往觀之何如也. 貴國商酌焉".100)

奄有區夏, 遐方異域, 畏威懷德者, 不可悉數. 朕卽位之初, 以高麗無辜之民, 久瘁鋒鏑, 卽令罷兵, 還其疆埸[域], 反其旄倪. 高麗君臣, 感戴來朝, 義雖君臣, 而歡若父子. 計王之君臣, 亦已知之. 高麗, 朕之東藩也. 日本密邇高麗, 開國以來, 時通中國, 至於朕躬, 而無一乘之使, 以通和好. 尙恐王國知之未審, 故特遣使持書, 布告朕心, 冀自今以往, 通問結好, 以相親睦. 且聖人以四海爲家, 不相通好, 豈一家之理哉. 以至用兵, 夫孰所好. 王其圖之. 又詔高麗導去使, 至其國".

· 『원사』 권208, 열전95, 外夷1, 高麗, "至元三年八月, 帝欲通好日本, 遣國信使兵部侍郞黑的·禮部侍郞殷弘·計議官伯德孝先等使日本. 先至高麗諭旨".

· 『원사』 권208, 열전95, 外夷1, 日本, "至元三年八月, 命兵部侍郞黑的, 給虎符, 充國信使, 禮部侍郞殷弘, 給金符, 充國信副使, 持國書使日本. 書曰, 大蒙古國皇帝奉書日本國王. 朕惟自古小國之君, 境土相接, 尙務講信修睦. 況我祖宗, 受天明命, 奄有區夏, 遐方異域, 畏威懷德者, 不可悉數. 朕卽位之初, 以高麗無辜之民, 久瘁鋒鏑, 卽令罷兵, 還其疆域, 反其旄倪. 高麗君臣, 感戴來朝, 義雖君臣, 歡若父子. 計王之君臣, 亦已知之. 高麗, 朕之東藩也. 日本密邇高麗, 開國以來, 亦時通中國, 至于朕躬, 而無一乘之使, 以通和好. 尙恐王國知之未審, 故特遣使持書, 布告朕志, 冀自今以往, 通問結好, 以相親睦. 且聖人以四海爲家, 不相通好, 豈一家之理哉. 以至用兵, 夫孰所好. 王其圖之".

이들 자료에서 世祖의 詔書는 『원사』, 日本列傳과 『고려사』세가에서 몇 글자의 차이가 있다. 또 이 문서의 寫本이 東大寺 尊勝院(손소인, 現 奈良縣 奈良市 雜司町 鼓阪小學校 자리에 있던 東大寺 소속의 사원)에 소장되어 있었는데(原文은 餘他의 資料와 대체로 同一하여 省略함), 이의 周邊에 대한 諸般說明은 筆者가 제시한 바가 있고(張東翼 2004년 193196面), 여러 자료를 비교 검토하여 校正本을 제시한 업적도 있다(石井正敏 2014年, 添字는 이에 의거하였다).

· 『國朝文類』 권42, 經世大典, 政典總序, 征伐, 日本[注, 至元二年[三年], 命遣兵部侍郞黑迪·禮部侍郞殷弘, 持國書往使日本, 書稱, 大蒙古皇帝奉書日本國王云云. 末云不宣白. 道高麗]. 여기에서 二年은 三年의 오자일 것이다.

100) 이 國書의 寫本도 東大寺 尊勝院에 소장되어 있었는데, 兩者를 비교해 보면 『고려사』의 내용이 크게 축약되어 있음을 알 수 있다. 이의 周邊 事情에 대한 諸般 說明은 筆者가 제시한 바가 있다(張東翼 2004년 196~198面).

· 「高麗國國書 : 調伏異朝怨敵抄」, "高麗國王王 禃」 右 啓,季秋向闌,伏惟」 大王殿下,起居万福,瞻企瞻企,我國」 臣事」 蒙古大朝,禀正朔,有年于玆矣,」 皇帝仁明,以天下爲一家,」 視遠如邇,日月所照,咸仰其德」 化,今欲通好于」 貴國,而」 詔寡人云,東海諸國,」 日本與高麗爲近隣,典章政理,有」 足嘉者,漢唐而下,亦或通使中國,」 故遣書以往,勿以風濤險阻爲辭,」 其旨嚴切,玆不獲已,遣朝散」 大夫尙書禮部侍郞潘阜等,奉」 皇帝書前去,且」 貴國之通好中國,無代無之,況今」 皇帝之欲通好」 貴國者,非」 利其貢獻,但以無外之名,高於天下」 耳,若得」 貴國之報音,則必」 厚待之,其實與否,旣通而後當可」 知矣,其」 遣一介之使,以往觀之何如也,惟」 貴國商酌焉,拜覆」

九月乙酉朔[小盡,庚戌]，[海陽侯]金俊以忠淸道按察使邊保不從私謁，白王流之，乃以夜別抄指諭金革精，代之.101)

[→[海陽侯金]俊嘗以事，囑忠淸道按察使邊保，保不聽，俊白王流之，以夜別抄指諭金革精代之:列傳43金俊轉載].102)

○王在慶原公第，第與御史大夫兪千遇家相接．王幸千遇林亭．東宮陪遊，見其淸勝，留詩一首．千遇及文臣，和進．

丁未[23日]，蒙古遣必闍赤廉孛魯·迷失海牙等九人來,103) 詔曰，"朕聞卿國阿吉兒合蒙合[注，魚名，似牛]，遣使馳驛往取，可爲供奉，其或有闕，卽當採捕，庸附以歸". 或稱患脚膧者，以其皮作靴，則立愈．蓋帝有是疾，故求之.

[○起居舍人潘阜等，發船如日本:追加].104)

冬十月甲寅□[朔大盡,辛亥]，廉孛魯等還，王附表，獻阿吉兒合蒙合皮十七領.105)

丙辰[3日]，幸乾聖寺.

丁巳[4日]，宥金俊所流諸島罪人.

癸亥[10日]，設佛頂道場于內殿.

庚午[17日]，親設百座仁王道場.

丁丑[24日]，幸普濟寺.

壬午[29日]，命[門下侍郎平章事]·監修國史李藏用，[中書侍郎平章事]·同修國史柳璥，修撰官·[國子祭酒]金坵，[戶部侍郎]許珙，修神·熙·康三代實錄.106)

日本國王左右,」至元四年九月 日 啓」".

101) 金革精은 1273년(원종14) 윤6월 6일 耽羅에서 逮捕된 三別抄의 將帥[賊將] 金革正과 同一한 인물로 추측된다(姜在光 2013년).

102) 原典의 冒頭에 八年이 탈락되어 마치 1265년(원종6)에 일어난 사건과 같이 보이게 된다.

103) 必闍赤(秘闍赤, bichechi)은 蒙古語의 비제치를 音譯한 것으로 文書를 장악하는 사람이라는 뜻이며, 각종 문서 사무를 담당하는 관리인 書記를 가리킨다. 몽고국의 초기에는 황제의 주변에만 설치되어 있었으나, 후에 中書省에 22人을 두었고 6部·行省 등의 중요한 관서에도 數人의 비제치[必闍赤]가 있었다(朴龍雲 1994년).
- 『용비어천가』 권8, 74章, "必闍赤，掌文書者，華言秀才也".
- 『원사』 권74, 지25, 제사3, 宗廟上, "必闍赤，譯言典書記者".

104) 이는 원종 9년 7월 18일에 의거하였다.

105) 甲寅에 朔이 탈락되었다.

106) 이와 관련된 기사로 다음이 있다.
- 열전18, 許珙, "累遷至戶部侍郎，與修神·熙·康實錄".

[是月癸亥[10日], 蒙古中書右丞相安童遣使, 致書王曰, "即日冬寒, 敬惟起居多福, 今玆發使臣, 詣日本, 聖上倚注於執事甚厚, 朴尙書乞差官, 監視登舟, 方欲擬遣閒, 聖上既已, 委王, 不必更有所遣, 執事宜有, 以副聖上倚注之意, 期于必成, 是所望也. 餘惟愼令, 調護不宣:追加].[107)]

十一月[甲申朔小盡,壬子], 甲午[11日], 遣弟安慶公淐如蒙古, 賀正. 因告更遣潘阜, 使於日本.[108)]

[十二月癸丑朔[大盡,癸丑]:追加].

[是年, 以[左副承宣]元傅爲朝請大夫·禮賓卿·翰林侍讀學士:追加].[109)]
[○以閔暉[閔曦?]爲東京副留守:追加].[110)]
[○以[直史館]金晅爲直翰林院:追加].[111)]
[○濟州草賊文幸奴構亂, 副使崔托擧兵誅之:追加].[112)]

[□□□[是年頃], 冊[海陽侯]金俊爲海陽公:追加],[113)] [□□[是時], 俊家臣高耳·別監文成柱,

---

107) 이는 다음의 자료에 의거하였다.
· 『원고려기사』本文, 世祖, 중통 4년, "十月十日, 光祿大夫·中書右丞相安童致書, 於高麗國王曰, 即日冬寒, 敬惟起居多福, 今玆發使臣, 詣日本國, 聖上倚注於執事甚厚. 朴尙書乞差官, 監視登舟, 方欲擬遣閒. 聖上既已, 委高麗國王, 不必更有所遣, 執事宜有, 以副聖上倚注之意, 期于必成, 是所望也. 餘惟愼令, 調護不宣".

108) 安慶公 淐(侃의 改名)은 明年 1월 19일(辛丑) 世祖를 謁見하였는데, 고려가 蒙古를 기만하였다는 이유로 질책을 받았다고 한다.
· 『원사』 권6, 본기6, 세조3, 至元 5년 1월 辛丑, "高麗國王王禃遣其弟淐來朝. 詔以禃飾辭見欺, 面數其事於淐, 切責之".
· 『원사』 권208, 열전95, 外夷1, 高麗, "[至元]五年正月, 禃遣其弟淐入朝. 帝以禃見欺于淐[帝以禃飾辭見欺], 面數其事□□[於昌], 切責之".
· 열전43, 趙彝, "又遣安慶公淐如元, 奏之, 帝以彝譖, 怒不解, 責淐甚嚴".

109) 이는 「元傅墓誌銘」에 의거하였다.

110) 이는 『동도역세제자기』에 의거하였다.

111) 이는 「金晅墓誌銘」에 의거하였다.

112) 이는 다음의 자료에 의거하였다
· 『增補耽羅誌』, 濟州, 建置沿革, "… 元宗八年丁卯, 草賊文幸奴構亂, 副使崔托擧兵誅之".

113) 이때 金俊이 海陽公에 책봉된 것은 明年(원종9) 3월 21일에 의거하였는데, 이날 몽골제국이 金俊의 官銜을 海陽公으로 표기한 것을 고려하여 시기를 추측하였다.

倚俊勢, 剝民無所不至. 有人帖匿名書于御史臺訴之, 俊寢不問:列傳43金俊轉載].

戊辰[元宗]九年, 蒙古至元五年, [南宋咸淳四], [西曆1268年]

1268년 1월 16일(Gre1월 23일)에서 1269년 2월 2일(Gre2월 9일)까지, 13개월 384일

春正月[癸未朔大盡,甲寅], 庚寅[8日], 平章事[中書侍郎平章事致仕]崔昷卒.[114]

己亥[17日], 以[門下侍郎平章事]李藏用爲門下侍中.[115]

[某日, 以~~侍郎~~朴恒爲慶尙道按察使:慶尙道營主題名記].[116]

[是月癸未朔, 起居舍人潘阜·李仁挺等, 着日本大宰府:追加].[117]

---

114) 이날은 율리우스曆으로 1268년 1월 23일(그레고리曆 1월 30일)에 해당한다.

115) 이때 李藏用이 사양하면서 사례한 表는 『동문선』 권44, 平章事李藏用讓門下侍中表 ; 권37, 平章事李藏用謝侍中表(모두 金坵 撰)이다.

116) ~~添字~~는 『圓鑑國師歌頌』, 寄按廉朴侍郎恒에 의거하였다. 또 다음의 기사에도 朴恒이 右正言을 거쳐 慶尙, 全羅道를 按察하였다고 한다.

· 열전19, 朴恒, "徵拜右正言. 按慶尙·全羅二道, 有聲績".

117) 이는 다음의 사료에 의거하였다(張東翼 2004년 332面).

· 『五代帝王物語』,"牒狀二通あり、一通は高麗の牒也、蒙古狀は文永三年丙寅九月の狀なり、至元三年と載たり、高麗國同彼年號をうけて、至元となせり、去年八月の狀なり、數多の方物を相副手、正月一日大宰府に著足り、是によりて官外記以下の勘文を召されて、仗議を行いる、又仙洞の評定あり".

또 이때 潘阜와 李仁挺이 大宰府의 守護인 少貳[武藤]資能[쇼니 수케요시]에게 보낸 편지의 寫本이 있다(張東翼 2004년 198~200面).

· 「潘阜書狀」 (東大寺尊勝院文書), "啓,卽辰伏惟,」 明府閣下,起居千福,瞻企無已,及到」 貴境已來,館對溫厚,感佩難安,頃者,大蒙古國强於天」 下,四方諸國,無不賓服,我邦亦罹於兵革,未獲土著,幸今」 皇帝,專以寬仁御衆,收威布德,顧我黎庶,亦」 賴其恩,安生久矣,如」 貴國往來人,素所知也,其所詔令,敢不惟命,越丙寅」 年秋,遣使二人,傳詔云,」 日本國與高麗爲隣,自漢唐而下,通使中朝,今欲令」 通好,遣介向導,以撤彼疆,勿以風濤險阻爲辭,抑未」 嘗通好爲解,其旨嚴切,固難違忤,然念我國與」 貴國,敦睦已久,若一旦於不意中,與殊形異服之人,」 航海遽至,則」 貴國不能無嫌疑,玆用依違,未卽裁禀,至於毁我金」 州接對」 貴國人館而防之,實迫於威令,不敢便拒,輒差行人,」 與彼介偕至海濱,方其阻風時,而亦籍其危險,延」 時日以諭之,以故不能舟而旋返,此則我國之向」 貴國之意何如也,因表奏其狀,以謂更無後言,又前」 年秋,仍遣前來使介,及其上」 貴國大王書一通,而詔勅如前日,遣使人詣彼宣布,」 勿復遲疑,其責愈嚴,勢不得已,乃命吾輩,賫持彼朝」 皇帝書一通,幷我國書及不腆些小土宜,獻于」 貴國大王殿下,其皇帝國書之意,與」 貴國通好外,更無別語,予等必欲躬詣」 闕下,親傳國書,仍達縷細,惟冀」 閣下一切扶護,導達于」 王所,幸甚,不宣拜覆,」 [至元5年]正月 日,」 書狀官·將仕郎·四門博士李仁挺,」 高麗國信使·朝散大夫·尙書禮部侍郎·知制誥·賜紫金魚袋潘阜.」 文永五年二月之候,於西郊龜山殿大多勝院道場,勤仕後鳥羽院御八講之間,此程

[○庚戌[28日], 蒙古賜新曆:追加].[118)]

閏[正]月[癸丑朔小盡,甲寅], 己未[7日], 移御辰嵒宮.[119)]

二月[壬午朔大盡,乙卯], 壬辰[11日], 燃燈, 王如奉恩寺, 寒食在望[15日], 故先三日, 行之.

戊戌[17日], 設消灾道場於內殿.

壬寅[21日], 安慶公淐還自蒙古, 賜王西錦一匹·曆日一道. 初, 帝[世祖]以趙彛之譖, 怒不解, 親勑淐曰, "前日爾國所奏, 朕今說之, 爾其詳聽. 爾等, 聞我蒙古中有叛者, 輒來誑誘, 人誰不知. 爾國誠降, 則當出軍·助戰·轉糧, 請達魯花赤, 點數民戶, 爾胡不然. 爾國曾於先帝時, 遣王綧爲質, 朕所知也. 先帝[憲宗]勑爾王親朝, 爾王不能親朝. 以我有兄弟之亂也, 爾王到京兆府還歸,[120)] 朕之所護, 爾王所知. 人而不知有德, 可謂人乎? 爾王奏云, 我國地窄, 今西京入排屯田軍民, 盡令還歸, 則當召集殘民, 力農三年, 然後復都舊京. 今屯田軍馬盡還, 果還舊京乎?. 朕使至爾國, 則爾使人圍守, 眞降之意, 當如是耶. 爾國來聘, 朕亦使人守汝使乎?. 和尙奏云, 爾等賫來國贐紵布, 減於舊額, 又甚麤惡, 何也. 爾國素稱知禮義, 今乃若爾, 可乎? 相戰, 人所不好, 爾欲好戰, 當約其地也, 爾與日本交通, 爾國人來居此者, 無不知之. 爾於前日, 何言未嘗交通, 以欺朕乎? 爾等所奏, 皆是妄說, 不必答也".

寄宿法性稱願房之次,借請彼房主之本,卽誂其房主,令書寫之畢,當時天下無雙勝事,只有此事歟,仍爲後覽,所書留之也,依諸卿之評定,返牒不被遣之云々,季細之事,追可尋記之而已,」華嚴宗末葉法印釋宗性」年齡六十七」夏臘五十五」".

이날(1월 1일) 2通의 國書와 潘阜의 書狀은 前大宰少貳 武藤資能[수케요시]의 아들 經資[카게수케]가 受領하였고, 이것이 六波羅(로쿠하라)를 거쳐 鎌倉幕府[關東]에 전달되었다고 한다.

· 『鎌倉年代記裏書』, "今年[文永五]正月, 蒙古·高麗牒狀到來, 高麗牒狀使潘阜".

· 『師守記』, 貞治 6년 5월 9일, "筑紫少卿入道[資能]以飛脚, 進牒狀於關東, 云々".

· 『金剛經』제12, 雜錄, "文英五年正月一日 … 自蒙古國狀, 筑前國大宰府. 彼狀豊前之新左衛門尉經資請取, 大田次郎左衛門長盛幷伊勢法橋二人, 以被進六波羅. 彼使者以被進關東. 自鎌倉佐々木對馬守氏信·伊勢入道行願二人, 以被進公家. 於仙洞晋宰相長盛卿被召讀, 條狀也" (身延文庫 所藏, 石井正敏 2014年).

118) 이는 다음의 자료에 의거하였는데, 이 至元五年曆[新曆]은 賀正使 安慶公 淐이 가지고 왔다(→2월 21일).

· 『원사』 권6, 본기6, 세조3, 至元 5년 1월, "庚戌, 賜高麗國新曆".

119) 辰嵒宮은 이해의 12월 23일에는 辰巖宮으로 되어 있는데, 같은 글자이다.

120) 이에서 世祖 忽必烈[Qubilai]이 1260년(원종1)에 京兆府에 있던 高麗 太子(元宗)를 歸國시켰다고 하는 京兆府는 開平府(現 內蒙古自治區 錫林郭勒盟 正藍旗 동쪽)를 指稱한다.

[○及安慶公淐還, 趙彝矯帝命, 勒留中路. 淐復入, 告中書省, 然後得還:節要轉載].121)

丙午25日, 將軍周瑄通其叔父周永賚妻大氏太氏, 事覺, 御史臺執大氏太氏鞠之, 死于獄中, 遂斬瑄. 判衛尉寺事李舒亦通大氏太氏及其二女, 曾流海島而還. 至是賴其壻大將軍金洪就營救, 得免.

○[北界四十餘城, 上書請上將軍金方慶, 復來鎭撫, 王乃:節要轉載], 以南京副留守金方慶△爲判禮賓省事·北界兵馬使.

[→拜上將軍, 以事杖重房一校, 班主田份惡之, 訴權臣, 貶守南京. 方慶嘗爲西北面兵馬使, 有遺愛, 至是, 西北諸城上書, 請復來鎭. 時方慶赴南京纔三日, 命復鎭之:列傳17金方慶轉載].122)

三月壬子朔大盡,丙辰, 癸丑2日, 守司空·左僕射朴倫卒.123)

庚申9日, 幸福靈寺.

○置出排都監於古京.

[→□李藏用嘗言於朝, 欲使宗社無虞, 中外晏然, 莫如還都舊京. 海陽公金俊及其黨, 皆不欲之, 藏用曰, "若不能席卷以出, 且令作宮室, 夏居松京, 冬返江都, 如上國之有兩都, 可也". 於是, 置古京, 出排都監:列傳15李藏用轉載].

○樞密院副使崔澄卒.124)

壬申21日, 蒙古遣北京路摠管兼大定府尹于也孫脫·禮部郎中孟甲等來.125) 詔曰, "朕惟天道難諶, 人道貴誠, 而卿之事朕, 率以飾辭見欺. 朕若受其欺而不言, 是朕亦不以誠遇卿也. 故於卿弟淐, 面數其事, 無有所隱. 向□者,126) 卿自請撤兵, 三年

---

121) 이 기사는 열전43, 趙彝에도 수록되어 있으나 자구에 출입이 있다.

122) 班主는 職制上으로 武班의 最高職인 鷹揚軍上將軍으로서 兵部尙書를 겸임한 인물을 指稱하는데, 무신집권기인 1204년(희종 즉위년) 이후에 설치된 것으로 추측되고 있다(閔賢九 1985년).

123) 이날은 율리우스曆으로 4월 15일(그레고리曆 4월 22일)에 해당한다.

124) 이날은 율리우스曆으로 4월 22일(그레고리曆 4월 29일)에 해당한다. 또 崔澄(?~1268)은 許珙의 손위[上位]의 同壻로, 그의 6女가 姨母夫인 許珙의 後妻가 되었고, 그 自身은 死後에 同知樞密院事에 追贈되었던 것 같다.

· 열전18, 許珙, "忠烈元年, 改官制, 拜監察提憲. 珙嘗娶政堂文學尹克敏女, 死更娵妻弟之女養於家者, 憲司劾之. 至是, 朝臣皆以新官制改衔, 謝恩命, 唯珙未得謝".

125) 중국 측의 자료에는 于也孫脫[Uesunto]과 孟甲이 3월 22일(癸酉) 고려에 도착하였다고 한다. 또 北京路(후일의 大寧路)는 契丹의 中京大定府, 金의 北京大定府(治所는 現 內蒙古自治區 赤峰市 寧城縣 天義鎭 大明鄕 位置)로서 中原과 遼東地域[滿州]으로 연결되는 요충지이다.

· 『원고려기사』本文, 世祖, 중통 5년, "三月二十二日, 于也孫脫·孟甲等至高麗".

當去水就陸，撤兵之請，旣已從之，就陸之期，今幾年矣．以前言無徵，是用爲問，卿意必曰，捨險卽夷，則慮致不虞．或未取信，聽其所止．惟我太祖成吉思皇帝制度，凡內屬之國，納質·助軍·輸糧·設驛·供戶數籍·置達魯花赤，已嘗明諭之矣．繼有來章，稱竢民生稍集，然後惟命是從，稽留至今，不以誠言見報．聞汝國之政，例在左右得，非爲所梗蔽，使卿不聞歟，抑卿寔聞之，而未之思歟．是豈愛而身，利而國者也．且納質之事，惟我太宗皇帝朝，王綧等已入質，代老補亡，固自有例．其驛傳亦粗立，自餘率未奉行．今我朝方問罪於宋，其助士卒·舟艦，自量能辦多少，所輸糧餉，則就爲儲積．及達魯花赤·戶版之事，卿意謂何．今特遣使，持詔以往，當盡情實．令海陽公金俊·侍中李藏用賫奏章，具以悉聞”.[127]

○是時，帝勑金俊父子及其弟冲，皆赴京師．[俊，聽將軍車松祐言，謀欲殺使，深竄海中，再白于王，王不聽．俊謂松祐等曰，“上意固拒，奈何”．松祐等曰，“龍孫不惟[世]今上，又有諸王[~~諸王固多~~]，況太祖亦以將軍卽位[~~擧事~~]，何有疑慮”．俊深然之，遂決謀殺使，乃令都兵馬錄事嚴守安，告兩府，兩府皆變色，莫敢言．冲適臥病，守安詣其家，言之，冲嘗信守安，先令議可否，守安曰，“古者兵交，使在其間，今無故而殺天子使，將安之乎，此非自全之計也”．冲然之，遂沮其謀，冲卽承俊也:節要轉載].[128]

---

126) 이에서 者가 탈락되었을 것이다.

127) 이 조서는 중국 측의 자료에도 수록되어 있는데, ~~添字~~와 같이 고쳐야 옳게 될 것이다.

- 『원사』 권6, 본기6, 세조3, 至元 5년 1월 辛丑, “… 復遣北京路總管于也孫脫·禮部郞中孟甲持詔往諭，令俱表遣海陽公金俊·侍郞[侍中]李藏用與去使同來以聞”.
- 『원사』 권208, 열전95, 外夷1, 高麗, “[至元]五年正月，… 特遣北京□[路]總管兼大興[定]府尹于也孫脫·禮部郞中孟甲持詔諭禃，其略曰，向請撤兵，則已撤之矣．三年當去水就陸，而前言無徵也．又太祖法制，凡內屬之國，納質·助軍·輸糧·設驛·編戶籍·置長官，已嘗明諭之，而稽延至今，終無成言．在太祖[太宗]時，王綧等已入質，驛傳亦粗立，餘率未奉行．今將問罪于宋，其所助士卒舟艦幾何．輸糧則就爲儲積，至若設官及戶版事，其意謂何，故以問之．三月，于也孫脫等至其國”.
- 『원고려기사』本文，世祖，“[中統]五年正月二十八日，詔諭王植曰，朕惟天道難諶，人道貴誠，而卿之事朕，率以飾辭見欺．朕若受其欺，而不言，是朕亦不以誠遇卿也，故與卿弟淐面數其事，無有所隱．向卿自請，撤兵三年，當去水就陸，撤兵之請，久已從之，就陸之期，今幾年矣．以前言無徵，是用爲問，卿意必曰，舍險卽夷，則慮致不虞，或未取信，聽其所止．惟我太祖成吉思皇帝制度，凡內屬之國，納質·助軍·輸糧·設驛·供數戶籍·置達魯花赤，已嘗明諭之矣．繼有來章，稱俟民生稍集，然後惟命，稽延至今，終不以成言見報．聞汝國之政，例在左右，得非爲所梗蔽，使卿不聞歟．抑卿實聞之，而未之思歟，是豈愛而身，立而國者也．且納質之事，自我太祖[太宗]皇帝，王綧等已入質，代老補亡，固自有例．其驛傳亦粗立，自餘率未奉行，今我朝方問罪於宋，其所助士卒·舟艦，自量能辦多少．輸糧餉則就爲儲積，及達魯花赤·戶版之事，卿意爲何．今特遣北□[京]路總管兼大定府尹于也孫脫·禮部郞中孟甲，持諭以往，當盡情實，令海陽公金俊·侍郞[侍中]李藏用賫表章，與去使同來，具悉以聞”.

[然, [海陽公金]俊益拒蒙古命, 王甚怏怏:列傳43金俊轉載].

丁丑[26日], 門下侍郎平章事致仕金起孫卒.[129)]

夏四月[壬午朔小盡,丁巳], 丙戌[5日], 王餞蒙使于郊. 遣侍中李藏用, 從于也孫脫如蒙古, 上表,[130)] 略曰, "惟天爲大, 仰之常畏於下臨, 凡物不平, 鳴也必哀於上聽. 其就陸之事, 則已於古邑, 復其居以經營. 助師之命, 則雖是殘民, 隨所有而檢備. 其辦舟艦·輸糧餉之事, 則惟力是任, 亦期將供. 其或請達魯花赤·供戶版之事, 則方始出排, 誠未暇於修葺, 俟其畢就, 亦當從而稟裁. 乃若陪臣海陽公金俊·侍中李藏用, 賫表進朝事, 藏用則乃明訓之輒承, 偕使臣而前去, 金俊則適都家之遷設, 方管領以指揮, 迨劇務, 訖有所成, 而小臣將率以造".

丁酉[16日], 還御本闕, 設華嚴神衆道場.

乙巳[24日], 賜尹承琯等及第.[131)]

己酉[28日], 親設道場于內亭, 鎭兵祈福.

五月[辛亥朔大盡,戊午], 甲寅[4日], 雨雹.[132)]

---

128) 이와 같은 기사가 열전19, 嚴守安, 열전43, 金俊에도 수록되어 있으나 자구에 출입이 있다.

129) 이날은 율리우스曆으로 1268년 5월 9일(그레고리曆 5월 16일)에 해당한다.

130) 이때의 陳情表가 『동문선』 권40, 告奏起居表, 陳情表(金坵 撰)이다. 또 중국 측의 자료에는 4월 5일 門下侍中 李藏用이 燕京에 도착하였다고 하지만, 이날은 開京에서 출발한 날이다. 그리고 이들 자료는 ~~添字~~와 같이 고쳐야 옳게 될 것이다.

- 『원사』 권208, 열전95, 外夷1, 高麗, "[至元五年]四月, 禃遣其門下侍郎[~~門下侍中~~]李藏用奉表與□[于]也孫脫等入朝".
- 『원고려기사』本文, 世祖, 중통 5년, "四月五日, 植遣其門下侍郎[~~門下侍中~~]李藏用奉表, 與于也孫脫等入朝".

131) 이와 관련된 기사로 다음이 있다. 이때 尹承琯·[前東面都監判官]金賆(金賆墓誌銘)·朴全之·李混·鄭允宜(『東人之文五七』) 등이 급제하였다(『登科錄』, 朴龍雲 1990년 ; 許興植 2005년).

- 지27, 선거1, 科目1, 選場, "[元宗]九年四月, 門下侍郎[~~平章事~~]柳璥知貢擧, 國子祭酒金皚同知貢擧, 取進士, [~~乙巳~~], 賜尹承琯等三十三人·明經二人·恩賜八人及第".
- 『목은시고』 권26, 門生掌試圖歌幷序, "… 柳中贊璥之掌試也, 其座主任平章事景肅, 解所帶烏犀·紅鞓, 以帶之曰, '卿門下有如卿者出, 方知吾今日之心矣. 其以此帶與之'. 此紅鞓授受之所起也. 去今癸亥[禑王9年], 一百二十餘年, …. 여기에서 1383년(우왕9)은 1268년(원종9)의 115년 이후이므로, 120여년은 110여년으로 고쳐야 좋을 것이다.
- 열전18, 柳璥, "璥, 初掌試, 坐主[~~座主~~]平章事任景肅, 解所帶烏犀紅鞓, 與之曰, '公之門下, 有如公者, 可傳之'. 及尊庇掌試, 欲傳之則, 已失於林衍之亂, 買之市, 卽其帶也, 士林傳爲異事". 여기에서 ~~添字~~로 고쳐야 옳게 될 것이다.

乙亥25日, 設仁王道場於內殿.

[某日, 海陽公金俊恐蒙古責不入朝, 大會五教沙門於其第, 供佛祈福:節要轉載].[133]

[□□□~~是月頃~~, 安慶公淐因趙彝, 憂憤成疾, 還自大都~~中都~~,[134] 至東京. 東京人又拘傔從, 劫奪馬價, 然後放之.[135] 彝常以讒毁爲事, 竟不得志, 而死. 有金裕·李樞者, 亦反人~~叛人~~也:列傳43趙彝轉載].

六月辛巳朔小盡,己未, 壬午2日, 王如奉恩寺.

丁亥7日, 親設消災道場.

乙巳25日, 蒙古遣吾都止, 偕□李藏用來,[136] 課戰艦之數與軍額. [初, 藏用謁帝,[137] 帝曰, "朕命爾國, 出師助戰, 爾國不以軍數分明奏聞, 乃以模糊之言, 來奏.

---

132) 이와 같은 기사가 지7, 五行1, 水, 雨雹에도 수록되어 있다.

133) 이와 같은 기사가 열전43, 金俊에도 수록되어 있다.

134) 大都는 中都로 고쳐야 옳게 될 것이다(→원종 13년 2월 是月壬辰3日).

135) 이 기사의 原文은 "淐, 遂憂憤成疾, 至東京, 東京人又拘傔從, 劫奪馬價, 然後放之"로 되어 있다.

136) ~~添字~~는 『고려사절요』 권18에 의거하였다.

137) 이때 李藏用이 世祖 쿠빌라이[忽必烈]를 알현하고, 고려의 軍備에 대해 解明한 날짜[日辰]는 5월 29일이었던 것 같고, 이의 내용은 중국 측의 자료에도 수록되어 있다.

- 『원사』 권208, 열전95, 外夷1, 高麗, "至元五年五月, 帝敕藏用曰, '往諭爾主, 速以軍數實奏, 將遣人督之. 今出軍, 爾等必疑將出何地, 或欲南宋, 或欲日本, 爾主當造舟一千艘, 能涉大海可載四千石者'. 藏用曰, '舟艦之事, 卽當應命, 但人民殘少, 恐不及期. 往者, 臣國有軍四萬, 三十餘年間, 死于兵疫, 今止有牌子頭, 五十戶·百戶·千戶之類虛名, 而無軍卒'. 帝曰, '死者有之, 生者亦有之'. 藏用曰, '賴聖德, 自撤兵以來, 有生長者僅十歲耳'. 帝又曰, '自爾來者言, 海中之事, 于宋得便風可三日而至, 日本則朝發而夕至. 舟中載米, 海中捕魚而食之, 則豈不可行乎'. 又敕藏用曰, 歸可以此言諭爾主".
- 『원고려기사』本文, 世祖, 지원 5년, "五月二十九日, 有旨, 諭李藏用, 若曰, 我太祖成吉思皇帝, 降諸國之制度, 以出軍助戰事, 降詔於爾國, 爾國不以軍數分朗具表, 乃以模糊之言來奏. 是以王綧奏云, 爾國王所嘗有四萬軍人, 又雜色可僉一萬軍, 共有五萬軍. 故朕作日就敕爾等云, 王所不可無軍, 以一萬留衛, 以四萬助戰. 爾等奏云, '王所無爾等許軍, 綧之言非實, 若未信誠, 遣使與綧偕往, 一一點數, 若實有四萬軍, 則罪在我輩, 惟聖裁. 若無四萬軍, 則其妄說之人, 亦惟聖裁'. 若爾等, 初以分朗之言來奏, 則朕何言, 爾等以模糊之言來奏, 故朕有此言, 此乃綧之言乎? 又敕云, 今此敕昔往諭於爾王, 速以多少可出征軍數, 回奏. 疑爾等旣往姑息之計, 又復稽延, 欲聞爾等端的之言, 將遣人督之. 若又不以端的之言奏來, 則將有損害於爾國. 又勅令出軍, 爾等必疑將出何地, 是乃或欲南宋, 或欲日本爾. 若徵爾牛馬, 則當辭難, 爾等常用舟楫, 何難之有. 君臣一家, 爾國有事, 朕不救乎? 若朝廷將出軍於何地, 爾等亦出師助戰, 是常理也. 今此軍事, 將詔諭爾主, 其舟艦之事, 則爾等備言之. 當造舟一千艘, 其一千艘能涉大海, 可載三千四千石, 新而堅好者. 若苟備名數, 而有舊裂, 或小有朽者, 則朕亦知之. 藏用奏云, 舟艦

王綧曾奏, '我國常有五萬軍', 故朕昨日勑爾等云, '王所不可以無軍, 其留一萬, 以衛王國, 以四萬來助戰'. 爾等奏云, '我國無五萬軍, 綧之言非實也, 苟不信, 試遣使與告者, 偕往, 點其軍額, 若實有四萬, 陪臣受罪, 否則反坐誣告者'. 爾等, 若以軍額分明來奏, 朕何有此言". 遂呼綧曰, "宜與藏用辨". 又勑藏用曰, "爾還國, 速奏軍額以實, 否則將討之, 爾等不知出師, 將討何國, 是乃欲討宋與日本耳. 今朕視爾國猶一家, 爾國有難, 朕不救乎? 朕征不庭之國, 爾國出師助戰, 亦宜也. 爾歸語王, 造戰艦一千艘, 其大可載來三四千碩者". 藏用對曰, "舟艦之事, 敢不承命, 但督之則, 雖有船材, 恐不及也". 帝曰, "歷代之事, 爾等所知, 不必更說, 朕將取近而言之, 河西王納女, 請和於成吉思皇帝曰, '皇帝若征女眞及回回, 我當左右效力'. 及征回回, 命河西助戰, 竟不應, 帝討而滅之, 爾亦聞乎?" 藏用對曰, "我國昔有四萬軍, 三十年來, 死於兵疫殆盡, 雖有百戶·千戶之類, 但虛名耳". 帝曰, "死者尙有, 獨無生者乎? 爾國亦有婦女, 豈無生者, 爾乃年老諳事, 說何妄耶?" 藏用對曰, "小邦蒙荷聖恩, 自罷兵以來, 有生長者, 僅十歲九歲耳". 帝又曰, "爾國之於宋, 風順則可兩三日而至, 日本則朝發夕至, 此汝國與蠻子人言也, 汝國何不主是事乎?". 綧欲復言軍事, 藏用曰, 至尊前, 不當爭辨, 遣人就視, 便可立驗":節要轉載].[138)]

[夏某月, 集禪·教名德一百員, 設大藏經落成法會於雲海寺:追加].[139)]

秋七月 庚戌朔大盡,庚申 , 丁卯 18日 , 起居舍人潘阜還自日本.[140)]

之事, 今已奉命, 卽便應副, 但促之則, 雖大有舟材, 人民殘少, 恐不卽期. 上又云, 朕又於爾等有言, 三皇五帝堯舜漢唐之道, 朕何必言, 爾等讀書皆知之, 朕取近事言之, 爾等亦當知之. 往者, 河西王於成吉思皇帝之世, 納女請和, 乃曰, '皇帝若征女眞, 我爲右手而助之, 若征回回, 我爲左手而助之'. 後成吉思皇帝回兵, 討河西而滅之. 藏用奏云, 往者, 臣國有四萬軍, 三十餘年, 死於兵役, 殆盡, 今只有牌子頭五十戶·百戶·千戶之類, 雖有其職, 但虛名而無軍卒. 上曰, 死者有之, 生者亦有之, 爾乃年老誠之人, 爲此無端之言耶. 藏用奏云, 果如聖敕, 蒙賴聖德, 自停兵以來, 有生長者, 但僅十歲也. 上又曰, 自爾國來者, 言海中之事, 宋則如得順風, 可兩三日而至, 日本則朝發而暮至. 言是者, 乃高麗人與南人也, 舟中載米, 海中捕魚而食之, 則豈不可行乎? 綧復欲言軍事, 藏用云, 至尊之前, 何必爭說如此, 遣使可驗. 上謂綧曰, 言已畢矣. 又敕藏用云, 歸可以此言諭爾王".

138) 이 기사는 열전15, 李藏用에도 수록되어 있는데 字句의 出入이 있으므로 兩者를 함께 읽어야 할 것이다.

139) 이는 「華山曹溪宗麟角寺普覺國尊碑銘」에 의거하였다.

140) 潘阜는 前年 8월 일본에 파견되어 6개월을 머물다가 돌아왔다고 한다.

[某日], 遣閣門使[閣門使]孫世貞·郎將吳惟碩等如蒙古, 賀節日. 又遣潘阜偕行, 上書曰, "向△[者], 詔臣以宣諭日本, 臣卽差陪臣潘阜, 奉皇帝璽書幷賫臣書及國贐, 以前年九月二十三日, 發船而往, 至今年七月十八日回來云, 自到彼境. 便不納王都, 留置西偏大宰府者, 凡五月. 館待甚薄, 授以詔旨, 而無報章, 又贈國贐, 多方告諭, 竟不聽. 逼而送之, 以故, 不得要領而還. 未副聖慮, 惶懼實深. 輒玆差充陪臣潘阜等, 以奏".[141)]

[某日, 以慶尙道按察使朴恒, 仍番:慶尙道營主題名記].

八月[庚辰朔小盡,辛酉], [某日], 遣大將軍崔東秀,[142)] 隨吾都止如蒙古, 奏略曰, "顧惟小邦, 雖在全盛之時, 人民尙寡, 況自辛卯[高宗18年]三十年來, 兵疫相仍, 喪亡太多. 雖玆編戶之子遺, 僅復農畦之生業, 其隷于兵衛, 亦未有丁壯驍勇者. 然重違帝勑, 多方調發, 僅得萬人, 其舟艦, 則已委沿海官吏, 方始庀材營造".

[己亥[20日], 以鄭仁卿爲神虎衛精勇左府第二校尉領攝校尉:追加].[143)]

[九月己酉朔[小盡,壬戌]:追加].

冬十月戊寅朔[大盡,癸亥], 日食.[144)]

· 『원사』 권208, 열전95, 外夷1, 日本, "[至元四年]九月[六月], 遣其起居舍人潘阜等持書往日本, 留六月, 亦不得其要領而歸". 이에서 九月은 八月의 오류이다.

· 『국조문류』 권41, 經世大典, 政典, 征伐, 日本[注, [至元四年,] 高麗國王植言, 道險遠不可辱天使. 命其起居舍人潘阜持書往. 留六月, 不得要領, 而歸].

141) 孫世貞(孫抃의 子)은 母의 派系가 王室의 賤出[國庶]이어서 製述業에 應試하지 못하였다고 한다(열전15, 孫抃).

142) 이때 書狀官은 國學學諭 洪惟敍였는데, 武臣執權者 金俊이 蒙古에 반대하여 海島로 遷都하려는 계획을 몽골에 있던 高麗人 金裕에게 漏泄하여 귀국 후에 피살되었다(『고려사절요』 권18, 원종 9년 12월 ; 열전43, 金俊). 또 중국 측의 자료에는 崔東秀가 7월 27일(丙子) 몽골에 도착하였다고 되어 있는데 오류일 것이다.

· 『원사』 권6, 본기6, 세조3, 至元 5년 7월 丙子, "高麗國王王禃遣其臣崔東秀來, 言備兵一萬, 造船千隻".

143) 이는 「鄭仁卿政案」에 의거하였다.

144) 이날 宋·蒙古國·日本에서도 일식이 있었다(『송사』 권52, 지5, 천문5, 日食 ; 『원사』 권6, 본기6, 세조3, 至元 5년 10월 戊寅). 이날은 율리우스曆의 1268년 11월 6일이고, 開京에서 日食 現象이 심했던 時間은 15시 39분, 食分은 0.40이었다(渡邊敏夫 1979年 310面).

· 『續史愚抄』2, 文永 5년 10월, "一日戊寅, 日蝕, 以此事平座被延引".

庚寅[13日], 蒙古遣明威將軍·都統領脫朶兒, 武德將軍·統領王國昌, 武略將軍·副統領劉傑等十四人來, 詔曰, "卿遣崔東秀來, 奏備兵一萬·造船一千隻事. 今特遣脫朶兒等就彼, 整閱軍數, 點視舟艦. 其所造船隻, 聽去官指畫, 如耽羅, 已與造船之役, 不必煩重, 如其不與, 卽令別造百艘. 其軍兵船隻, 整點足備, 或南宋或日本, 逆命征討, 臨時制宜. 仍差去官先行, 相視黑山·日本道路, 卿亦差官, 護送道達".145)

[○熒惑入軒轅. 流星入角:天文2轉載].

己亥[22日], 遣郎將朴臣甫·都兵馬錄事禹天錫, 從國昌·劉傑等, 往視黑山島.

十一月[戊申朔小盡,甲子], [某日, [海陽公]金俊, 擅奪龍山別監李碩所獻內膳船二艘. 初, 俊子承宣晅家奴, 因事往忠州, 與碩有憾, 及還, 聞碩船載內膳來, 泊于江, 訴碩於晅. 晅告其父, 遣夜別抄, 奪其膳, 或入己家, 或分與夜別抄. 未幾, 俊見王, 王以碩所上膳狀, 示俊. 俊變色而退, 還收以獻. 王却之曰, "旣奪而復獻, 於義可乎? 今所進之物, 皆寡人將供祭醮之用, 碩承命已久, 曾不速進, 而見奪, 是碩之罪也", 流于島. 遂以內侍權仁紀代之, 未幾, 召碩還. 由是, 王益惡俊:節要轉載].146)

[己未[12日], 流星出軫, 貫樓庫, 入天際, 大如缶:天文2轉載].

[辛酉[14日], 赤氣見于西方:五行1轉載].

---

145) 脫朶兒[Todor] 등의 파견은 다음과 같이 7월 27일(丙子)에 결정되었다고 하지만, 崔東秀가 몽고에 도착했을 8월 이후일 것이다. 또 이들이 8월에 고려에 도착하였다고 하지만, 이 기사와 같이 10월에 도착하였을 것이다. 그리고 ~~添字~~가 脫落되었을 것이다.

- 『원사』 권6, 본기6, 세조3, 지원 5년 7월 丙子, "詔遣都統領脫朶兒往閱之, 就相視黑山·日本道路, 仍命耽羅別造船百艘, 以伺調用".
- 『원사』 권208, 열전95, 外夷1, 高麗, "[至元五年]七月, 詔□□□□[~~明威將軍~~]·都統領脫朶兒, 武德將軍·統領王國昌, 武略將軍·副統領劉傑等使其國, 與其來朝者大將軍崔東秀偕行. 八月, 至其國, 禃出升天府迎之, 蓋諭以閱軍造船也".
- 『원사』 권167, 열전54, 王國昌, "至元五年, 人有上書言, 高麗境內黑山海道, 至宋境爲近. 帝命國昌往視之. 泛海千餘里, 風濤洶湧, 從子恐, 勸還, 國昌神色自若, 徐曰, 奉天子威命, 未畢事而遽返, 可乎. 遂至黑山乃還, 帝延見慰勞".
- 『원고려기사』本文, 世祖, 지원 5년, "七月二十□[七]日, 詔□□□□[~~明威將軍~~]·都統領脫朶兒, 武德將軍·統領王國昌, 武略將軍·副統領劉傑等, 使高麗, 與其來朝者大將軍崔東秀偕行. 八月至其國, 禃出昇天府迎之, 盖諭以閱軍造艦也. 詔曰, 卿遣東秀來奏, 備兵一萬, 造船一千隻事, 今特遣明威將軍·都統領脫朶兒, 武德將軍·統領王國昌, 武略將軍·副統領劉捷[傑], 詣彼整閱軍數, 點視船艦. 其所造船隻, 聽其指畫. 如耽羅已與造船之役, 不必重煩, 如其不與, 卽令別造百艘. 其軍兵船隻, 整點足備, 或往南宋, 或日本, 逆命征討. 臨時制宜. 仍仰差去官, 先行相視黑山·日本道路, 卿亦差官, 護送導達".

146) 이 기사는 열전43, 金俊에도 수록되어 있으나 자구에 출입이 있다.

[壬戌[15日], 木稼:五行2轉載].

甲子[17日], 蒙古遣兵部侍郞黑的·禮部侍郞殷弘·本國人申百川·于琁·金裕等來.[147)]

乙丑[18日], 以參知政事金佺·判樞密院事崔瑛, 爲團練造兵都監判事.

丁卯[20日], 黑的等, 傳詔, 其詔曰, "向△[者], 委卿道達去使, 送至日本, 卿乃飾辭, 以爲風浪險阻, 不可輕涉. 今潘阜等, 何由得達, 可羞可畏之事. 卿已爲之, 復何言哉. 今來奏, 有潘阜至日本, 逼而送還之語, 此亦安足取信. 今復遣黑的·殷弘等, 充使以往, 期於必達, 卿當令重臣道達, 毋致如前稽阻".

○□□□□[~~在元叛人~~]金裕等傳丞相安童書來. 索土產·藥品, 王遣譯語郞將康禧答書, 偕裕行.

[→[右]丞相安童遣金裕·申百川等來, 索大嶺山香柏子·榧子·松膏餠, 智靈洞全蜜, 有體人蔘, 永洞郡香麴子, 南海島失母松, 金剛山石茸·觀音松上水·風眠松葉. 裕·百川, 皆本國人也, 裕嘗登第, [~~高宗卄八年~~] 選爲永寧公陪從, 久在蒙古, 謀欲東歸, 乃言於安童曰, "海東三山, 有藥物, 若遣我索之, 可得", 安童信而遣之. 觀音松上水, 本無之物也, 問諸裕等則曰, 在洛山上, 王欲差人從裕·百川索之, 裕等云, 多得風眠松葉則, 松上水, 無亦不妨, 松膏餠, 裕亦以爲自生於松上, 皆誑言也:節要轉載].[148)]

[→[金]裕既入朝, 背本國, 常欲奉使還, 以逞其欲. 乃語[右]丞相安童曰, "海東三山, 有藥物, 若遣我, 可得". 安童信之, 遂遣裕及申百川來. 裕矜其戎服, 略無愧色, 傳

147) 黑的[Qedi]은 9월 17일(乙丑)에 파견이 결정되었다고 한다.
- 『원사』 권6, 본기6, 세조3, 至元 5년 9월 乙丑, "命兵部侍郞黑的·禮部侍郞殷弘賫國書, 復使日本, 仍詔高麗國遣人導送, 期於必達, 無致如前稽阻".
- 『원사』 권208, 열전95, 外夷1, 高麗, "[至元五年]九月, 以禃表奏潘阜等奉使無功而還, 復遣黑的等使日本, 詔禃遣重臣導送".
- 『원사』 권208, 열전95, 外夷1, 日本, "[至元]五年九月, 命黑的·□[殷]弘復持書往, 至對馬島, 日本人拒而不納, 執其塔二郞·彌二郞二人而還".
- 『원고려기사』本文, 世祖, 지원 5년, "九月, 復遣黑的等, 使日本, 命禃導送. 詔曰, 卿來奏表, '潘復[~~潘阜~~]等奉命日本, 不得要領而還, 未副聖慮, 惶懼實深'. 朕謂向委卿導達去使, 若送至日本, 彼或發還, 或留滯, 責不在卿. 乃飾以僞辭, 中道而還. 卿前稱大洋萬里, 風浪蹴天, 不可輕涉, 今潘阜何由得達, 可羞可畏之事, 卿已爲之矣, 復何言哉. 今玆表奏, 遣使至日本, 逼而送還, 此語又安足取信? 今朕復遣中憲大夫·兵部侍郞·國信使黑的, 中順大夫·禮部侍郞·國信副使殷弘等, 充使以往, 期於必達. 卿當令重臣導送, 毋致如前稽阻". 여기에서 ~~添字~~와 같이 고쳐야 옳게 될 것이다.
- 『국조문류』 권41, 經世大典, 政典總序, 征伐, 日本[注, [至元]五年九月, 再命黑迪·□[殷]弘往, 至對馬島, 日本人拒而不納, 交鬪執其塔二郞·彌二郞二人而還].

148) ~~添字~~는 筆者가 便宜를 위해 추가하였다.

安童書曰, "聞王國土產藥品, 可備尙醫用者. 今遣金裕等往採, 可給人力, 令收以歸. 其藥品, 海東三山液藥方, 大嶺山香栢子六十斤, 智靈洞全蜜四十斤. 有体人參合用造酒方, 永同郡香麴子五十斤, 南海島失母松五十斤. 服藥後膳方, 金剛山石茸六十斤, 大嶺山南榧子五十斤, 松膏餠三十斤. 沐浴方, 觀音松上水, 風眠松葉二百斤." 及裕等還, 王遣譯語郞將康禧, 答書曰, "伏承鈞旨, 諭以小邦所產藥品, 令採進就, 問裕等, 一依名數採進. 但觀音松上水, 未審所在, 問諸裕等, 則云在洛山上, 卽欲遣人, 與裕等索之, 反云, '多得風眠松葉, 則松上水, 無亦不妨.' 此曾啓都堂稟旨而來, 便不往索. 若觀音松上水, 本無之物也, 松膏餠, 則取松白皮, 熟錬灰水百杵, 和蜜汁粘麪, 乃作餠, 裕以爲自生於松上, 皆誑言也":列傳43金裕轉載].

○遣國子司業李淳益如蒙古, 賀正.

十二月丁丑□[~~朔~~大盡,乙丑], 王國昌·劉傑等還自黑山.[149]

[某日, [海陽公]金俊殺國子學諭洪惟敍. 惟敍嘗以書狀官, 伴蒙古使吾都止入朝, 與金裕, 說俊密事, [~~申~~]百川素爲惟敍所侮, 聞其言以語俊, 故及:節要轉載].

[→國子學諭洪惟敍, 嘗以書狀□[~~官~~], 伴蒙古使入朝, 與金裕, 說俊密事. 有申百川者, 素爲惟敍所侮, 聞其言以語俊. 俊殺惟敍:列傳43金俊轉載].

庚辰[4日], 知門下省事申思佺·□□[禮部]侍郞陳子厚·起居舍人潘阜, 偕黑的·殷弘, 如日本.[150]

壬午[6日], 蒙古使脫朶兒閱兵.

甲午[18日], 劉傑欲閱西海道造船, 先行.

丙申[20日], 脫朶兒還, 王餞于郊, 遣大將軍張鎰, 伴行.[151]

丁酉[21日], 誅[海陽公]金俊, 夷其族.[152] [俊, 自以爲, "當戊午年[高宗45年]犧饉, 掃權門,

---

149) 丁丑에 朔이 탈락되었다.

150) 申思佺이 黑的[Qedi]과 함께 일본에 건너간 것은 중국 측의 자료에서도 확인되는데, 申思全은 申思佺의 誤字이고, 陳井은 陳子厚의 初名 또는 誤謬일 것이다.

- 『원사』 권208, 열전95, 外夷1, 高麗, "[至元五年]十二月, 禃遣其知門下省事申思全[~~申思佺~~]·禮部侍郞陳井[~~陳子厚~~]·起居舍人潘阜等從國信使黑的等赴日本".
- 『원고려기사』本文, 世祖, 지원 4년, "十二月, 植遣其知門下省事申思全[~~申思佺~~]·禮部侍郞陳井[~~陳子厚~~]·起居舍人潘阜等, 從國信使黑的等, 赴日本".

151) 張鎰이 脫朶兒[Todor]와 함께 몽골제국에 간 것은 중국 측의 자료에서도 확인된다.

- 『원사』 권208, 열전95, 外夷1, 高麗, "[至元五年]十二月, … 借禮部侍郞張鎰奉表, 從脫朶兒入朝".
- 『원고려기사』本文, 世祖, 지원 5년 12월, "借禮部尙書張鎰奉表, 與脫朶兒來".

開蓄積，活人多矣．吾雖臥市街，誰敢害我”．由是，雖聞惡言，不以爲疑．列置農莊於郡縣，以家臣文成柱管全羅，池濬管忠淸，二人爭事聚斂[斂]，給民稻種一斗，例收米一碩．諸子效之，競聚無賴，怙勢恣横，侵奪人田，怨讟甚多．俊嘗欲邀王于其家，撤隣家以廣其居，窮冬盛夏，晝夜督役，屋高數丈，庭廣百步．其妻尙歎曰，“丈夫眼孔，亦爾小耶”．及封宅主，每入見宮主，拜乎上:節要轉載].[153)]

[○[金]俊旣封侯，効宗室，右奉笏，每曰，“平生所未慣，有時左奉”．人譏之．時有淫巫，號鷂房，出入俊家，俊惑其言，國家事皆占吉凶，時號鷂夫人．俊每於蒙古使來，輒不迎待，使若徵詰，輒言可殺:列傳43金俊轉載].

[○樞副[樞密院副使]林衍，嘗與俊子爭田，俊曰，“我在尙爾，况死後乎，吾寧忍視此人耶”．又衍妻，嘗手殺其奴，俊曰，“此婦性惡，當遠流之”．衍聞之益銜．宦者[~~郞將~~]康允紹,[154)] 以姦黠得幸於王，且與衍相善，知王忌俊，又知衍·俊有隙，屢言於王曰，“諸功臣皆與俊善，惟林衍不附”．又謂衍曰，“國勢危殆，將若之何”，衍曰，“王如有命，臣豈惜死”，允紹以奏，王曰，“眞忠臣也”．衍嘗入直，與宦者崔瑅曰，“國勢[~~國事~~]至此，決在須臾，子盍告王”．瑅□[佯]許之，然懷恇怯，遷延累[數]日．衍又入直，與瑅曰，“向之所言，出我口入君耳，如或泄之，吾二人命在朝夕，奈何猶豫”．□[瑅]卽與宦者金鏡入奏．王曰，“果如所言，何幸之大”．衍遂制大梃，盛樻[~~若膳物然~~]，密付鏡，預置宮中，期以是月丙申擧事[~~約日擧事~~]．○會王餞蒙古使脫朶兒，俊黨，皆不扈駕，故未果．王恐事泄，終夜不寐，宣言有疾，分遣中使，禱諸神祠[~~佛宇~~]．詰朝，俊不入朝[~~赴衙~~]，鏡等，以王命召之，俊急趨朝，俊妻族宦者朴文琪，知其謀，奔詣俊□[家]，遇諸路，以左右擁衛，不能告．俊弟冲，聞俊赴衙，亦至都堂.[155)] 瑅傳旨召[하]俊，至便殿前，

---

152) 이날은 율리우스曆으로 1269년 1월 24일(그레고리曆 1월 31일)에 해당한다.

153) 이와 같은 기사가 열전43, 金俊에 수록되어 있으나 자구에 출입이 있다.

154) 康允紹는 宦官이 아니므로 宦者는 이때 그의 官職인 郞將, 內豎·郞將의 오류일 것이다(→원종 14년 8월 28일의 脚注). 또 열전43, 金俊에도 郞將으로 되어 있다(盧明鎬 等編 2016년 477面).
· 열전36, 嬖幸1, 康允紹, “… 本新安公之家奴. 解蒙古語, 以姦黠得幸於元宗. 累使于元, 以功許通宦路”.

155) 都堂은 열전43, 金俊에는 朝堂으로 되어 있는데, 朝堂이 議政處, 朝廷을 指稱하기에 同一한 意味로 사용되었던 것 같다.
· 『후한서』 권2, 孝明帝紀第2, 永平 17년. “是歲, 甘露仍降, 樹之內附, 芝草生殿前, 神雀五色翔集京師, 西南夷哀牢·儋耳·僬僥·槃木·白狼·東䍧諸種, 前後慕義貢獻, 西域諸國遣子入侍. 夏五月戊子, 公卿百官以帝威德懷遠, 祥物顯應, 乃並集朝堂, 奉觴上壽. 制曰, 天生神物, 以應王者, …”.
· 『자치통감』 권45, 漢紀37, 明帝永平 17년(74), “夏五月戊子, 公卿百官以帝威德懷遠, 祥物顯

稱上不豫，引入政堂，使人~~令抄奴金尙~~梃擊之．俊大呼，遂斬之．又引冲入內，冲見血痕，欲走出，宦者金子廷，使其弟子厚殺之．俊從者欲入救，子廷當門，~~稱旨劫之~~曰，“今有旨誅俊兄弟，汝等入內，何爲？ 其各同心衛社”，遂推出之．衍分遣夜別抄，捕俊諸子及其黨附者，皆斬之．○俊子同知樞密院事柱，聚其徒，謀拒之，夜別抄指諭高汝霖等至，柱~~謂汝霖來助己~~．且喜且懼，慰以好言，汝霖等，持疑未決．將軍曹子一亦率介士繼至，不卽前，有校尉徐靖，射柱，誤中屋角．柱走入門，~~子一等麾其衆使退，柱~~踰垣而走，追騎及斬之:節要轉載].156)

[○前數日，金柱夢有一紫衣人，來坐廳上，使人執俊諸子，以針線貫之．最後及柱，針者曰，“此亦貫乎?”，紫衣曰，“何獨赦也?” 遂貫之，柱果後誅．俊子柱及碩材·大材·皚·祺·靖，碩材·大材早死．柱初名用材，同知樞密院事．皚·祺·靖，後妻之出．皚嘗赴擧，平章□事金之岱掌試，難其第，擬以乙科四人，王擢第三.157) 初拜閤門祗候，至右副承宣．皚母常與俊謀，欲以皚爲嗣，凡皚事，每右之．營其宅，多壞人家，樑棟楹桷，必以紋木異材，雖遠必致．金碧相輝，壯麗無比，園囿花卉，皆取奇品．祺·靖，皆將軍．冲淸介自守，見其兄與諸姪所爲，常切責，俊與諸子皆憚之．冲臨刑嘆曰，“予無所知.” 人皆惜之:列傳43金俊轉載].

[○遂又誅俊黨大將軍崔曄·將軍車松祐·康保忠·玄壽·朴承益·郞將方仲山·指諭葛南寶及池濬·文成柱， 又流俊妻及將軍崔公義·上將軍金洪就于海島， 將軍李悌·孫元慶，自刎而死．俊之家奴，見誅者，不可勝記:節要轉載].158)

[→是年，林衍誅俊，俊子柱聚六番都房諸軍，謀拒之．都兵馬錄事嚴守安扣宮門告曰，“此輩不散，恐爲變”．王卽遣朴成大等捕柱．以功，授郞將兼監察御史:列傳19嚴守安轉載].159)

應，乃並集朝堂，奉觴上壽[胡三省注，班固‘西都賦’，左右廷中，朝堂百僚之位，蕭·曹·丙·魏謀謨乎其上，蓋在殿庭左右也]，制曰，天生神物，以應王者，…”.

· 『자치통감』 권214，唐紀30，玄宗開元 24년(736)，“二月甲寅4日，宴新除縣令於朝堂，上作‘令長新戒’一篇，賜天下縣令”.

156) 添字는 열전43，金俊에 의거하였는데，그중에서 ‘令抄金尙’은 ‘令抄奴金尙’에서 脫字가 발생하였다. 또 金俊의 제거에 참여한 인물에 대한 기사로 다음이 있다.

· 열전43，林衍，“及金俊當國，專擅威福，元宗忌之，林衍又與俊有隙，遂與金鏡·崔瑥等誅之”.

157) 金之岱가 政堂文學으로 禮部試를 주관한 것은 1261년(원종2) 5월 25일이다.

158) 이 기사는 열전43，金俊에도 수록되어 있지만 자구에 출입이 있다. 또 이때 金俊의 除去에 관련된 인물에 대한 기사로 다음이 있다.

· 열전36，嬖幸1，康允紹，“… 累遷將軍．林衍之誅金俊也，首與其謀，稱一等功臣，加大將軍”.

· 열전37，폐행2，李貞，“李貞，本賤隸也，常屠狗爲業．以勇力聞，見愛於金俊子柱，及柱敗，逃免”.

[○[樞密院副使]林衍殺承宣朴琪·大將軍李宗器. 初, 金俊配于固城, [~~縣大朴~~]琪頗有恩, 俊以爲己子[~~養子~~, ~~果授承宣~~]. 及俊誅, 琪在直廬, 怏怏不食肉, 夜則潛泣. 衍聞之, 恐有變, 白王殺之. [李]宗器[~~者永州吏~~, ~~逃入京~~,] 以勇力稱, 與俊衛社[~~誅竩~~, ~~果遷大將軍~~. ~~衍亦殺之~~,] 及誅[死]嘆曰, "若知至此, 當早殺衍":節要轉載].[160)]

己亥[23日], 移御辰巖宮. 群臣表賀誅金俊.

[□□[~~是年~~], 時林衍執國命, 擅威福. 欲以子惟茂娶[許]珙女, 珙不聽. 衍逼之, 珙固拒. 衍以告王, 王召珙曰, "衍姦凶, 不可取怨, 卿深計之". 珙曰, "臣寧受禍, 不敢嫁女於賊臣之家". 王義之曰, "卿善處之". 珙退, 卽嫁其女于平章事金佺之子賆, 衍深啣之. 及衍殺金俊, 文武多遇害. 珙適葬妻, 在陽川, 還至通津, 聞亂, 恐爲所害, 欲投河而死, 旣而曰, "死生天也". 遂入京. 衍多殺朝臣, 無可與議銓選者, 問左右曰, "許珙還否". 珙聞之, 至衍家, 衍大喜迎入坐謝曰, "吾有事, 不能赴葬, 幸勿過". 遂委銓選. 珙注授得宜, 衍喜白王, 賜賚甚厚:列傳18許珙轉載].

[以[太學博士兼直翰林院]李仁成爲權知閤門祗候:追加].[161)]

[○以金變爲永州判官:追加].[162)]

[○以趙植爲延安副使, 張九鈴爲延安判官:追加].[163)]

[○以裴廷芝爲禁衛都知. 時廷芝年十:列傳21裴廷芝轉載].

[○以僧彌授爲三重大師:追加].[164)]

己巳[元宗]十年, 蒙古至元六年, [南宋咸淳五年], [西曆1269年]

1269년 2월 3일(Gre2월 10일)에서 1270년 1월 22일(Gre1월 29일)까지, 354일

春正月[丁未朔大盡,丙寅], [庚戌[4日], 流星出大微[~~太微~~], 犯東藩次將, 抵郎位, 犯大角:天文

159) 朴成大는 金俊과 함께 武人執政 崔竩를 제거했던 朴松庇의 아들이다(열전43, 金俊, 朴松庇).
160) ~~添字~~는 열전43, 金俊에 의거하였다.
161) 이는「李尊庇墓誌銘」에 의거하였다.
162) 이는『영천선생안』에 의거하였다.
163) 이는『연안부지』에 의거하였다.
164) 이는「俗離山法住寺慈淨國尊碑銘」에 의거하였다.

2轉載].

癸丑[7日], 誅金俊黨別將金昌世·許仁世, 流李得材·吉宣甫等六人.

丙辰[10日], 設消災道場于本闕.

[丁巳[11日], 雨水. 月入東井. 飛星出大微[太微], 入軫星, 大如木瓜:天文2轉載].

[己未[13日], 夜, 白雲自巽, 竟天, 廣三尺許:五行2轉載].

庚申[14日], 遣□[大]將軍康允紹如蒙古, 奏誅金俊.[165)]

[壬戌[16日], 木星犯右執法. 太白犯牽牛:天文2轉載].

[丙寅[20日], 月入氐星:天文2轉載].

[某日, 以崔沼爲慶尙道按察使:慶尙道營主題名記].

二月丁丑□[朔小盡,丁卯], 還御本闕.[166)]

乙酉[9日], 將軍金保宜·林惟茂·趙允藩·崔宗紹等, 以後壁, 賜紅□[鞓]改銜.[167)]

[○月犯東井:天文2轉載].

[丁亥[11日], 流星出大微[太微], 犯右執法, 入軫:天文2轉載].

庚寅[14日], 燃燈, 王如奉恩寺.

壬辰[16日], 曲宴宰樞·侍臣, 竟日極歡. [樞密院副使]林衍吹脣, 欲猿掛於殿柱.

甲午[18日], 北界諸城遣人, 賀誅金俊.

是月, 賀正使李淳益還自蒙古, 帝問淳益曰, "宣·麟州人來言, 爾國憑朕詔旨, 造船, 將圖深竄, 信乎?" 淳益奏, "小國蒙皇帝保護, 至於小民, 安生樂業, 有何所憾, 敢懷二心". 帝曰, "然, 憸人之言, 朕亦不信".

---

165) 이때의 告奏表가 『동문선』 권40, 告奏表(金坵 撰)이다. 또 중국 측의 자료에서 1월 7일(癸丑) 康允紹가 金俊의 被殺을 보고하였다고 하지만, 시기정리[繫年]에서 착오가 있을 것이다.

· 『원사』 권6, 본기6, 세조3, 至元 6년 1월, "癸丑, 高麗國王王禃遣使, 以誅權臣金佼[俊]來告. 賜曆日·西錦".

· 『원사』 권208, 열전95, 外夷1, 高麗, "[至元]六年正月, 禃遣其大將軍康允玿[紹]奉表, 奏誅權臣金俊等".

· 『원고려기사』本文, 世祖, "[至元]六年正月, 植遣其大將軍康允紹奉表, 奏芟夷權臣金俊·金沖等".

166) 丁丑에 朔이 탈락되었다.

167) 이때의 後壁은 蒙古의 宿衛인 忽赤(火兒赤, qorchi)과 같은 帝王의 護衛兵이었던 것 같다. 또 趙允藩은 樞密院副使 趙璥의 아들인데, 允蕃(지36, 兵2, 宿衛) 또는 允璠(세가29, 충렬왕 6년 11월 8일 ; 열전43, 林衍)으로 달리 표기되기도 하였다.

· 지36, 병2, 宿衛, "元宗十年二月, 時誅金俊, 以勢家子弟, 持弓矢, 入衛殿內, 稱後壁, 將軍金保宜·林惟茂·趙允蕃·崔宗紹等, 以後壁, 賜紅□[鞓]改銜".

[○置田民辨正都監:節要轉載].[168]

三月[丙午朔大盡,戊辰], 辛酉[16日], 黑的及申思佺等, 至對馬島, 執倭二人以還.[169]

甲戌[29日], 幸王輪寺.

[乙亥[30日], 雨雹:五行1雨雹轉載].

夏四月[丙子朔大盡,己巳], 戊寅[3日], 遣參知政事申思佺, 伴黑的, 以倭二人, 如蒙古.[170]

[己卯[4日], 月入東井:天文2轉載].

甲申[9日], 設百座仁王道場于內殿.

[○熒惑入軒轅:天文2轉載].

辛卯[16日], 幸普濟寺, 設五百羅漢齋.

壬辰[17日], 流平章事[門下侍郞同中書門下平章事]柳璥于黑山島, 籍其家. [初, 璥與大司成金坵·禮部侍郞朱悅·將軍金琠, 友善, 數相過, 從容談笑. 璥曰, "頃, 我以妻服, 久不視事, 聞衛社事, 以爲實然, 今見其人, 皆羣小也". 又論古史, 言及當世宦官之事, [宦者]金鏡聞而深銜之, 訴于王. 王曰, "此人向誅崔竩, 欲執權柄, 爲金俊等所排, 志不之遂, 昨日曲宴, 宰相皆樂, 獨璥不悅, 我親斟勸之, 竟不樂, 以是知其有二心也". 遂籍其家, 流之, 召坵切責曰, "汝交結柳璥, 憑藉經史, 論議國事, 予欲罪之, 第以汝掌文翰之任, 特宥之, 自今愼勿復爾":節要轉載]. 又流璥子行首陞及[禮部]侍郞朱悅·將軍金琠于島.[171] [璥, 素富, 及與衛社後, 頗有權勢, 富倍於前, 時稱鉅富. 至是, 籍其家, 珍寶·器玩·穀布, 不可勝計:節要轉載].

[→時, [林]衍誅[金]俊, 號衛社. 璥與大司成金坵·禮部侍郞朱悅·將軍金琠, 素友善, 數相過. 一日, 璥謂坵等曰, "頃, 我以妻服, 久不視事, 聞有衛社者, 今見其人, 皆

---

168) 이와 관련된 기사로 다음이 있다.

· 지31, 백관2, 田民辨正都監, "元宗十年置, 有使·副使".

169) 중국 측의 자료에서는 이날 申思佺이 黑的[Qedi]을 따라 蒙古에 도착한 것으로 되어 있으나 오류일 것이다(→是年 4월 3일).

170) 申思佺이 黑的[Qedi]과 함께 몽골로 간 것은 중국 측의 자료에서도 확인되지만, 날짜[日辰]에 오류가 있다.

· 『원사』 권208, 열전95, 外夷1, 高麗, "[至元六年]三月, 禃復遣申思全[佺]奉表, 從黑的入朝".

· 『원고려기사』本文, 世祖, 지원 6년, "三月十六日, 植復遣申思全[申思佺]奉表, 從黑的來朝".

171) 이때 朱悅이 유배된 것은 그의 열전에도 확인된다(열전19, 朱悅, "入爲禮部侍郞, 忤林衍, 竄海島").

群小也". 又論古史, 言及當世宦寺之弊, 宦官金鏡聞而銜之, 訴于王. 王曰, "此人向誅崔竩, 欲執權柄, 爲俊等所排, 志不之遂. 昨日曲宴, 宰相皆樂, 獨璥不悅, 我親酌以勸, 竟不樂, 以是, 知其有二心". 召坵切責曰, "汝交結柳璥, 憑經史, 好論國事, 史傳所載, 豈可盡信. 予欲罪之, 第以汝掌辭命, 特宥之, 信勿復爾". 流璥于黑山島, 籍其家, 璥子行首陞及珽·悅, 並流海島. 璥素富, 嘗徙宅, 輸財車馬, 連亘旬日而止. 及誅竩, 頗有權勢, 富倍於前, 時稱三韓巨富. 至籍家產, 珍寶·器玩·穀帛, 不可勝計. 璥被執赤身, 不責一物, 家人以紅羅褋·裹一衣, 追與之, 璥, 取衣還褋曰, "女子無所衣食, 可鬻此以生". 陞先行, 至金剛院遲之, 璥至臨分, 携手泣曰, "父子之恩未盡, 當復相見". 人稱璥之敗, 富所招也:列傳18柳璥轉載].

乙未[20日], 世子諶入朝于蒙古,[172] 參政[參知政事]蔡楨·承宣林惟幹·大將軍鄭子璵·郎將印公綬[~~印公秀~~]·內官郎將金子貞[~~金子廷~~]·牽龍行首羅裕·書狀官學諭金應文等, 從行.[173]

壬寅[27日], 太白晝見, 經天.

[○[太白]與月同舍:天文2轉載].

[是月, [翰林學士]元傅, □□□□□[掌國子監試], 取方宣老等九十人:選擧2國子試額轉載].

五月丙午□[~~朔~~小盡,庚午], 慶尙道按察使馳報,[174] "濟州人漂風, 至日本還言, 日本具兵船, 將寇我". 於是, 遣三別抄及大角班, 巡戍海邊. 又令沿海郡縣, 築城積穀, 移彰善縣所藏國史於珍島.[175]

---

172) 世子 諶의 파견은 중국 측의 자료에도 수록되어 있는데, 출발 a와 도착 b·c가 모두 확인된다.
- a 『원고려기사』本文, 世祖, 지원 6년, "四月二十日, 植遣其世子愖[諶]入朝".
- b 『원사』 권6, 본기6, 세조3, 至元 6년 6월, "高麗國王王禃遣其世子愖[諶]入朝. 賜禃玉帶一, 愖[諶]金五十兩, 從官銀幣有差".
- c 『원사』 권208, 열전95, 外夷1, 高麗, "[至元六年]六月, 禃遣其世子愖[諶]來朝. 賜禃玉帶一, 愖[諶]金五十兩, 從官銀幣有差".

173) 印公綬는 喬桐 印氏라고 하는 印公秀(印瑄의 祖)의 오자일 것이다. 또 內官郎將 金子貞은 內僚·郎將 金子貞을 의미한다. 金子貞은 金自貞(→원종 12년 2월 9일), 金自廷(원종 10년→지10, 지리1, 廣州牧 陽根縣), 金子廷(→충렬왕 3년 3월 26일) 등으로 달리 표기되었으나 충렬왕대에는 주로 金子廷으로 기재되었다. 金子貞과 金自貞은 金子廷의 오자일 것이다(『東都歷世諸子記』에는 金子挺으로 되어 있으나 역시 오자일 것이다). 그리고 이때 通譯官[譯語]으로서 校尉 金富允과 校尉 趙仁規가 隨從하였던 것 같다.
- 열전20, 金富允, "初名用成, 兎山郡人. 隷左都知侍衛軍, 補校尉. 忠烈以世子如元, 富允從之. 雖値險艱, 執節不移, 世祖知其名, 授武德將軍·征東行中書省理問所官".
- 「趙仁規墓誌銘」, "己巳, 今上以世子入朝, 公在從行之數, 加攝散員扈從, …".

174) 丙午에 朔이 탈락되었다. 또 이때의 慶尙道春夏番按察使는 崔沼이다(『慶尙道營主題名記』).

壬申27日, 移御辰巖宮.

[癸酉28日, 熒惑犯大微~~太微~~, 流星掩心大星, 入氐:天文2轉載].

[某日, 以冲止爲三重大師:追加].[176]

六月乙亥朔大盡,辛未, 丙子2日, 王如奉恩寺.

[丁丑3日, 月犯大微~~太微~~右執法:天文2轉載].

癸未9日, 設消灾道場于本闕.

[丙戌12日, 月犯房上相, 又犯鉤鈐:天文2轉載].

辛卯17日, 樞密院副使林衍殺宦者金鏡·崔瑥, 流御史大夫張季烈·大將軍奇蘊于島.

[→樞密院副使林衍分遣夜別抄, 收捕金鏡·崔瑥及其弟琪, 斬之~~梟市~~. 御史大夫張季烈, ~~善騎擊毬,~~ 性恬淡有禮, 爲王所親信, 常出入臥內. 大將軍奇蘊, 爲王庶妹壻, 參典機密, 又籍金俊家財, 以其珍寶, 賄鏡·瑥. 衍皆惡之, 並流于島. 鏡·瑥既與衍誅金俊, 勢傾朝野, 衍恐將害己, 先圖擧事:節要轉載].[177]

壬辰18日, 樞密院副使林衍謀不軌, 欲行大事, 會宰樞議, 侍中李藏用度不能止, 以遜位爲言.

[→林衍集三別抄·六番都房于毬庭, 與宰樞議曰, "我爲王室, 除權臣, 王乃與金鏡等謀, 欲殺我, 不可坐而受戮, 我欲行大事, ~~不爾竄之海島,~~ 如之何?",[178] 宰樞莫敢對. 衍歷問之, 侍中李藏用, 自度不能止, 且恐有不測之變, 乃以遜位爲言. 參知政事樞密兪千遇曰,[179] "此大事也, 請公反復思之, 况今世子在上國, 待其還, 亦未晩也".

---

175) 彰善縣은 晋州牧管內의 彰善島에 설치된 縣인데, 1308년(충선왕 복위년) 12월 29일 忠宣王의 이름을 避하여 興善으로 改稱하였다. 高麗末에 倭寇의 侵入으로 인해 人物이 亡失되어 土地만 남게 되어서 晋州의 直村으로 編入되었다고 한다(지11, 지리2, 晋州牧 ; 『경상도지리지』晋州道, 興善郡). 또 各種의 典籍[國史]을 옮긴 장소는 珍島縣 龍藏寺(후일의 龍藏城)이었을 것으로 추측되고 있다(金明鎭 2019년).

- 『세종실록』 권150, 지리지, 晋州牧, "… 興善島, 本高麗 有疾部曲, 後改爲彰善縣, 屬晋州任內. 忠宣王初避王嫌名, 改爲興善因倭人物全亡, 今爲直村, 水路十里[注, 人民來往農作]".
- 『신증동국여지승람』 권30, 진주목, 古跡, "興善廢縣, 卽興善島. 本高麗有疾部曲, 後改爲彰善縣來屬, 忠宣王改今名, 因倭寇人物皆亡, 今爲直村. 元宗十年, 聞日本將寇邊縣, 所藏國史移于珍島".

176) 이는 「圓鑑國師塔碑銘」에 의거하였다.

177) ~~添字~~는 열전43, 林衍에 의거하였다.

178) ~~添字~~는 열전43, 林衍에 의거하였다.

179) 이때(원종 10년 6월) 兪千遇는 參知政事가 될 수 없으므로 樞密院使 또는 知樞密院事의 오류

衍未決而罷:節要轉載].

[翌日[癸巳19日], 夜, [林]衍執前將軍權守鈞·大卿李敍·將軍金信祐, 皆托以他罪, 斬之, 以威衆心:節要轉載].

[→翼日[癸巳19日], 夜, [林]衍囚前將軍權守鈞·大卿李敘· 將軍金信祐, 歷數其罪曰, "守鈞以賤口, 濫受大職, 敘淫其妻前夫女, 信祐奸父之妾". 遂皆斬之, 以恐衆心:列傳43林衍轉載].

乙未[21日], [樞密院副使林]衍擐甲, 率三別抄·六番都房, 詣安慶公淐第, 會[文武]百官, 奉淐爲王, 忽風雨暴作, 拔木飛瓦. 衍使人逼王, 遷于別宮.[180]

[→衍擐甲, 率三別抄·六番都房, 會百僚, 奉安慶公淐卽位, 忽風雨暴作, 拔木飛瓦. 賀畢, 衍率然下階, 拜[李]藏用, 蓋喜遜位之策也. ○時王在辰嵒宮, 衍使左副承宣李昌慶, 逼出之, 左右皆散. 王冒雨步出, 昌慶進所乘馬, 又使其從者五人, 分侍王與妃, 遷于別宮:節要轉載].

[→衍擐甲, 率三別抄·六番都房, 詣安慶公淐第, 會文武百僚, 奉淐呼萬歲, 入本闕, 卽王位. 宗室·百官朝賀, 忽風雨暴作, 拔木飛瓦. 賀畢, 衍率然下階, 拜[李]藏用, 蓋喜遜位之策也. ○時王在辰巖宮, 衍使左副承宣李昌慶, 逼出之, 左右皆散. 王冒雨步出. 昌慶進所乘馬, 又使其從者五人, 分侍王妃, 遷于別宮:列傳43林衍轉載].

[初, 衍謀廢立也, □[守]司空李應烈曰, "龍孫非一, 何必今王". 至是, 應烈呼嘯踊躍, 喜形於色, 應烈, 衍子惟茂之婦翁也:節要轉載].[181]

[→[樞密院副使林]衍, 逼王遷于龍巖宮, 王問將軍李汾成曰, "[大將軍康]允紹何如", 對曰, "允紹已貳於王矣":列傳36康允紹轉載].[182]

[壬寅[28日], 風雨暴作, 拔木飛瓦:五行3轉載].

일 것이다. 그는 원종 6년 3월 知奏事, 8년 9월 樞密로서 御史大夫, 是年[10년] 12월 13일 知門下省事, 11년 5월 16일 政堂文學이었기에, 이때는 樞密[樞密院의 宰相]이었을 것이다. 또 이 기사는 열전18, 兪千遇에도 수록되어 있다.

180) 元宗이 폐위된 날이 10월 20일이라는 기록도 있지만, 脫字가 발생했을 가능성이 있다. 이날(21日)은 율리우스曆으로 1269년 7월 21일(그레고리曆 7월 28일)에 해당한다.

· 『익재난고』 권9상, 忠憲王世家, "及是, 樞密副使林衍, 殺海陽公金仁俊[金俊]及其黨與, 遂專國政. 自知罪稔, 必爲上國所討, 凶謀益甚. [元宗]十年六月二十日[~~二十一日~~], 擅立王之母弟安慶公淐[淐]爲王, 王出西宮, 朝野莫不傷心".

181) 이와 같은 기사가 열전43, 林衍에도 수록되어 있다.

182) 李汾成(李汾禧의 弟)은 1274년(충렬왕 즉위년) 10월 22일에서 1277년(충렬왕3) 12월 13일 사이에 李槢으로 改名하였다(열전34, 李汾禧, 槢). 또 지29, 선거3, 凡選用守令의 충렬왕 1년 6월 承宣 李紛成은 오자일 것이다.

[是月, 蒙古命高麗金有成送還執者, 俾中書省牒其國, 亦不報. 有成留其太宰府守護所者久之:追加].[183]

秋七月[乙巳朔小盡,壬申], 丙午[2日], 淐以[樞密院副使]林衍爲敎定別監.[184]

[→淐, 以衍爲校定別監. 衍移入金俊舊第, 淐遣六番都房, 衛之:列傳43林衍轉載].

丁未[3日], [林]衍又遷王于金𥈭舊第, 盜內帑珍寶.[185]

辛亥[7日], 林衍遣中書舍人郭汝弼, 如蒙古, 進王遜位表, 略曰, "臣嘗遇盛辰, 篤承洪造, 常欲率先於奉職, 永言報上以爲心. 何自去年, 而災變屢彰, 至于今日, 而疹病斯作, 多方欲救, 一效莫期. 旣以彌留, 恐顚躋之無日, 如或不幸, 將付托於何

---

183) 이는 다음의 자료에 의거하였다.

· 『원사』 권208, 열전95, 外夷1, 日本, "[至元]六年六月, 命高麗金有成送還執者, 且俾中書省牒其國, 亦不報. 有成留其太宰府守護所者久之".

· 『국조문류』 권41, 經世大典, 政典, 征伐, 日本[注, [至元]六年, 命高麗金有成送還執者, 且俾中書省牒其國, 亦不報].

이때 金有成이 일본에 가져갔던 中書省의 牒은 筆者가 2000년 7월 무렵 再發見하였고, 2003년 후반기 학회에 보고하였는데(張東翼 2004년 202~205面 ; 2005년 ; 2015年), 이후 이를 보완하고 발전시킨 업적도 있는데, ~~添字~~는 이에 의거하였다(植松 正 2007年·2017年 ; 船田善之 2009年).

· 『異國出契』(いこくしゅっけ), 蒙古國中書省牒, "大蒙古國皇帝洪福裏中書省 牒」日本國王殿下」 我國家,以神武定天下,威德所及,無思不能[不服],逮」 皇帝卽位,以四海爲家,兼愛生靈,同仁一視,南抵六詔·五南[安南],北至于海,西極崑崙數萬里之外,有國有土,莫不畏威懷德,奉幣來朝,惟爾日本,國于海隅,漢唐以來,亦嘗通中國,其與高麗,寔爲密邇,」 皇帝嚮者」 敕高麗國王,遣其臣潘阜,持璽書,通好」 貴國,稽留數月,殊不見答,」 皇帝,以爲將命者不達, 尋遣中憲大夫兵部侍郞國信使紇德·中順大夫禮部侍郞國信副使殷弘等,重持璽書,直詣」 貴國,不意纔至彼疆對馬島,堅拒不納,至兵刃相加,我信使,勢不獲已,聊用相應,生致塔二郞·彌二郞二人以歸,」 皇帝寬仁好生,以天下爲度,凡諸國內附者,義雖君臣,歡若父子,初不以遠近小大爲間,至于高麗臣屬以來,唯歲致朝聘,官受方物,而其國官府土民,安堵如故,及其來朝,」 皇帝,所以眷遇樹慰者,恩至渥也,」 貴國隣接,想亦周悉,且兵交使在其間,寔古今之通義,彼疆場之吏,赴敵舟中,俄害我信使,較之曲直,聲罪致討,義所當然,又慮」 貴國,有所不知,而典封疆者,以愼守固禦,爲常事耳,」 皇帝,猶謂此將吏之過,二人何罪,今將塔二郞,致」 貴國,俾奉牒書以往,其當詳體,」 聖天子,兼容并包,混同無外之意,忻然效順,特命重臣,期以來春,奉表闕下,盡畏天事大之禮,保如高麗國例處之,必無食言,若猶負固恃險,謂莫我何杳,無來則,」 天威赫怒,命將出師,戰舸萬艘,徑壓王城,則將有噬臍無及之悔矣,利害明甚,敢布之,」 殿下唯」 殿下,寔重圖之,謹牒,」 右牒」 日本國王殿下」 至元六年六月 日 牒,」 資政大夫中書左丞,」 資德大夫中書右丞,」 榮祿大夫平章政事,」 榮祿大夫平章政事,」 光祿大夫中書右丞相,」 右牒」. [封套表] 牒封」 日本國王殿下, 中書省封,」 [封套裏] 至元六年六月 日.」".

184) 敎定別監은 『고려사절요』 권18에는 敎定都監으로 되어 있으나 誤字일 것이다(盧明鎬 等編 2016년 479面).

185) 이와 같은 기사가 열전43, 林衍에도 수록되어 있다.

人. 且元子朝覲, 而未還. 噫, 小邦保釐之難曠, 况臣父嘗據祖宗典故, 而囑臣曰, 苟有遞代, 當先弟及. 臣弟安慶公淐, 三入天庭而親覲, 累蒙聖眷之特加, 民望所歸, 侯封堪守. 玆禀遺訓, 又循僉言, 乃以六月二十二日[丙申], 俾攝國事".

○淐表云, "臣兄禃, 坐不攝生, 忽被陰陽之寇, 居常茹痛, 未諳朝夕之虞. 爰以重器, 囑于孱質, 臣實增駭惶, 牢執辭遜. 臣兄謂曰, '先父嘗有治命, 當先弟及, 爾志雖固, 父言奚違". 乃命臣權守國事, 臣去之旣難, 就亦非據, 雖不獲已, 假叨主鬯之名, 莫敢遑居, 尤極臨淵之抱".

[甲寅[10日], 以鄭仁卿爲神虎衛精勇左府第二校尉領校尉:追加].[186]

乙卯[11日], 淐尊王爲太上王, 立府, 號曰崇寧, 置注簿·錄事各一人, 殿曰明和, 置舍人二人, 以東宮爲壽安府, 置典籤·錄事.

○淐以[判樞密院事?]崔瑛爲御史大夫, 趙璥△[爲]同知樞密院事,[187] 李昌慶爲右僕射, 削□[侍]御史朴烋·右司諫白玄錫職, 以與金鏡, 相善也.

甲子[20日], 蒙古使于婁大·于琔等六人, 偕倭人來.[188] 淐出迎于郊. 初, [參知政事]申思佺與倭人謁帝, 帝大喜曰, "爾國王, 祗禀朕命, 使爾等往日本. 爾等不以險阻爲辭,[189] 入不測之地, 生還復命, 忠節可嘉". 厚賜匹帛, 以至從卒.

○又謂倭人曰, "爾國朝覲中國, 其來尙矣. 今朕欲爾國之來朝, 非以逼汝也, 但欲垂名於後耳. 賚予甚稠", 勅令觀覽宮殿. 旣而, 倭人奏云, "臣等聞有天堂佛刹, 正謂是也". 帝悅, 又使徧觀燕京萬壽山玉殿與諸城闕.

[乙丑[21日], 月犯畢左股:天文2轉載].

[某日, [敎定別監]林衍, 移入金俊舊第, 淐遣都房六番, 衛之:節要轉載].

[某日, 遣左司諫朴恒如蒙古, 賀節日:節要轉載].

丁卯[23日], 世子自燕京還, 至婆娑府, 靜州官奴丁伍孚, 潛渡江, 告林衍廢立. 世子聞之疑慮, 伍孚曰, "告奏使郭汝弼在靈州, 請使人見之". 世子使同來蒙古使者

---

186) 이는 「鄭仁卿政案」에 의거하였다.

187) 趙璥는 趙文柱의 改名인데(→고종 45년 12월 29일의 脚注), 이때 銀青光祿大夫·同知樞密院事·兵部尙書·上將軍에 임명되었던 것 같다(『익재난고』 권7, 羅益禧墓誌銘).

188) 于琔은 이 시기에 林惟栶의 妻 蔡氏(蔡仁揆의 3女)를 婦人으로 삼았던 것 같다(→원종 14년 11월 1일, 蔡仁揆墓誌銘).
· 열전43, 于琔, "後, 琔東還娶林惟栶妻蔡氏".

189) 險阻는 延世大學本과 東亞大學本에는 險祖로 되어 있으나 오자이다(東亞大學 2008년 7책 277面).

七人，執汝弼于靈州，又執防護譯語鄭庇,[190] 問知其實，痛哭，還入蒙古.

[→世子自蒙古還，至婆娑府，靜州官奴丁伍孚，潛渡江，告變曰，“林衍旣廢立，恐東宮聞難，不入國，使夜別抄二十人，伏境上以待之，請毋入境”. 世子聞之，疑慮彷徨，大將軍鄭子璵等曰，“彼豎子，何敢爾耶? 無根之說，詎可信乎?”. 羅裕，策馬前[進]曰，“事未可知，觀變而入，猶未晩也，毋爲賊臣□[所]紿”，武德將軍金富允，亦言之. 諸校鄭仁卿，麟州守臣保之子也，潛渡江，就父探問，具以狀還白. 伍孚亦曰，“告奏使郭汝弼，亦在靈州，請使人見之”. 世子使同來蒙古使者七人，執汝弼于靈州，又執義州防護譯語鄭庇，問知其實. 然後，世子痛哭，欲還入蒙古，諸從臣皆猶豫，不肯從，獨仁卿力勸，乃行:節要轉載].[191]

[戊辰[24日]，月入東井:天文2轉載].

[某日，以金之卿爲慶尙道按察使:慶尙道營主題名記].

[□□[~~是月~~]，[敎定別監林]衍聞世子還北，日夜憂憤:節要轉載].

[→[敎定別監林]衍擅廢立，自謂，“莫敢誰何?”. 及聞世子北還，日夜憂懼:列傳43林衍轉載].

[□□[~~是時~~]，將軍兪元績，與郎將鄭守卿，欲誅衍復王位，言於將軍尹秀. 秀陽諾，奔告于衍，[敎定別監林]衍捕鞫之. 守卿不服，元績服，遂殺之，籍其家:列傳43林衍轉載].

[→[樞密僉]千遇弟將軍元勣，與郎將鄭守卿，謀去仁俊[~~林衍~~]，事覺. 仁俊[~~衍~~]囚元勣，召問千遇曰，“公弟欲殺我，知之乎?”. 曰，“弟之所爲，兄豈不知?”. 曰，“何不告我?”. 曰，“元勣嘗以語我，問所與謀者曰某人也. 曰若與此輩，作大事乎. 杖而逐之. 我知其必不能就，且老母在，恐傷其心. 人謂我，食弟自免. 故未敢告耳”. 衍曰，“ 公若言不知，秖益人疑，今以實告，何責爲? 且吾固知公之愛母也. 昔吾弟享

---

190) 防護譯語는 使臣의 往來를 안전하게 護送하는 軍隊[防護]의 通譯官[譯語]을 指稱하는 것 같다.
- 『한서』 권96上，西域傳，第66上，罽賓國，“凡遣使送客者，欲爲防護寇害也”.
- 『元曲選』甲集，爭報恩，楔子，“待上任后，另差人馬迎接，一路上也好防護”.

191) 이와 관련된 자료로 다음이 있다.
- 「鄭仁卿墓誌銘」，“是年七月，還至婆娑府，聞林衍廢立事，議欲還赴 朝廷，左右侍從不能無懷土之心，或勸涉鴨江，公確擧大義奉乘輿，□至闕庭，先赴帝所，奏陳. 元王復位，釐降公主，遣兵討賊等數條事，一皆頷可，此則万世之功也”.
- 열전20，鄭仁卿，“忠烈以世子如元，仁卿從行. 世子還至婆娑府，有告林衍變者. 時仁卿父臣保，守麟州，仁卿潛渡江，就父具知衍逆狀，來報. 世子欲還京師，奏帝請兵來討之. 諸從臣皆思歸猶豫，仁卿獨力勸，世子從之”. 여기의 鄭臣保는 「鄭仁卿墓誌銘」에 刑部員外郞 彪로 되어 있는 점을 보아 改名하였던 것 같다.

客, 公獨不啖柹, 問其故, 則將以遺母. 今言恐傷母心, 信然矣". 只罷其職, 殺元勣:列傳18兪千遇轉載].[192)]

[是月癸酉[29日晦], 帝[世祖]復遣明威將軍·都統領脫朶兒, 武德將軍·統領王國昌, 武略將軍·副統領劉傑相視耽羅等處道路, 詔王選官引達. 以人言耽羅海道往南宋·日本甚易故也:追加].[193)]

八月甲戌□[朔大盡,癸酉], [白露]. 遣侍中李藏用[·直翰林院金晅:追加]如蒙古, 賀節日.[194)]

乙亥[2日], 世子遣大將軍鄭子璵, 以書諭國人曰, "湏[須]復父王位, 不爾, 則立順安侯悰". [悰世子之弟也:節要轉載].

丁丑[4日], 參知政事蔡楨, 以年老, 請於世子, 先還.[195)]

[乙未[22日], 飛星出奎, 入東方天際, 大如缶:天文2轉載].

戊戌[25日], 蒙古遣斡脫兒不花·李諤等,[196)] 與世子書狀官金應文, 偕來, 詔諭文武

---

192) 이 기사에서 金仁俊[仁俊]은 林衍으로 고쳐야 옳게 될 것이다.

193) 이는 다음의 자료에 의거하였다.

- 『원사』 권6, 본기6, 세조3, 至元 6년 7월 癸酉, "復遣都統領脫朶兒, 統領王昌國[王國昌], 等往高麗, 點閱所備兵船, 及相視耽羅等處道路".
- 『원사』 권208, 열전95, 外夷1, 高麗, "[至元六年]七月, 帝遣明威將軍·都統領脫朶兒, 武德將軍·統領王國昌, 武略將軍·副統領劉傑相視耽羅等處道路, 詔禃選官引達. 以人言耽羅海道往南宋·日本甚易故也".
- 『원사』 권208, 열전95, 外夷1, 耽羅, "至元六年七月, 遣明威將軍·都統領脫脫兒, 武德將軍·統領王國昌, 武略將軍·副統領劉傑往視耽羅等處道路, 詔高麗國王王禃選官導送. 時, 高麗叛賊林衍者, 有餘黨金通精遁入耽羅".
- 『원고려기사』本文, 世祖, 지원 6년, "七月, 遣使視耽羅道路, 詔植曰, 曾有人云, '若至耽羅, 欲往南宋幷日本, 海道甚易'. 今復遣明威將軍·都統領脫朶兒, 武德將軍·統領王國昌, 武略將軍·副統領劉傑, 就彼整點卿所備軍兵·船隻, 幷先行相視耽羅等處道路. 當應副大船, 可選堪委見職正官, 務要引送導達, 以副朕懷".
- 『원고려기사』本文, 耽羅, "世祖皇帝至元六年七月五日, 樞密官奉旨, 差千戶脫脫兒·王國昌·劉傑, 赴高麗地界, 相視耽羅等處道路, 整點軍兵船艦. 令高麗王, 選差知識海道地面好官, 領引前去. 詔曰, '諭高麗國王王植, 以其曾有人云, 若至耽羅, 欲往南宋幷日本, 道路甚易. 今復遣明威將軍·都統脫脫兒, 武德將軍·統領王國昌, 武略將軍·副統領劉傑, 就彼, 點整卿所備軍兵船隻, 幷先行相視耽羅等處道路. 卿當應副大船, 可選堪委見職正官, 務要引送道達, 以副朕懷".

194) 甲戌에 朔이 탈락되었다. 또 이때 直翰林院 金晅이 書狀官으로 隨從하였다(열전19, 金晅 ; 金晅墓誌銘).

195) 이와 같은 기사가 열전15, 蔡松年, 楨에도 수록되어 있다.

196) 斡脫兒不花는 『원사』에는 斡朶思不花[Otos Buqa]로 달리 표기되어 있고, 이들은 중국 측의 자료에는 8월 23일(丙申)에 파견되었다고 되어 있지만, 8월 초순에 파견되었을 것이다.

臣僚曰, “據世子王諶來奏, 本國臣下擅廢國王, 以其弟安慶公淐爲國王. 朕初聞之, 以爲誠僞無徵, 未可深信, 國王禃, 嗣位以來, 未聞有過失, 苟有過失, 諫而不悛, 當控告朝廷, 以聽我區處. 不告朝廷, 臣下擅自廢置, 恒古以來, 寧有是理. 今遣斡脫兒不花·李諤等, 前去詳問, 若傳聞之誤, 王身無災, 於汝何責, 如其果然, 敢有將國王與世子幷其族屬, 一有戕害者, 朕必無赦. 汝等其明諭朕心, 審思臣節, 條具以聞”.

辛丑[28日], 王宴斡脫兒不花.

[○有鹿, 入宮中:五行2轉載].

[是月, 慶尙道按察使移牒日本國太宰府守護所:追加].[197]

· 『원사』 권6, 본기6, 세조3, 지원 6년 8월 丙申, “高麗國世子愖[諶]奏, 其國臣僚擅廢國王王禃, 立其弟安慶公淐. 詔遣斡朶思不花·李諤等往其國詳問, 條具以聞”.

· 『원사』 권208, 열전95, 外夷1, 高麗, “[至元六年]八月, 世子愖[諶]至朝, 奏本國臣下擅廢禃, 立其弟安慶公淐事. 詔遣使臣斡朶思不花·李諤等至其國, 詳問之”.

· 『원고려기사』本文, 世祖, 지원 6년, “八月, 植世子愖[諶]來, 言臣下擅廢置其君, 遣斡朶思不花, 詳問之. 詔曰, ‘諭高麗國文武臣僚, 據世子愖[諶]奏, ‘本國臣下擅自將國王廢去, 其弟安慶公淐立爲國王’. 朕初聞之, 以爲誠僞無徵, 未可深信. 國王植嗣位以來, 未聞有過, 苟有過失, 諫而不悛, 當控告朝廷, 以聽我區處. 不有[告]朝廷, 臣下擅自廢置, 亘古以來, 寧有是理. 今遣使臣斡朶思不花·李諤等, 前去詳問, 若傳聞之誤, 王身無災, 於汝何責. 如其果然, 敢有將國王與世子幷其餘屬, 一有戕害者, 朕必無赦. 汝等其明諭朕心, 審思臣節, 當條具以聞‘. ○二十五日, 斡朶思不花等, 至高麗”.

· 『익재난고』 권9상, 忠憲王世家, “世祖皇帝遣斡脫兒不花·李鶚等下詔曰, 諭高麗國文武臣僚, 據世子來奏, 本朝臣下擅自將國王廢去, 以其弟安慶公淐爲國王. 朕初聞之, 以爲誠僞無徵, 未可深信, 國王嗣位以來, 未聞有過, 苟有過失, 諫而不悛, 當控告朝廷, 以聽朕區處. 不告朝廷, 臣下擅自廢立, 恒古以來, 寧有是理. 今遣使臣斡脫兒不花·李鶚等, 前去詳問, 若傳聞之誤, 王身無災, 於汝何責, 如其果然, 敢有將國王與世子幷其族屬, 一有戕害者, 朕必無赦. 汝等其明諭朕心, 審思臣節, 條具以聞”.

197) 이 牒은 金有成·高柔 등이 大蒙古國 中書省의 첩과 함께 다자이후에 가져간 것인데, 이들은 9월 17일 다자이후에 도착하였지만, 일본 측의 답장을 얻지 못하고 귀국하였다(張東翼 2004년 206面).

· 『異國出契』, 慶尙道按察使牒, “高麗國慶尙晋安東道按察使牒日本國太宰府守護所」 當使契勘,」 本朝與」 貴國,講信修睦,世已久矣,頃者,北朝皇帝,欲通好」 貴國,發使齎書,道從于我境,幷告以卿導[嚮導]前去,方執牢固,責以多端,我國勢不獲已,使々伴行過海,前北朝使价,達於對馬,乃男子二人,偕乃至帝所,二人者,卽被還,今已於當道管內至訖,惟今裝舸備糧,差尙州牧將校一名·晋州牧將校一名·鄕通事二人·水手二十人護送,凡其情實,可於比人,聽取知悉,牒具如前事,須謹牒」 至元六年己巳八月日牒」 按察使兼監倉使轉輸提點刑獄兵馬公事·朝散大夫·尙書禮部侍郞·太子宮門郞, 位[在]印章」”. 여기에서 比人은 글자 그대로 읽어 二人으로 解讀하거나 此人으로 읽어도 無妨할 것인데, 그 意味는 此二人(金有成, 高柔)을 가리킨다. 또 位印章은 在印章의 誤字일 것이다.

· 『鎌倉年代記裏書』, “今年[文永六], 蒙古·高麗牒狀重到來, 牒狀使全有成[金有成]·高柔二人也”. 여기

九月[甲辰朔小盡,甲戌], 庚戌[7日], [敎定別監]林衍遣樞密院副使金方慶·大將軍崔東秀, 偕蒙使[斡脫兒不花], 如蒙古,[198] 陪臣表, 略曰, "前王遘疾, 大漸惟幾, 庶將護分以延期, 因切辭榮而遜位. 況將弟及, 先君有言, 抑此藩稱, 一日難曠, 而國王淐, 苟忤父王之命, 恐違臣子之常, 肆不獲已, 而權攝保釐, 輒會具由, 而趣騰申奏. 其王與世子族屬之佳否, 伏望採王人之目覩, 幷賤介之口陳. 原實閱情, 軫慈加恤".[199]

[己酉[6日], 月犯建星:天文2轉載].

[是月己未[16日], 蒙古授高麗世子王愖[諶]特進·上柱國·東安公:追加].[200]

[乙丑[22日], 蒙古樞密院·御史臺奏, "世子愖[諶]言, 朝廷若出征, 能辦軍三千, 備糧五月, 如官軍入境, 臣宜同往, 庶不驚擾". 帝然之:追加].[201]

[戊辰[25日], 勑高麗世子愖[諶]率兵三千赴其國, 愖[諶]辭東安公, 乃授特進·上柱國:追加].[202]

에서 ~~添字~~와 같이 고쳐야 옳게 될 것이다.

· 『자치통감』 권5, 周紀5, 赧王 57년(BC258), "正月, [秦將]王陵攻邯鄲, 少利, 益發卒佐陵, 陵亡五校[胡三省注, 校, 猶部隊也. 立軍之法, 一人曰獨, 二人曰比, 三人曰參, 比參曰五, 五人爲列, 列有頭, … 二部爲校, 校八百人, 立尉, 二校爲裨將, 千六百人, 立將軍, …]".

198) 金方慶이 斡脫兒不花와 함께 蒙古에 들어간 것은 중국 측의 자료에서도 확인된다.

· 『원사』 권208, 열전95, 外夷1, 高麗, "[至元六年]九月, 其樞密院副使金方慶奉表, 從斡朶思不花等入朝".

· 『원고려기사』本文, 世祖, 지원 6년, "九月七日, 高麗國□□□[林衍遣]樞密院副使金方慶奉表, 從斡朶思不花等, 入朝". 여기에서 ~~添字~~가 추가되어야 옳게 될 것이다.

199) 이 기사는 열전43, 林衍에 "蒙古遣使□[來], 責廢立, 衍誣王以病遜位對"로 축약되어 있다.

200) 이는 다음의 자료에 의거하였다.

· 『원사』 권6, 본기6, 세조3, 至元 6년 9월, "己未[16日], 授高麗世子王愖[諶]特進·上柱國·東安公".

201) 이는 다음의 자료에 의거하였다.

· 『원사』 권208, 열전95, 外夷1, 高麗, "[至元六年]九月, … 樞密院·御史臺奏, 世子愖[諶]言, 朝廷若出征, 能辦軍三千, 備糧五月, 如官軍入境, 臣宜同往, 庶不驚擾. 帝然之".

· 『원고려기사』本文, 世祖, 至元 6년 9월, "二十二日, 樞密院·御史臺奏, 世子愖[諶]稱, '若去出征, 能辨三千軍糧草, 更比及就得此糧, 此間先準備五箇月糧, 於事爲宜'. 又設[說], '如令先一千軍入境, 不可不令我等同往. 若止軍行, 則恐其人驚駭, 逃往他境. 若我等同往, 到彼先令使臣將曉示文書, 令其勿懼. 如此撫諭而入, 於事爲宜. 又李宰相[李藏用]來時, 彼人有言, 若十月二十日間不回, 我等往他境矣. 今不遲緩, 必須卽去'. 奉聖旨, 卿等與中書再議. 旣世子欲與軍一處入討, 何妨令早入其地. 又脫脫兒求馬, 合答奏, 臣等與省官商議, 脫脫兒幷千戶二人亦自聰明, 一行二十人, 且令在彼屯駐馬匹合與. 奉聖旨, 卿等如此議定, 可斟酌與之".

202) 이는 다음의 자료에 의거하였다. 또 이때 몽골에 있던 賀聖節使의 書狀官 金晅은 世祖 쿠빌라이[忽必烈]에게 上書하여, 權臣[賊, 林衍]이 世子가 東安公으로 책봉된 것을 憑藉하여 拒逆할 것이라고 하면서 책봉의 철회를 청하였다고 한다.

· 『원사』 권6, 본기6, 세조3, 至元 6년 9월, "戊辰[25日], 勑高麗世子愖[諶]率兵三千赴其國, 愖[諶]辭東安公, 乃授特進·上柱國".

[辛未[28日], 敕管軍萬戶宋仲義征高麗. ○斡朶思不花·李諤以高麗[樞密院副使·]刑部尙書金方慶至, 奉權國□[事]王淐表, 訴國王遘疾, 令弟淐權國事:追加].[203)]

冬十月癸酉□[~~朔~~小盡,乙亥], □[林]衍釋[門下侍郎同中書門下]平章事柳璥·樞密院副使張季烈·大將軍奇蘊. 未至京, 復流于他島.[204)]

乙亥[3日], [立冬]. 西北面兵馬使營記官崔坦·韓愼·三和縣人前校尉李延齡·定遠都護□[府]郎將桂文庇·延州人玄孝哲等,[205)] 以誅林衍爲名, 嘯聚龍岡·咸從·三和人, 殺咸從縣令崔元.

[□□[~~辛丑五日~~]:追加][206)] □[賊]夜入[三和縣]椵島□[營],[207)] 殺分司御史沈元濬·監倉□[使]朴守

· 『원사』 권208, 열전95, 外夷1, 高麗, "至元六年九月, … 詔授世子禃[諶]特進·上柱國, 敕愖[諶]率兵三千赴其國難".

· 『원고려기사』本文, 世祖, 지원 6년 9월, "二十五日, 授高麗世子愖[諶], 以特進·上柱國. 詔曰, 勅高麗國世子王愖[王諶], 卿弼承乃父, 屛翰我家, 再修朝覲之儀, 益見忠勤之志. 念汝邦之未輯, 庶東土之有依, 優錫寵光, 用章藩嫡, 授特進·上柱國, 尙加恭恪, 用副眷懷".

· 열전19, 金晅, "林衍之廢立也, 忠烈以世子在元, 帝議欲册爲東安公, 遣兵來討衍. 會晅以聖節使書狀如元, 上書言, '賊若聞世子受册爲公, 必諭國人曰, 上國已削王爵, 國當除矣. 莫如死守社稷. 則人皆信之, 如此難以歲月下, 非朝廷利也'. 帝允之".

· 「金晅墓誌銘」, "… 己巳之年[元宗10年], 國有權臣擅行廢立, 其時今上入侍, 朝廷議封東安公, 與大軍遣之, 此事若成, 則權臣因人之望, 誘之曰, '已無王號, 能有國名, 一心逆拒必矣'. 公以書狀官承上命, 國耳忘家, 且不顧身命, 卽作書啓, 呈于都堂[中書省], 然後寢而不幸. 上以詔稱爲功臣, 特加褒賞, 其書至今猶在, 實三□[韓]之永賴也".

· 『東人之文五七』 권9, 金政堂晅一首, "… 己巳, 林衍擅廢立, 時忠烈王, 以世子在朝, 朝議欲册世子爲東安公, 同大軍討賊. 晅適以賀聖節使書狀官入朝, 上書言, '賊若聞世子受册爲公, 必諭國人, 上國已削我王封, 國當除矣, 莫如死守社稷. 則人皆信之, 如此非歲月可下, 不是朝廷之利也'. 朝廷是而從之".

203) 이는 다음의 자료에 의거하였다.

· 『원사』 권6, 본기6, 세조3, 至元 6년 9월, "辛未[28日], 敕管軍萬戶宋仲義征高麗. … 斡朶思不花·李諤以高麗刑部尙書金方慶至, 奉權國□[事]王淐表, 訴國王禃遘疾, 令弟淐權國事".

· 『원사』 권208, 열전95, 外夷1, 高麗, "至元六年九月, 命抄不花往征高麗, 以病不果行, 詔遣蒙哥都代之".

· 『원고려기사』本文, 世祖, 지원 6년 9월, "是月, 抄不花奉命, 征高行[~~征高麗~~], 以病罷行, 詔遣蒙哥都代之". ~~添字~~와 같이 고쳐야 옳게 될 것이다.

204) 癸酉에 朔이 탈락되었다. 또 柳璥에 관한 내용은 열전18, 柳璥에도 수록되어 있다.

205) 定遠都護府는 1231년(고종18) 龜州防禦使가 몽골군을 방어한 공으로 定遠大都護府로 승격하였다가 이때 다시 定遠都護府(小都護府)로 格下되었을 것이다.

· 지12, 지리3, 北界 龜州, "… 顯宗九年, 爲防禦使. 高宗三年, 丹兵來寇, 州人拒戰, 斬獲甚多. 至十八年, 蒙兵來侵, 兵馬使朴犀盡力禦之, 力屈猶不降, 以功陞爲定遠大都護府. 後爲都護府, 又改定州牧".

奕·京別抄等, <u>以叛</u>.[208]

辛巳[9日], 淐, 以李君伯爲北界安撫使, <u>玄文革</u>[玄文奕]爲逆賊防護將軍, 率軍一百五十人, 遣之.[209]

○西北面兵馬使洪祿遵奔還京, [時閤門祗候韓景胤, 退老中和縣, 使其子及弟旦, 具坦等反狀, 奔告于朝:列傳43崔坦轉載]. 以國子祭酒張鎰, 代之. 李君伯畏賊不進, 削其職, 以前侍御史朴烋, <u>代之</u>.[210]

[→初, <u>平章事</u>洪鈞,[211] 再鎭北界, 人懷□[~~共~~]惠, <u>以父稱</u>[~~稱爲父~~]. 淐恐北方生變, 以鈞子祿遵, 代李信孫爲兵馬使. 祿遵至營, 十日而<u>難</u>[~~亂~~]作, 祿遵踰垣走出, 欲投海而死, 分道□□[將軍]黃宗諝, 從而至曰, "吾欲偵變, 待吾還而死, 亦未晩也". 宗諝□[~~良~~]久不來, 祿遵以謂[~~爲~~]見解, 俄聞有人呼, "莫殺營主", 祿遵乃還. 崔坦使人言於祿遵曰, "前王再朝上國, 以安東方, 民受其賜, 林衍鎭州一卒耳, 有何功德, <u>擅</u>[操]弄國柄, □[~~擅~~]廢吾王耶. 朝無忠臣, 吾等奮激, 欲誅首惡, 復戴吾王耳. 先平章[平章事洪鈞]再鎭此方, 活我民命, 尙書[洪祿遵]今又再來安撫, 而有先人之風, 吾等不忍背德". 祿遵曰, "君等不忘吾父, 延及後人, 何感如之, 若實不忘, 請釋分道及□□[隨使]電吏", 坦從之:節要轉載].[212]

---

206) 이날의 日辰[날짜]은 是月 28일의 기사에 의거하였다.

207) 添字는 『고려사절요』 권18 및 열전43, 叛逆4, 崔坦에 의거하였다.

208) 崔坦의 叛亂은 다음 달 2일(癸卯) 蒙古 朝廷에 보고되어 이에 대한 대응이 논의되었던 것 같다.

- 『원사』 권6, 본기6, 세조3, 至元 6년 11월, "癸卯, 高麗都統領<u>崔坦</u>等, 以<u>林衍</u>作亂, 挈西京五十餘城來附".
- 『원사』 권59, 지11, 지리2, 遼陽行省, 東寧路, "元至元六年, <u>李延齡</u>·<u>崔坦</u>·<u>玄元烈</u>等以府州縣鎭六十城來歸". 여기에서 玄元烈은 이 반란에 참여했던 延州人 玄孝哲의 後日에 이루어진 改名으로 추측된다(→충렬왕 16년 3월 24일의 脚注).
- 『원사』 권208, 열전95, 外夷1, 高麗, "[至元六年]十一月, 高麗都統領<u>崔坦</u>等, 以<u>林衍</u>作亂, 挈西京五十餘城入附".

 또 이들과 관련된 기사로 다음이 있다.

- 지12, 지리3, 西京留守官平壤府, "元宗十年, 西北面兵馬使營記官<u>崔坦</u>·三和校尉<u>李延齡</u>等, 作亂, 殺留守, 以西京及諸城, 叛附于蒙古. 蒙古以西京爲東寧府, 置官吏, 畫慈悲嶺爲界".

209) 玄文革은 玄文奕의 오자일 것인데(→원종 12년 10월 7일, 열전34, 玄文奕妻 ; 열전43, 裴仲孫), 『역옹패설』前集2에는 玄文赫으로 표기되어 있다.

210) 代之는 延世大學本과 東亞大學本에는 代之一로 되어 있으나 一字가 잘못 들어간 것이다(東亞大學 2008년 7책 279面).

211) 洪鈞은 知門下省事로 逝去하였기에, 平章事는 追贈職으로 추측된다(『동문선』 권23, 卒知門下省事<u>洪鈞</u>弔書).

- 『보한집』권상, "任良淑公濡門下四牓, … 今時參知政事<u>崔璘</u>, 知門下省事<u>洪鈞</u>, …".

[→遣前侍御史朴烋，爲北界宣諭使，[安撫使]李君伯畏賊不得入而還，削其職，以烋代之．烋，請張蓋備儀而去，烋至大同江，張蓋踞胡床，以俟□[賊]出迎，賊忽擊鼓而出，列騎江邊，使數人拏舟而來，言□[曰]，“當今無主，宣諭使，誰所遣乎，義無迎接[命]”．惟載從者一人而去，數林衍之罪:節要轉載].[213]

[○雷雨:五行2轉載].

[壬辰[20日]，亦如之[雷雨]:五行2轉載].

庚子[28日]，遣侍郞陳子厚如蒙古，賀正，仍附奏云，“小邦西北路摠管下吏崔坦等謀逆，與龍岡·咸從·三和愚惑之民，[214] 結黨，擅殺咸從縣令，又是月五日，入亂于摠管本道，攻殺行臺御史·監倉使及幕下將士，頗多掠取．屯在龍岡縣境，多張詭說，宣言上都出兵，欲盡誅北鄙之人．以此誑惑諸郡縣，日益附會，背國橫行．顧將歸咎本國，而終以何等惡言，往訴于朝廷耶，玆所未知也．節次進詣賤介之攸奏，悉希聖鑑憐察”．

○崔坦殺西京留守及龍·靈·鐵·宣·慈五州守，西北諸城官吏，皆歿於賊，坦詭言於蒙古使脫朶兒曰，“高麗卷土，將欲深入海島，故殺諸城守，欲入告于上國耳”．於是，執義州副使金孝巨[~~金孝臣~~]等二十二人，[215] 歸于蒙古．

[→崔坦殺西京留守崔年·判官柳粲·司錄曹英紱·龍州守庾希亮·靈州守睦德昌·鐵州守金鼎和·宣州守金義·慈州守金潤，其餘諸城員吏，皆沒於賊．成州守崔羣，爲其下所殺，[鐵州守]鼎和之妻，~~大卿李德材女也~~，~~初入境~~，~~恃其色~~，~~不障面~~，~~人皆知其~~美，~~至是~~，賊縛鼎和柱，淫[淫]於其前，又使[宣州守]金義行酒，~~義爲人慷慨~~，憤恚自縊，而死．○義州副使金孝臣，出獵于野，靜州戶長尹殷甫，聞變馳告曰，“西京人殺諸城守令，欲投蒙古”．孝臣使郞將康用圭迹[跡]之，用圭至靈州界，奔還曰，“崔坦·韓愼等所爲也”．俄而，坦等率三十餘人，至大富城．[216] 時蒙古使脫朶兒來，在此城，問其事由[故]，坦□[等]詭言曰，“高麗卷土，將□[深]入海島，盡殺北界諸城人，故吾等殺諸城守令，欲入告于上國”．

---

212) ~~添字~~는 열전43, 崔坦에 의거하였는데, 이렇게 고쳐야 제대로 읽을 수 있을 것이다.

213) ~~添字~~는 열전43, 崔坦에 의거하였다.

214) 三和는 延世大學本과 東亞大學本에는 王和로 되어 있으나 오자이다(東亞大學 2008년 7책 279面).

215) 金孝巨는 下記 『고려사절요』 권18의 기록에는 金孝臣으로 되어 있는데, 단지 臣字가 불완전하게 印刷되어 있어 巨字로도 읽을 수 있을 것이다. 두 年代記에서 金孝巨와 金孝臣이 錯綜[縱橫交叉]되어 있지만, 上記 記事에 보이는 金孝臣의 行動擧止를 통해 볼 때 金孝臣이 더 적절한 이름인 것 같다(→충렬왕 24년 4월 10일).

216) 大富城은 大夫城(金의 大夫營)의 다른 표기일 것이다.

脫朶兒曰, “近處諸城, 官吏多在, 何不殺之”. 坦曰, “欲啓[稟]於公, 乃殺之”. 脫朶兒曰, “可執三城守以來, 餘皆令殺之”. 於是, 孝臣及麟州守鄭臣保·靜州守韓奮等至, 脫朶兒曰, “非我召之, 實坦也, 可往見之”. 孝臣曰, “吾等未見官人, 何先見坦~~官人前日果獵弊境~~, ~~予每蒙護恤~~, ~~感戴何言~~. ~~第國法不得越境~~, ~~故不敢謁耳~~. ~~今幸承喚~~, ~~顚倒而來~~, ~~請先謁官人~~”. 乃許之. 遂~~[孝臣因]~~進酒, ~~[從容]~~言曰, “今日~~[今二城守]~~, 獲謁大官, 雖死無恨, 彼諸城之守, 無辜見殺, 誠可哀憫, 請丐其命~~[遣使止之]~~”. 脫朶兒乃遣人, 止之, 獲免者頗多. 於是, □[金]孝臣等二十二人被執, 歸于蒙古:節要轉載].[217)]

[是月戊子[16日], 蒙古簽王綧·洪茶丘軍三千人, 往定高麗. 高麗西京都統李延齡乞益兵, 遣忙哥都率兵二千赴之:追加].[218)]

[○丁亥[15日], 帝[世祖]遣兵部侍郎黑的·淄萊路總管府判官徐世雄, 召王·王弟淐及林衍俱赴闕. 命國王頭輦哥以兵壓國境, 趙璧行中書省于東京, 仍降詔諭軍民:追加].[219)]

---

217) ~~添字~~는 열전43, 崔坦에 의거하였다.

218) 이는 다음의 자료에 의거하였다.
- 『원고려기사』本文, 世祖, 지원 6년, “十月十六日[戊子], 中書省奉旨, 於王綧·洪茶邱~~[洪茶丘]~~所管戶內, 僉起軍士, 差斷事官別同瓦, 馳驛於綧·茶邱~~[茶丘]~~所管, 至元六年, 實科差戶內, 僉起立百戶牌子, 整點足備, 限十月終. 東京取齊, 交付樞密院收管, 實得三千三百人”. 여기서 ~~添字~~와 같이 고쳐야 옳게 될 것이다.
- 『원사』 권6, 본기6, 세조3, 至元 6년 11월, “丁未[6日], 簽王綧·洪茶丘軍三千人往定高麗. 高麗西京都統李延齡乞益兵, 遣忙哥都率兵二千赴之”.
- 『원사』 권154, 열전41, 洪福源, 俊奇, “至元六年, 高麗權臣林衍叛, 冬十月, 詔以其軍三千從國王頭輦哥討平之, 遷江華島所有臣民, 復歸王京”.
- 『원사』 권154, 열전41, 洪福源, 君祥, “至元六年, 林衍叛, 從頭輦哥征之”.
- 『원사』 권166, 열전53, 王綧, “至元七年[六年], 高麗臣林衍叛, 世祖遣頭輦哥國王討之, 綧簽領部民一千三百戶, 與國王同行. 是年十一月, 以疾辭還, 家居”. 이에서 七年은 六年의 오자일 것이다.
- 『원사』 권208, 열전95, 外夷1, 高麗, “[至元六年十月,] 遣斷事官別同瓦馳驛于王綧·洪茶丘所管實科差戶內簽軍至東京, 付樞密院, 得三千三百人. 高麗西京都統李延齡乞益兵, 遣忙哥都率兵二千赴之”.

219) 이는 다음의 자료에 의거하였다. 이때 黑的과 徐仲雄은 같은 해 10월 15일(丁亥) 고려에 파견되었고, 11월 17일(戊午) 고려에 도착하였다고 한다. 이에서 菑萊道는 菑萊路로, 徐仲雄은 徐世雄으로 달리 표기되었다.
- 『원사』 권6, 본기6, 세조3, 至元 6년 10월 丁亥[15日], “詔遣兵部侍郎黑的·淄萊路總管府判官徐世雄, 召高麗國王禃·王弟淐及權臣林衍俱赴闕. 命國王頭輦哥以兵壓其境, 趙璧行中書省于東京, 仍降詔諭高麗國軍民”.
- 『원고려기사』本文, 世祖, 지원 6년 11월, “十七日, 黑的等至高麗”.
- 『원사』 권178, 열전65, 宋衜, “[至元]六年, 高麗權臣林衍廢其國王, 而立其弟溫[淐], 詔遣國王頭輦哥暨璧將兵討之, 以衜爲行省員外郎, 持詔徙江華島民於平壤. 復命, 慰勞良厚, 仍賜衣段, 授

十一月[壬寅朔大盡,丙子], 壬子[11日], 蒙古遣兵部侍郎黑的·菑萊道[菑萊路]摠管府判官徐仲雄[徐世雄]等十二人來, 詔曰, "諭高麗國王僚屬軍民, 頃以王禃稱疾, 擅令[立]安慶公淐, 權摠國事, 遣使爲問. 令使還言, 林衍稱此事, 俱傳臣所爲, 然有權力者, 能行廢立. 臣位居七人之下, 有何權力, 能行此事. 然不可信其言, 王可與安慶公淐及林衍, 偕詣闕下, 面陳情實. 朕聽其是非, 自有區處, 且聞禃無恙, 禃之存亡, 亦未可保, 必待來覲, 朕可方信. 已遣頭輦哥國王,[220] 率兵壓境, 如逾期不至, 卽當窮詰首惡, 進兵勦絶無遺".[221]

乙卯[14日], 宰樞會[敎定都監]林衍第, 議答詔書. [衍嘆曰, "我欲正國家, 而後朝於帝

河南路總管府判官, 不赴".

· 『원사』 권208, 열전95, 外夷1, 高麗, "[至元六年]十月, 帝以禃·淐廢置, 乃林衍所爲, 遣中憲大夫·兵部侍郎黑的, 淄萊路總管府判官徐世雄, 詔禃·淐·衍等, 以十二月同詣闕下, 面陳情實, 聽其是非. 又遣國王頭輦哥等率兵壓境, 如逾期不至, 卽當窮治首惡, 進兵剿戮. 命趙璧行中書省于東京, 仍詔諭高麗國軍民".

· 『國朝文類』 권41, 雜著, 政典總序, 征伐, 高麗, "[至元]六年, 其令公林衍廢植, 立安慶公曰淐者. 遣國王頭輦哥, 以兵撫定, 詔植復位, 偕淐·衍入朝. 植受詔, 得還爲王, 且來覲. 淐·衍不至".

· 『국조문류』 권41, 잡저, 정전총서, 征伐, 高麗[注, [至元]六年八月, 世子愖[諶]言, 權臣廢其父, 立安慶公淐爲王. 詔遣斡脫思不花·李諤詳問. 九月, 蒙哥都征之. 十月, 差國王頭輦哥行省事, 撫定高麗, 仍詔植·淐·林衍入朝, 十一月二十三日, 植受詔復位, 十二月, 植入朝]. 여기에서 四庫全書本에는 斡脫思不花가 鄂爾多斯布哈로, 蒙哥都[Mungketu]가 特納克으로, 頭輦哥[Qurimchi]가 孟克圖로 각각 改書되어 있다.

· 『원고려기사』, 序, "[至元]六年, 其令公林衍廢植, 立安慶公曰淐者. 遣國王頭輦哥, 以兵撫定, 詔植復位".

· 『원고려기사』本文, 世祖, 지원 6년 10월, "是月□[朔], 遣國王頭輦哥率兵, 撫定高麗. 詔諭高麗國官吏·軍民曰, 以爾國權臣, 擅行廢立, 特遣國王頭輦哥等行中書省事, 率兵東下, 撫定汝國, 惟首是問, 自餘吏民, 一無所及. 惟爾有衆, 咸當安堵如故, 詔諭之後, 其或妄生疑懼, 亂行叛竄, 必加俘略. 若爾等悉遵約束, 安守舊業, 已敕將帥, 嚴申兵律, 不致侵擾".

220) 頭輦哥國王은 충렬왕 6년 11월 11일(己酉)에는 禿輦哥國王으로 달리 표기되어 있다. 또 그는 木華黎國王(Muqali, 1170~1223)의 後裔(曾孫)로서 忽林赤[忽林失, Qurimchi]으로 달리 표기되기도 하였다(蕭啓慶 1983年b ; 葉新民 1992年).

221) 이 기사는 중국 측의 자료에도 수록되어 있는데, ~~添字~~는 上記의 本文에 의거하였다.

· 『원고려기사』本文, 世祖, 지원 6년 10월, "… 及召植幷安慶公淐·林衍等入朝. 詔曰. 諭高麗王王植及僚屬·軍民. 頃以王植稱疾, 擅立安慶公淐, 權總國事. 遣使爲問, 今始[使]還言, 林衍稱, '此事俱權臣所爲, 臣位居七人之下, 有何權力, 能行此事'. 果行此事, 當出衆臣, 若其不然, 事止於此, 卽今豈不明見乎? 據汝所聞之言, 其人向汝所說, 是朕如此亦聞, 皆汝所爲汝言, 卽今豈不明見, 此言亦是, 然不可不辨. 今遣中憲大夫·兵部侍郎黑的, 淄萊路總管府判官徐世雄, 特詔國王王植·安慶公淐·林衍等, 限十二月初十日, 同詣闕下, 面陳情實. 朕聽其是非, 自有區處, 且聞王植無恙, 植之存亡, 尙所未保, 必親來覲, 朕方可信. 已遣頭輦哥國王等, 率兵壓境, 如逾期不至, 卽當窮詰首惡, 進兵勦戮無疑[遺]."

所, 今徵詰如此其急, 將如之何", 遂泣下:節要轉載].

[→蒙古又遣兵部侍郎黑的, 詔徵王與淐及衍問之, 衍懼會宰樞其第, 議答詔書. 衍嘆曰, "我欲正國家, 而後朝于帝, 所今徵詰, 如此其急, 將如之何", 因泣下:列傳43林衍轉載].

庚申[19日], [敎定別監林衍,] 令三四品, 各以無名實封, 陳答詔<u>便宜</u>.[222)]

[<u>辛酉</u>[20日]:比定, <u>冬至</u>], [敎定別監]林衍宴黑的等, 賂珍寶甚多:節要轉載].

壬戌[21日], [敎定別監]林衍復□[~~宴~~]黑的于其第,[223)] 黑的言王復位事. 衍不得已, 會宰樞, 議廢淐, 復立王.[224)]

[→復宴黑的于其第, 黑的言, "宜復王位." 衍不得已, 會宰樞, 議廢淐, 復立王: 列傳43林衍轉載].

癸亥[22日], 王宴黑的等, 使坐上座, 黑的等讓曰, "今, <u>王太子已許尙帝女</u>,[225)] 我等帝之臣也, 王乃帝駙馬大王之父也, 何敢<u>抗禮</u>?".[226)] 王<u>西向</u>[~~西面~~], 我等北面, 王南面, 我等東面. 王辭曰, "天子之使, 豈可下坐?". 固辭, 東·西<u>相對</u>.[227)]

---

222) 이와 같은 기사가 열전43, 林衍에도 수록되어 있다.

223) ~~添字~~는 『고려사절요』 권18에 의거하였다.

224) 이때의 모습은 중국 측의 자료에도 간략히 반영되어 있다. 이날은 율리우스曆으로 1269년 12월 15일(그레고리曆 12월 22일)에 해당한다.

- 『원사』 권208, 열전95, 外夷1, 高麗, "<u>黑的</u>等至其國, <u>禃</u>受詔復位".

225) 이때 世子 諶의 大蒙古國 公主와의 婚姻이 결정되었다고 하는데, 이는 婚姻의 결정이 아니라 燕京에 있던 世子(忠烈王)가 請婚을 요청한 사실을 가리킨다. 곧 같은 해 8월 武臣執權者 林衍이 元宗을 廢位하였을 때, 7월 23일(丁卯) 婆娑府(現 遼寧省 丹東市 振安區 九連城鎭 九連城村)에서 이 소식을 들은 世子(忠烈王)가 中都(燕京)로 귀환하여 8월 23일(丙申) 世祖 쿠빌라이에게 元宗의 復位와 公主와의 請婚을 요청하였다고 한다. 고려 측의 공식적인 혼인 요청은 다음 해(원종11) 2월 4일(甲戌) 이루어졌으므로 이 기사는 오류일 가능성이 있다.

- 「鄭仁卿功臣敎書」, "… 還入帝所, 奏以本朝事變, 請<u>昏</u>[婚]天戚, 果蒙帝眷, 勅兵護還, 復整三韓".

226) 抗禮는 平等하게 相面하여 禮節을 행하는 것을 말하며, 亢禮·伉禮로도 表記한다. 이는 諸侯가 皇帝의 使臣을 鄭重하게 待接한다는 意味를 지니는데, 高麗의 諸王이 中國의 使臣에게 抗禮를 하는 것도 같은 範疇에 해당한다.

- 『사기』 권129, 貨殖列傳第69, "<u>子貢</u>, 結駟連騎, 束帛之幣聘享諸侯, 所至, 國君無不分庭與之抗禮".
- 『금사』 권82, 열전21, 張汝弼, "上[世宗]問, 高麗·夏皆稱臣. 使者至高麗, 與王抗禮. 夏王立受, 使者拜, 何也. 左丞<u>襄</u>對曰, '故遼與夏爲甥舅, 夏王以公主故, 受使者拜. 本朝與夏約和, 用遼故禮, 所以然耳'. [參知政事]<u>汝弼</u>曰 '誓書稱一遵遼國舊儀, 今行之已四十年, 不可改也'. 上曰, 卿等言是也".

227) 이 기사는 지19, 禮7, 賓禮에도 수록되어 있다. 또 主客의 合坐에서 東面[東嚮坐]은 높은 位相[上位]의 接待로 인식되었던 것 같다.

甲子23日, 王復位, 淐還私第. 百官詣王府崇寧府, 扈駕入闕宮城. 蒙使從之. 觀者感泣. 蒙使請觀百官駕禮. 王服紫袍出庭, 向北遙謝, 更黃衣, 受賀于康安殿.[228]

丁卯26日, 親設佛頂道場.

戊辰27日, 遣奉御朴烋如蒙古, 上表,[229] 略曰, "臣嘗緣眇質, 忽遘沈痾, 擬資服餌之方, 將見痊平之效, 乃以臣弟淐, 權攝國事, 仍馳賤介, 往奏元由. 今蒙聖德之日加, 更致和倪於時攝, 況宣累詔, 曲垂訓諭之辭, 又降華駢, 庸示徵呼之寵, 玆復勉居於藩寄, 庶當尋覲於闕庭".

[是月癸卯2日, 樞密院臣議征高麗事. 初, 馬亨以爲高麗者, 本箕子所封之地, 漢·晋皆爲郡縣. 今雖來朝, 其心難測. 莫若嚴兵假道, 以取日本爲名, 乘勢可襲其國, 定爲郡縣. 亨又言, 今旣有釁端, 不宜遣兵伐之. 萬一不勝, 上損國威, 下損士

- 『자치통감』 권9, 漢紀1, 高帝 1년(BC206) 8월, "王陵者, 沛人也, 先聚黨數千人, 居南陽, 至是始以兵屬漢. 項王~~西楚覇王項羽~~取陵母置軍中, 陵使至, 則東鄉坐陵母, 欲以招陵[胡三省注, 古以東鄉地位尊, 沛公~~劉邦~~見羽於鴻門, 羽東鄉坐, 韓信東鄉坐李左車而師事之, 是也. 鄉讀曰嚮], …".
- 『자치통감』 권13, 漢紀5, 高后 8년(BC180), "後九月, 己酉晦, 代王至長安, 舍代邸, 群臣從至邸. 丞相陳平等皆再拜言曰, '子弘等皆非孝惠子, 不當奉宗廟. 大王, 高帝長子, 宜爲嗣, 願大王卽天子位', 代王西鄉讓者三, 南鄉讓者再[胡三省注, 如淳曰, 讓群臣也. 或曰, 賓主位東西面, 君臣位南北面, 故西鄉坐三讓不受, 群臣猶稱宜, 乃更南鄉坐, 示變卽君位之漸也. 余胡三省謂如如淳說以代王南鄉坐爲卽君位之漸, 恐非代王所以再讓之意. 蓋王入代邸以漢廷群臣繼至, 王以賓主禮接之, 故西鄉, 群臣勸進, 王凡三讓, 群臣遂扶王正南面之位, 王又讓者再, 則南鄉非王之得已也, 群臣扶之使南鄉耳. 遽以爲南鄉坐, 可乎. 鄉, 讀曰嚮]".

228) 이날 元宗이 복위한 것은 중국 측의 자료에서도 확인되고, 安慶公 淐은 後日 英宗으로 追贈되었다고 한다.

- 『원고려기사』本文, 世祖, 지원 6년 11월, "二十三日, 植受詔, 復位".
- 열전4, 高宗王子, 安慶公淐, "林衍廢元宗, 立淐爲王. 未幾, 蒙古遣使□來, 詰衍擅廢立, 衍復立元宗廢淐".

229) 上表는 延世大學本과 東亞大學本에는 土表로 되어 있으나 오자이다(東亞大學 2008년 7책 279面). 또 朴烋는 11월 29일(庚午) 黑的과 함께 燕京에 도착하여 表를 올렸다고 하지만, 空間을 고려해 볼 때 12월에 到着하였을 것이다. 이는 黑的이 12월 21일(壬辰) 고려에 있었음을 통해 알 수 있다(→12월 壬辰). 그리고 朴烋는 明年의 賀正使도 兼職하였던 것 같으며, 다음해 正旦에 世祖를 謁見하고 賀禮를 드렸다. 또 이들 기사는 ~~添字~~와 같이 고쳐야 옳게 될 것이다.

- 『원사』 권6, 본기6, 세조3, 至元 6년 11월 庚午29日, "高麗國王王禃遣其□借尙書禮部侍郞朴杰~~朴烋~~, 從黑的入朝, 表稱受詔已復位, 尋當入覲".
- 『원사』 권208, 열전95, 外夷1, 高麗, "至元六年十一月禃受詔復位, 遣借禮部侍郞朴杰~~朴烋~~, 從黑的等奉表, 入朝".
- 『원사』 권7, 본기7, 세조4, 至元 7년 1월, "辛丑朔, 高麗國王王禃遣使, 來賀".
- 『원고려기사』本文, 世祖, 지원 6년 11월 23일, "是日甲子, 植遣借禮部侍郞朴杰~~朴烋~~, 從黑的等, 奉表入朝". 여기에서 是日은 27일(戊辰)의 오류일 가능성이 있다.

卒. 彼或上表言情, 宜赦其罪戾, 減其貢獻, 以安撫其民, 庶幾感慕聖化. 俟南宋已平, 彼有他志, 回兵誅之, 亦未晩也. 前樞密院經歷馬希驥亦言, 今之高麗, 乃古新羅·百濟·高句麗三國弁而爲一. 大抵藩鎭權分則易制, 諸侯强盛則難臣. 驗彼州城軍民多寡, 離而爲二, 分治其國, 使權侔勢等, 自相維制, 則徐議良圖, 亦易爲區處耳:追加].[230)]

230) 이는 다음의 자료에 의거하였다.

- 『원사』 권208, 열전95, 外夷1, 高麗, 至元 6년 11월, "樞密院臣議征高麗事. 初, 馬亨以爲高麗者, 本箕子所封之地, 漢·晋皆爲郡縣. 今雖來朝, 其心難測. 莫若嚴兵假道, 以取日本爲名, 乘勢可襲其國, 定爲郡縣. 亨又言, 今旣有釁端, 不宜遣兵伐之. 萬一不勝, 上損國威, 下損士卒. 彼或上表言情, 宜赦其罪戾, 減其貢獻, 以安撫其民, 庶幾感慕聖化. 俟南宋已平, 彼有他志, 回兵誅之, 亦未晩也. 前樞密院經歷馬希驥亦言, 今之高麗, 乃古新羅·百濟·高句麗三國弁而爲一. 大抵藩鎭權分則易制, 諸侯强盛則難臣. 驗彼州城軍民多寡, 離而爲二, 分治其國, 使權侔勢等, 自相維制, 則徐議良圖, 亦易爲區處耳".
- 『원고려기사』本文, 世祖, 지원 6년, "十一月二日, 樞密院奏議征高麗事. 初, 五月間, 馬亨呈, '臣亨謹奏皇帝陛下, 高麗本箕子所封之地, 漢·晋皆爲郡縣 今雖來朝 其心難測. 竊聞先曾有旨令量力出居陸地, 至今不出. 去歲遣使和好, 本爲親仁善鄰之道, 今高麗謀稱飾詞, 有違上命, 夫鄰國, 不知鄰國之事情者, 未之有也. 南宋見執郝經. 今又遣使於日本, 萬一逆上命, 有失威重, 後雖起兵, 地限滄海, 勝負難必. 故千鈞之弩, 不爲鼷鼠而發. 於今不若嚴兵, 假道於高麗, 以取日本爲名, 乘勢可襲高麗, 定爲郡縣, 安撫其民, 可爲逆取順守, 就用本國戰船·器械·軍旅, 兼守南宋之要路, 缺日本往還之事情, 此萬全之勢也. 今遲之, 恐聚兵於島嶼, 積糧於海內, 廣被固守, 不能搖矣, 此不可不察也'. 亨又言, '今旣已有釁端, 不宜動兵伐之, 動而得勝, 亦不爲善, 萬一不勝, 上損國家之威, 下損士卒之力. 彼恃江山之險阻, 積糧於海內, 謹守不動, 何計取之. 今高麗有十年之鋭, 恐朝廷攻伐日本, 必有滅虢之心, 又節次有違上命之罪, 深不自安, 如履薄冰, 所以無故而待動也. 今若發兵, 如虎入山, 抱薪而救火, 此實不可爲也. 亨謂如有來進表文所告情節, 卽宜遣使寬赦其罪, 減免進奉, 安撫其民社, 仍召執政者一二人, 至則數南宋之罪惡, 欲與戮力一心, 同聲伐罪. 所遣使於日本爲親仁善鄰之道, 亦是此意, 宜以此語, 溫恤其來者, 庶幾, 感慕聖旨, 以成大擧, 待南宋已平, 再審他志, 迴兵誅之, 亦未爲晩. 是一擧而兩得也, 可爲全勝之策. 今便發兵, 彼亦以兵應我, 是生一敵國也'. ○前樞密院經歷馬希驥亦言 '今之高麗, 乃古新羅·百濟·高句麗三國, 併而爲一也. 大抵, 藩鎭權分則易制, 諸侯强盛則難臣, 古今之通義也. 曩者, 詔命遣信使, 垂恩於日本, 陰謀沮壞, 遷居民, 捨水而就陸, 亦不聽從. 此時, 亦易有恃山水之固, 自爲强大, 抗拒之萌已見矣, 蓋爲臣下權太重故也. 近者, 不請上國, 擅自廢立, 法當不容, 然治遠邦者, 不牽於常制, 安反側者, 務要於從權. 今者, 小國事已如斯矣, 我朝誠宜熟議. 希驥以謂, 若釋罪就封, 上國不爲姑息之政, 或興兵致討, 三軍恐無全勝之功, 合無兩釋, 取其酌中, 止鞠廢立謀臣之一夫, 赦詿誤諸人之重罪. 驗彼州城軍民多寡, 離而爲二, 分治其國. 使權侔勢等, 自相維制, 則我國徐議良圖, 易爲區處耳. 如是則, 彼人人, 必懷聖朝寬宥之大恩, 其國不削而自弱矣. 昔漢之主父偃, 削諸侯權, 是其議也. 況高麗邊陲殘類, 海嶼遠方, 不聞朝廷之聲教久矣, 宜從寬恕, 許令自新, 亦我上國懷遠安邊, 勝殘去殺之意也. 今倘捨此而不爲, 或以威力追召, 或以積兵進取, 萬一小國權臣, 恣凶作逆, 阻山恃水, 與宋連衡, 拒守海嶼, 我聖朝, 雖有雄兵百萬, 未可以歲月下之, 甚非大國之利也. 不以人廢言, 不以言害直, 千慮一得, 倘有所取, 亦臣子之萬一'. ○至是, 樞密院具以聞, 奉聖旨, '卿等以爲何如'. 參政缺名

十二月[壬申朔小盡,丁丑, 大雪, 雷電:五行1雨雪轉載].[231]

丙子5日, [小寒]. 赦二罪以下.

丁丑6日, 親設消災道場.

己卯8日, 又設灌頂道場于內願堂.

辛巳10日, 敎定別監林衍流同知樞密院事趙璈于黑山島. [殺璈長子將軍允璠,·壻秘書郞張顥及其黨七人, 皆籍其家. 又流璈季子允溫. 璈居常恭遜, 頗得衆心, 衍之廢立也, 璈病不與, 及衍擅權, 朝野歸心於璈, 將軍金文庇·尹秀與允璠, 謀誅衍, 以告璈, 璈不從, 文庇等, 知事不集, 反告於衍, 故及:節要轉載].[232] [璈, 力能圖衍, 而恇怯速禍. 時人惜之:列傳43林衍轉載].

[□□是時, 敎定別監林衍挾私憾, 殺羅裕舅趙文柱趙璈, 脅裕離婚, 裕以義拒之:列傳17羅裕轉載].

[○一日, 有人見慈恩寺設齋樹幡, 告衍子惟幹云, "亂作, 官旗已竪矣". 惟幹奔告衍, 闔門驚駭:列傳43林衍轉載].[233]

甲申13日, 以兪千遇△爲知門下省事, 金方慶△爲同知樞密院事·御史大夫, 金鍊·判秘書省事元傅·李昌慶並爲樞密院副使,[234] 金坵·尹君正爲左·右僕射,[235] 林惟幹爲右承宣, 許珙爲右副承宣,[236] 金軌·金祿延爲左·右諫議大夫.

回奏, 已行之事終是, 各人用心, 其言必須聞奉".

231) 壬申에 朔이 탈락되었다.

232) 이와 같은 기사가 열전43, 林衍에도 수록되어 있으나 자구에 출입이 있다. 이때 尹秀와 金文庇가 趙璈(趙文柱의 改名)를 密告한 기사로 다음이 있다.

· 열전37, 尹秀, "… 秀, 元宗朝拜親從將軍. 時同知樞密□□司事趙璈夜召秀, 謀誅林衍, 秀諾. 璈遷延不發, 秀懼, 以其謀告衍, 衍殺璈".

· 열전37, 李貞, 金文庇, "… 初, 趙文柱欲誅林衍, 召文庇議, 久未發, 文庇懼謀洩及禍, 乃告衍, 衍殺文柱".

233) 이는 元宗이 6일 消災道場을 개설한 것과 관련이 있는 것 같다.

234) 元傅의 初名은 元公植인데(→고종 45년 3월 26일), 高宗 末年에는 이를 사용하였던 것 같다(元傅墓誌銘」; 열전18, 許珙). 이때 元傅는 銀青光祿大夫·樞密院副使·右常侍右散騎常侍·翰林學士承旨에 임명되었다(元傅墓誌銘).

235) 이때 金坵는 銀青光祿大夫·尙書左僕射[文昌左相]에 임명되었다(金坵墓誌銘).

236) 이때 許珙은 右副承宣·吏部侍郞·翰林侍讀學士·太子右贊善에 임명되었다(許珙墓誌銘). 이후 許珙은 諸道의 按察使로부터 賂物을 받다가 侍御史 金承茂(金仁鏡의 孫)로부터 탄핵을 받았다고 한다.

· 열전15, 金仁鏡, 承茂, "金承茂, 累遷侍御史. 時承宣許珙執政, 諸道按察多行餽遺, 康軒·韓琓, 亦附珙多受賂, 承茂皆劾論, 珙, 由是惡之".

庚寅[19日]，王如蒙古，[237] 命順安侯悰，監國.[238]

[→及王復位，朝于元，[樞密院副使林]衍，以[大將軍康]允紹爲己腹心，使扈駕:列傳36康允紹轉載].

辛卯[20日]，[大寒]. 靜州別將康元佐等三人來，傳蒙古帝，詔曰，"諭高麗國龜州都領崔坦等·泊西京五十四城西海六城軍民等，近，崔坦奏，高麗逆臣林衍遣人，誘脅衆庶及其妻子，俱令東往". ○且曰，"若不從令，當加戕害. 你等，審其順逆，不從逼脅，勦誅逆黨，以明不貳，其義可尙. 今坦，已加勑命，自餘吏民，別勑行中書省，重爲撫護. 惟爾臣庶，仰體朕懷，益殫忠節". ○王賜元佐等各白金一斤，[樞密院副使林]衍亦厚慰之.[239]

壬辰[21日]，王遣右司諫朴恒，偕黑的，先往蒙古.[240] 寄書都堂云，[241] "予仝蒙大造，竚覲天庭，已於今月十九日上途，猖蹶奔走. 近者，小邦邊民，嘯聚西都，多殺守令，欲逃其罪，至以具錦之辭，冒黷上朝. 凡其情狀，驗取節次先行使介言說，辨其曲直，縷達天聰. 益加護恤，永使殘邦，無失其民，萬世供職，是所望也".

[乙未[24日]，月犯房上星:天文2轉載].

丙申[25日]，王至岊嶺驛，以白銀九斤·金銀鍾各一·苧布十八匹，密贈黑的.

丁酉[26日]，至洞仙驛，遣人巡檢各驛，驛吏皆逃匿，投于崔坦.

---

237) 이때 樞密院副使 元傅，北界兵馬判官[北界佐幕] 崔瑞，通文院錄事[~~同文院錄事~~] 閔漬，掖庭內侍伯·行宮班錄 元貞(元傅의 長子)，攝校尉 鄭仁卿 등이 隨從하였다(元傅墓誌銘 ; 崔瑞墓誌銘 ; 閔漬墓誌銘 ; 元瓘墓誌銘 ; 鄭仁卿墓誌銘). 이후 元宗은 明年(원종10) 초에 蒙古에 들어가서 2월 1일(辛未) 燕京에서 世祖를 謁見하고 方物을 바쳤다고 한다(→원종 11년 2월 1일). 또 閔漬의 館職은 ~~添字~~와 같이 고쳐야 옳게 될 것이다.

238) 이 기사는 열전4，元宗王子，順安公悰에도 수록되어 있고，중국 측의 자료에서도 확인되지만，到着이 아니라 出發이다.

- 『원고려기사』，序，"[至元]六年，… 遣國王頭輦哥，以兵撫定. 詔植復位，偕淐·衍入朝，植受詔，得還爲王，且來覲，淐·衍不至".
- 『원고려기사』本文，世祖，지원 6년，"十二月十九日，植來朝".

239) 康元佐는 『고려사절요』 권18에는 康元左로 되어 있다(盧明鎬 等編 2016년 482面).

240) 朴恒은 明年 1월 14일(甲寅) 燕京에 도착하여 보고하였다.

- 『원사』 권7，본기7，세조4，至元 7년 1월，"甲寅[14日]，高麗國王王禃遣使來言，比奉詔，臣已復位，今[令]從七百人入覲. 詔令從四百人來，餘留之西京".
- 『원사』 권208，열전95，外夷1，高麗，"[至元]七年正月，遣使言，比奉詔，臣已復位，令從七百人入覲. 詔令從四百人來，餘留之西京".

241) 都堂은 大蒙古國의 中書省을 指稱한다. 이후 大元蒙古國[元]의 中書省을 『고려사』와 『고려사절요』에서는 中書省과 都堂으로 並用하여 표기하였다.

戊戌[27日], 至炭嶺, 坦等六人獻酒駕前,[242] 王不受, 入西京, 謁太祖眞□□□[于感眞]殿.[243)]
[某日, 以西海道諸郡, 有迎駕供億之艱, 蠲今年租賦:食貨3恩免之制轉載].

[是年, 以衛社功臣林衍內鄕, 陞彰義縣令官爲知義寧郡事官, 金自廷內鄕, 楊根縣監務官爲益和縣令官, 陞林惟茂外鄕, 原州爲靖原都護府, [大將軍]康允紹內鄕, 陞洞陰縣爲永興縣令官, [將軍]李汾禧內鄕, 改知復州事爲碩州, 趙璈內鄕, 陞忠翊縣令官爲知復興郡事, 以平州併合于復興郡:地理志轉載].[244]

[○以金賆爲國子博士:追加].[245]

[○以朴仝之爲秘書省校書郞:追加].[246]

[○以~~海陽府典籤~~元貞爲掖庭內侍伯:追加].[247]

[○以金諒爲永州副使:追加].[248]

[○以[監察御史]金須爲知靈光郡副使:追加].[249]

[○以[首座]惠永爲僧統:追加].[250]

[○起役濟州牧法華寺重刱事:追加].[251]

---

242) 이들은 같은 해 10월 3일(乙亥) 西京에서 叛亂을 일으킨 西北面兵馬使營의 記官 崔坦·韓愼, 三和縣人·前校尉 李延齡, 定遠都護□[府]郎將 桂文庇, 延州人 玄孝哲 등이었을 것이다.

243) 중국 측의 자료에서는 元宗이 12월에 親朝하였다고 되어 있는데, 이는 고려에서 親朝를 위해 출발한 것을 잘못 정리한 것이다. 곧 원종은 明年 1월 11일(辛亥) 東京에 도착하였다(→원종 11년 1월 11일).
- 『원사』 권208, 열전95, 外夷1, 高麗, "[至元六年]十二月, 乃親朝京師".

244) 이는 다음의 기사를 전재하였다. 그 중에서 靖原都護府는 明年(원종11) 5월 14일(癸丑) 林惟茂가 피살된 후 知原州事로 환원되었을 것이다(尹京鎭 2009년).
- 지10, 지리1, 淸州牧, 鎭州, "元宗十年, 又以衍之故, 陞知義寧郡事".
- 지12, 지리3, 平州, "元宗三十年[十年], 併于復興郡". 이에서 三十年은 十年의 오류일 것이다(東亞大學 2012년 15책, 677面).
- 『세종실록』 권152, 지리지, 황해도 白川郡, "元宗十年己巳, 以衛社功臣樞密院使趙璈內鄕, 復爲知復興郡事".

245) 이는 「金賆墓誌銘」에 의거하였다.

246) 이는 「朴仝之墓誌銘」에 의거하였다.

247) 이는 「元瓘墓誌銘」에 의거하였다. 이에서 海陽府는 武臣執權인 金俊(海陽侯)의 官署[開府]인데, 이의 錄事, 典籤을 역임한 인물로 1264년(원종5) 이후 金周鼎이 찾아진다(열전17, 金周鼎 ; 金周鼎墓誌銘).

248) 이는 『영천선생안』에 의거하였다.

249) 이는 『졸고천백』 권1, 金台鉉墓誌銘에 의거하였다(→원11년 11월)

250) 이는 「桐華寺住持五敎都僧統普慈國尊贈諡弘眞碑銘」에 의거하였다.

[○鷄龍山東學寺開板'地藏菩薩本願經':追加].[252)]

庚午[元宗]十一年, 蒙古至元七年, [南宋咸淳六年], [西曆1270年]

1270년 1월 23일(Gre1월 30일)에서 1271년 2월 10일(Gre2월 17일)까지, 13개월 384일

春正月辛丑朔[大盡,戊寅], 王次博州, 先遣[大將軍]崔東秀, 寄書蒙古都堂曰, "今聞, 小邦叛民崔坦等, 馳告上朝, 托以京兵欲侵, 請送天兵二千許遮護, 而帝決, 已到行省矣. 是事, 不難別白, 予早知其叛, 而不一問罪者, 以其投附上朝也. 今旣上途空國, 而誰肯以兵來侵. 待臣近覲龍顔, 仰奏一言, 然後遣兵, 未晩也. 安有國君, 躬進帝所, 而兵入其境, 百姓驚動者乎. 伏望諸相國閤下, 以此情狀, 具奏天聽, 憫予父子勤王之懇, 扶護始終".

[壬寅[2日], 白氣, 東西竟天:五行2轉載].

己酉[9日], [門下侍中]李藏用·[同知樞密院事]金方慶·[告奏使]郭汝弼, 自東京來, 謁行宮.[253)]

辛亥[11日], 王至東京, 國王頭輦哥·趙平章[平章政事趙璧]等辟人,[254)] 具紙筆, 請王密書廢立之由, 王辭以手病風, 不書, 乃使譯者, 問王, 王順衍意, 答云, "如表所奏. 行省知其非實", 不復問.[255)]

[某日, 蒙古遣蒙哥篤, 將兵來屯西京. 初, 世子聞林衍之亂, 請兵蒙古, 乃遣蒙

---

251) 이는 濟州道 西歸浦市 下原洞 1071번지에 위치한 法華寺址에서 발견된 기와[瓦]의 刻字에 의거하였다(濟州大學博物館 1997년 ; 金日宇 2002년).

· 銘文, "至元六年己巳始重刱,十六年己卯畢".

252) 이는 다음의 자료에 의거하였다(尹炳泰 1969년, 筆者未見).

· 『地藏菩薩本願經』刊記, "至元六年鷄龍山東鶴社刊".

253) 이때 賀聖節使 李藏用의 書狀官이었던 直翰林院 金晅도 함께 귀국하였던 것 같다.

· 「金晅墓誌銘」, "己巳[元宗10年], 以賀節書狀官上朝, 庚午[11年], 還國".

254) 趙平章은 女眞人出身의 中書左丞·行東京等路中書省事(혹은 東京行省平章政事) 趙璧(1220~1276)이다(張東翼 1997년 301面).

· 『원사』 권159, 열전46, 趙璧, "高麗王禃爲其臣林衍所逐, 帝召璧還, 改中書左丞, 同國王頭輦哥行東京等路中書省事, 聚兵平壤. 時衍已死, 璧與王議曰, 高麗遷居江華島有年矣, 外雖卑辭臣貢, 內恃其險, 故使權臣無所畏忌, 擅逐其主. 今衍雖死, 王實無罪, 若朝廷遣兵護歸, 使復國于古京, 可以安兵息民, 策之上者也. 因遣使以聞, 帝從之. 時同行者分高麗美人, 璧得三人, 皆還之".

255) 이 行省은 征伐을 위한 軍司令部와 같은 성격을 지닌 東京行省이다.

哥篤, 領兵將發. 中書省謂世子曰, “蒙哥篤, 若久在西京, 樞密院副使林衍既背命, 必不供給, 宜選不與衍者伴行”. 世子難其人, 侍中李藏用等曰, “同知樞密院事金方慶再鎭北界, 有遺愛, 非此不可”, 乃以方慶伴蒙哥篤遣之. 方慶, 計曰, “官軍到西京, 若過大同江, 王京自亂, 恐將有變, 莫若受帝旨, 勿令過大同江”. 皆曰善, 遂聞, 帝允之. 至是, 方慶與蒙哥篤, 至西京, 父老泣謂方慶曰, “公若在此, 豈有坦·愼之事?”, 爭來餉. 時坦等憑仗蒙兵, 潛有乘虛呑國之志, 厚遺蒙哥篤, 日誘以詭計. 方慶每以計沮之, 敎定別監林衍慮王請兵復都, 欲拒命, 遣指諭智甫大率兵屯黃州, 又令神義軍屯椒島, 以備之. 坦·愼等, 知其謀, 密具舟楫, 幷伏兵, 潛謂蒙哥篤曰, “衍等將殺官軍, 欲入濟州, 請官人, 聲言出獵, 察京軍往來狀, 以相報. 吾等以舟師, 進甫音島·末島, 官人率軍臨窄梁, 彼不能進退, 旣得其情, 具聞于帝. 王京可取, 子女玉帛, 非他有也”, 蒙哥篤喜諾. 有吳得公者, 爲坦內廂, 知之, 密告方慶, 方慶曰, “豈有此事?”, 得公曰, “若不信, 陰偵之, 可知也”. 詰朝, 方慶詣蒙哥篤館門, 諸軍畢集, 坦等, 似有喜色, 蒙哥篤謂方慶曰, “久客無聊, 擊鮮爲樂, 公隨吾否”, 曰, “獵何所?”, 曰, “過大同江, 至黃鳳州, 入椒島耳”. 方慶曰, “官人亦聞帝旨, 何以過江?”, 蒙哥篤曰, “蒙人以射獵爲事, 帝亦知之, 君何拒之?”. 方慶曰, “我非禁獵, 禁過江而已, 若要獵, 何必至彼而後, 樂哉?”. 蒙哥篤曰, “若罪過江, 我獨當之, 於君何有?”, 方慶曰, “我在此, 官人豈得過江, 如欲之, 須稟帝命”. 方慶密諭智甫大等, 令退兵, 蒙哥篤, 知方慶, 忠直出於天性, 大加敬重, 以實告曰, “欲滅王京者, 非獨担等, 亦有人焉”:節要轉載]. [曰, “爲誰”, 曰, “某”. 事秘不傳. 由是, 讒言不入, 國家以安:列傳17金方慶轉載].

[某日, 以崔儒崔簡爲慶尙道按察使, 權呾爲全羅道按察使, 郎將崔有渰爲忠淸道按察使, 邊亮爲西海道按察使:慶尙道營主題名記].[256]

[是月甲寅14日, 帝世祖以高麗西京內屬, 改東寧府, 畫慈悲嶺爲界:追加].[257]

[乙卯15日, 帝詔諭官吏·軍民, 以討林衍:追加].[258]

256) 崔儒는 『고려사절요』 권18에는 崔簡으로, 林衍의 열전에는 崔澗으로 달리 표기되어 있다(열전 43, 崔儒). 또 權呾, 崔有渰, 邊亮은 是年 5월 11일, 6월 1일에 의거하였다.

257) 이는 다음의 자료에 의거하였다.
- 『원사』 권7, 본기7, 세조4, 至元 7년 1월 甲寅, “詔高麗西京內屬, 改東寧府, 畫慈悲嶺爲界”.
- 『원사』 권208, 열전95, 外夷1, 高麗, “至元七年正月, 詔西京內屬, 改東寧府, 畫慈悲嶺爲界”.

258) 이는 다음의 자료에 의거하였는데, ~~添字~~와 같이 고쳐야 옳게 될 것이다(麗元關係史硏究會 2008년).
- 『원사』 권208, 열전95, 外夷1, 高麗, “至元七年正月, 詔諭其國僚屬·軍民, 以討林衍之故. 其略曰,

[丁巳17日, 以忙哥都爲安撫高麗使, 佩虎符, 率兵戍其西境:追加].259)

二月辛未朔小盡,己卯, 王謁帝于燕都, 獻方物, 仍侍宴.

壬申2日, 王謁闕謝宴.

[某日, 初, 敎定別監林衍恐王泄廢立事, 使其子惟幹及腹心扈從. 王在道, 問扈從臣僚曰, "東京行省, 若問廢立事, 將何以對". 承宣許珙·大將軍李汾禧·□大將軍康允紹等, 徇衍意曰, "宜對以前奏表意", 餘皆畏衍, 不敢出一言. 及至東京, 國王頭輦哥等, 密問廢立之故, 王亦曰, "如表所奏", 行省知其誣, 不復問. 至是, 惟幹因姜和尙康和尙,260) 綢繆其事奏帝, 帝勑云, "玆事, 世子與李藏用, 已具陳, 朕所詳知, 汝父擅廢王, 信乎?". 惟幹奏云, "此乃李藏用所爲, 請問之", 帝以問, 藏用及申思佺·樞密院副使元傅, 各具奏其事, 帝頷之. 惟幹復奏, 帝止之曰, "汝之所言, 皆妄也". 遂繫頸, 乃命中書省, 牒林衍曰, "汝之子, 有來奏, 臣僚亦有來奏, 朕意未詳, 汝於此時, 宜卽上來, 明辨":節要轉載].261)

[癸酉3日, 月與太白同舍:天文2轉載].

甲戌4日, 王上書都堂中書省, 請婚曰, "往者己未年高宗46年, 世子時方始親朝, 適丁登極之際, 大加憐恤, 而俄聞先臣奄辭盛代, 憂惶罔極. 乃令臣繼修藩職, 又於甲子年元宗5年親朝, 寵遇亦出常鈞, 臣之銘感, 曷足形言. 今者, 權臣林衍, 擅行廢立, 失位

朕卽位以來, 閔爾國久罹兵亂, 册定爾主, 撤還兵戍, 十年之間, 其所以撫護安全者, 靡所不至. 不圖逆臣林衍自作弗靖, 擅廢易國王禃, 脅立安慶公淐. 詔令赴闕, 復稽延不出, 豈可釋而不誅. 已遣行省率兵東下, 惟林衍一身是討. 其安慶公淐本非得已, 在所寬宥. 自餘脅從詿誤, 一無所問".

· 『원고려기사』, 본문, "中統至元七年正月十五日, 詔諭高麗國僚屬·軍民, 以討林衍之故. 詔曰, 朕卽位以來, 憫爾國久罹兵亂, 册定爾王, 撤還兵戍, 十年之間, 其所以撫護安全, 靡所不至. 不圖, 亂臣林衍自作弗靖, 擅將國王植廢易, 脅立安慶公淐, 詔令赴闕, 復稽延不出. 眷惟王植, 實朕所立, 今輒爲林衍所廢, 豈可釋而不誅. 已遣行省率兵東下, 惟林衍一身是討. 其安慶公淐, 本非得已, 在所寬宥, 自餘脅從詿誤, 一無所問. 惟爾臣庶當謀去逆效順, 有能執送林衍, 或戮以獻, 雖舊在惡黨, 亦必重增官秩. 自餘拔身歸命, 密輸忠款者, 咸當量功遷賞. 如或執迷, 不復同惡相濟, 至加以兵, 雖悔何追. 朕之本心, 務在存爾世封, 保爾黎庶, 不欲重罹塗炭. 故豫爲告勑, 使知所處. 惟爾臣庶, 其審圖之".

259) 이는 다음의 자료에 의거하였다.

· 『원사』 권7, 본기7, 세조4, 至元 7년 1월, "丁巳, 以忙哥□都爲安撫高麗使, 佩虎符, 率兵戍其西境".

· 『원사』 권208, 열전95, 外夷1, 高麗, "至元七年正月, 以忙哥都爲安撫使, 佩虎符, 率兵戍其西境".

260) 姜和尙은 康和尙(康Qosan, 晋州 出身의 康守衡)의 오자일 것이다.

261) 이 기사는 열전43, 林衍에 수록되어 있고, 冒頭는 열전18, 許珙에도 수록되어 있다.

憂懣，伏蒙聖慈，累遣王人，詔詰其由，召以親朝，以是復位而進．帝眷優深，倍加唁慰，其爲感泣，天地所知．夫小邦請婚大朝，是爲永好之緣，然恐僭越，久不陳請．今旣悉從所欲，而世子適會來覲，伏望許降公主於世子，克成合卺之禮，則小邦萬世永倚，供職惟謹”．

〇又請兵曰，“臣於甲子年元宗5年親朝時，奏以舊京出排事，及其還國，意在營葺，權臣遮遏，不得畢功，以至于今．伏望，許以兵若干人，與之俱往，直至舊京，招諭水內臣民，盡令出居，因除權臣，餘皆存撫”．

〇越數日，永寧公·康和尙·洪茶丘等來言，“中書省已奏聞，其請軍馬，許令發送．若請婚，則聖旨云，達旦法，通媒合族，眞實交親，敢不許之．然今因他事來請，似乎欲速，待其還國，撫存百姓，特遣使來請，然後許之．朕之親息，皆已適人，議於兄弟，會當許之”．

丁丑[7日]，[驚蟄]．~~都堂移牒曰，~~“崔坦請蒙古兵三千來，鎭西京，帝賜崔坦·李延齡金牌，玄孝哲·韓愼銀牌，有差．詔令內屬，改號東寧府，畫慈悲嶺爲界”．[262)]

[→明年，崔坦馳奏蒙古帝云，“京兵欲侵我等，請遣天兵三千來，鎭西京”．帝賜崔坦及李延齡金牌，玄孝哲·韓愼銀牌．詔令內屬，改號東寧府，畫慈悲嶺爲界，以坦等爲摠管:列傳43崔坦轉載]．[263)]

庚辰[10日]，王上表，請西京復屬，其略曰，“崔坦·李延齡等，本非有怨於國家者，因權臣擅行廢立，初若倡義起兵．至達于上朝，望屬世子．今臣將以除滅權臣，請兵還國，卷出水內臣民，復都舊京．坦等，理宜捨兵歸本，反欲別其彊分，各修職貢，有乖初起之跡．天子以四海爲家，義無彼此之擇，諸侯與百姓守土，力致朝宗之勤，豈擬吾民，遽回異趣．伏望許還諸城，俾屬本國”．

〇時蒙哥篤軍已發，都堂又議遣殿後軍，□壬又奏云，“若前後大軍到國，則恐百姓驚竄，抑供億難支也．請停後軍，且大軍留屯古京，毋令越境．又請達魯花赤，偕往本國”．帝許請達魯花赤及兵不越境事，餘皆不允．[264)]

壬午[12日]，帝賜王金線走絲及色絹二百匹·馬四匹·弓矢等物，且令東京行省國王頭

262) 몽골제국에서 東寧府 設置의 결정은 1월 14일에 이루진 것이므로 이 기사는 中都(燕京)에 체재하고 있던 元宗에게 통고된 사실을 기록한 것으로 추측된다. 그렇다면 添字가 추가되어야 할 것이다.

263) 이때 摠管 崔坦과 叛逆을 행한 李延齡은 副摠管에 임명되고, 韓愼·桂文庇·玄孝哲 등은 千戶에 임명되었던 것 같다.

264) ~~添字~~는 『고려사절요』 권18에 의거하였다.

輦哥, 率兵偕往高麗.[265)]

甲申[14日], 西京蒙軍六人來, 請[豊州]席島倉米, 乃給米一千石·雜穀五百石·鹽一百石.

[乙酉[15日], 以鄭仁卿爲神左右衛保勝第二領散員:追加].[266)]

丙戌[16日], 王與世子, 發燕都.[267)]

戊子[18日], 地大震.

乙未[25日], [[教定別監]林衍[~~欲拒命,~~] 遣夜別抄, 巡行諸道州郡, 督民入居諸島, 是日:節要轉載], 林衍憂懣, 疽發背而死. [時天陰旬餘, 至是, 開霽:節要轉載]. [~~時~~]順安侯[~~琮監國, 惟茂請, 贈叅知政事, 謚莊烈. 琮~~]又以衍子惟茂, 爲教定別監. [惟茂, 集都房六番, 自衛其家, 使弟惟絪, 領書房三番, 衛其兄惟幹家, 爲外援:節要轉載].[268)]

[○惟茂忌童謠讖說盛行, 令曰, "有能捕童謠及說圖讖者, 賞以爵貨". 召日官伍

---

265) 東京行省은 東京等處行中書省의 약칭으로서 後日 遼陽行省으로 改編되었다.

266) 이는 「鄭仁卿政案」에 의거하였는데, 그의 墓誌銘에는 散員兼御牽龍行首에 임명되었다고 한다.

267) 元宗이 中都(燕京)에 滯在할 때의 事情을 중국 측의 자료는 다음과 같이 언급하고 있다.

· 『원사』 권7, 본기7, 세조4, 至元 7년 2월, "□□[是月], 高麗國王王禃來朝, 求見皇子燕王. 詔曰, '汝一國主也. 見朕足矣'. 禃請以子愖[諶]遣, 從之. 詔諭禃曰, '汝內附在後, 故班諸王下. 我太祖時, 亦都護先附, 卽令齒諸王上, 阿思蘭後附, 故班其下, 卿宜知之'. 又詔令國王頭輦哥等擧軍人入高麗舊京, 以脫朶兒·焦天翼爲其國達魯花赤, 護送禃還國. 仍下詔, '林衍廢立, 罪不可赦, 安慶公淐, 本非得意, 在所寬宥. 有能執送衍者, 雖舊在其黨, 亦必重增官秩'. 世子愖[諶]奏乞隨朝及尙主, 不許. 命隨其父還國". 여기에서 是月이 탈락되었을 것이고, 尙主는 尙公主의 略稱으로 公主와 婚姻[娶]하는 것을 가리키는 것 같다(→충렬왕 1년 5월 4일).

· 『원사』 권208, 열전95, 外夷1, 高麗, "[至元七年]二月, 遣軍送禃就國, 詔諭高麗國官吏·軍民曰, '惟臣之事君, 有死無二, 不意爾國權臣, 輒敢擅廢國主. 彼旣驅率兵衆, 將致爾重危擾不安, 以汝黎庶之故, 特遣兵護送國王禃還國, 奠居舊京, 命達魯花赤同往鎭撫, 以靖爾邦. 惟爾東土之人, 不知爲汝之故, 必生疑懼, 爾衆咸當無畏, 按堵如故. 已別敕將帥, 嚴戒兵士勿令侵犯. 汝或妄動, 汝妻子及汝身當致俘略, 宜審思之' ○初有旨, 頭輦哥行省駐西京, 而以忙哥都·趙良弼充安撫使, 與禃俱入其京, 旣而復令行省入其王京, 而以脫朶兒, 充其國達魯花赤, 罷安撫司".

· 『원고려기사』本文, 世祖, 지원 7년, "二月十六日, 遣軍送植就國, 詔曰, '諭高麗國官吏·軍民, 朕惟臣之事君, 有死無二, 不意爾國權臣, 輒敢擅廢國主. 彼旣驅率兵衆, 將致爾衆, 危擾不安, 以汝黎庶之故, 特遣兵護送國王植還國, 奠居舊京, 命達魯花赤往鎭撫, 以靖爾邦. 惟爾東土之民, 不知爲汝之故, 必生疑懼, 爾衆咸當無畏, 按堵如故. 已別敕將帥, 嚴戒兵士, 勿令侵犯, 如或妄動, 汝妻子爰及汝身, 當致俘略, 宜審思之'. ○初, 有旨, 令頭輦哥行省駐西京, 而以忙哥都·趙良弼, 充安撫使, 與植俱入其京, 旣而復令行省, 入其王京, 而以脫脫兒, 充其國達魯花赤, 罷安撫司".

· 『자치통감』 권28, 漢紀18, 宣帝神爵 1년(BC61) 3월, "… 又漢家列侯尙公主, 諸侯則國人承翁主[注, 晉灼曰, 娶天子女, 則曰尙公主, 國人娶諸侯女, 則曰承翁主, 尙·承, 皆卑下之名也], …".

268) ~~添字~~는 열전43, 林衍, 惟茂에 의거하였는데, 그중에서 都房이 都監으로 되어 있으나 오자이다. 이날은 율리우스曆으로 1270년 3월 18일(그레고리曆 3월 25일)에 해당한다.

允孚等, 問以鎭國之策, 允孚曰, "如病深而求醫, 末如之何?":列傳43林衍轉載].

[是月丙戌16日, 元以脫朶兒爲本國達魯花赤, 焦天翼爲副達魯花赤:追加].269)

[丁亥17日, 蒙古中書省奏, '高麗王王植奏, 乞朝廷差一人, 植遣二人, 特旨召林衍來朝', 臣等謂彼中方疑, 或不須差人, 俟大軍壓境時, 令東省移文與之:追加].270)

三月庚子朔大盡,庚辰, 日食.271)

丙午7日, 遣郎將金之瑞如蒙古, 告林衍死.

己酉10日, 西京蒙軍遣人來, 索夏衣及帷幕.

[乙卯16日, 月食:天文2轉載].272)

[是月頃, 以前禮部侍郎朱悅爲東京副留守:追加].273)

夏四月庚午朔大盡,辛巳, 己卯10日, 王至東京. 指諭庾賙·郎將伍夫·順明·藥員金允奇, 皆投于管領歸附高麗軍民總管洪茶丘.

[○以鄭仁卿爲神虎衛保勝第二領攝別將:追加].274)

---

269) 이는 是月 16일의 脚注에 의거하였다. 또 이때의 高麗國 達魯花赤은 上都留守·統軍使·都轉運鹽使·招討使·副都元帥·上萬戶·安撫使·經略使·安南國達魯花赤·各道提刑按察使·中書省斷事官·上路總管府達魯花赤·上路總管兼府尹·諸站都統領使 등과 함께 正3品이었고, 副達魯花赤은 節度使·各道按察副使·副統軍·元帥府監軍·都統領·散府達魯花赤·散府知府·宣慰副使·按撫副使·大都人匠總管·上都副達魯花赤·同知上都留守事 등과 함께 正4品이었다(叡山文庫所藏本, 『事林廣記』別集卷2, 官制類, 官職新制, 外任職員, 宮 紀子 2008年).

270) 이는 다음의 자료를 일부 變改하여 추가하였다.

· 『원고려기사』本文, 世祖, 지원 7년 2월, "十七日, 中書省奏, 高麗王王植奏, 乞朝廷差一人, 植遣二人, 特旨召林衍來朝. 臣等謂彼中方疑, 或不須差人, 俟大軍壓境時, 令東省移文與之".

271) 이날 宋·元에서도 일식이 있었다(『송사』 권52, 지5, 천문5, 日食 ; 『원사』 권7, 본기7, 세조4, 至元 7년 3월 庚子). 이날은 율리우스曆의 1270년 3월 23일이고, 宋과 日本은 中心食帶에서 벗어나 있었기에 관측될 수 없었고, 고려와 몽고에서 관측될 수 있었다고 한다. 또 開京에서 일식 현상이 심했던 시간은 16시 26분, 食分은 0.05이었다(渡邊敏夫 1979年 310面).

272) 이날 宋에서도 월식이 있었다(『송사』 권52, 지5, 천문5, 月食). 이날은 율리우스력의 1270년 4월 7일이고, 월식 현상이 심했던 때의 世界時는 18시 57분, 食分은 1.41이었다(渡邊敏夫 1979年 481面).

273) 朱悅은 1270년(원종11, 庚午) 前半期에 東京副留守[尙書]로 赴任하였고, 이때 嚴守安은 判官[大判]으로 在職하였다고 한다(『동도역세제자기』, 이에서 宋悅은 朱悅의 오자일 것이다). 또 朱悅이 東京에 부임한 것은 그의 열전에서도 확인된다.

· 열전19, 朱悅, "樞密院副使林衍死, 召還爲東京□副留守".

274) 이는 「鄭仁卿政案」에 의거하였다.

辛卯[22日], 東界安集使報, 東女眞寇邊, 擄九十餘人.[275]

[甲午[25日], 怪鳥來鳴. 俗云, '山休足項':五行1轉載].

丁酉[28日], 王至大富城.[276] 頭輦哥使人謂王曰, "堅守林惟幹否". 王曰, "何敢小懈?". 盖疑惟幹亡去也.[277]

五月[庚子朔小盡,壬午], 丙午[7日], 蒙古以脫朶兒爲我國達魯花赤[~~蒙古遣脫朶兒爲我國達魯花赤~~].[278]

[○慈恩寺池水, 赤如血:五行1轉載].

---

275) 이때의 東女眞의 침입으로 인해 德原小都護府(禮州, 現 慶尙北道 盈德郡 寧海邑)가 함락되어 知禮州로 降格되었던 것 같다(尹京鎭 2009년).

- 『양촌집』 권21, 司宰少監朴强傳, "朴强, 寧海府人也, 世爲本府吏, 寧海, 卽古德原都護府, 東女眞入寇, 城陷, 降爲知官, 以所管甫城 歸于福州, 擧邑恥之, 莫得申理. 時强之曾祖成節, 適爲上計吏, 如京, 遂訴于都堂, 聞于內, 陞爲禮州牧, 復還甫城, 鑄州牧印以賜, 至今所用, 卽其印也".

276) 大富城은 大夫城(金의 大夫營)의 다른 표기일 것이다.

277) 이 시기 이후의 사정은 중국 측의 자료에 다음과 같이 서술되어 있으나 ~~添字~~와 같이 고쳐야 옳게 된다.

- 『원사』 권7, 본기7, 세조4, 至元 7년 4월, "□□[是月], 高麗行省遣使來言[~~東京行省報曰~~], 權臣林衍死, 其子惟茂擅襲令公位. □□[~~五月~~], 爲尙書宋宗禮[宋松禮]所殺. 島中民皆出降. □□[~~六月~~], 衍党裴仲孫等復集餘衆, 立禃庶族承化侯爲王, 竄入珍島".
- 『원사』 권208, 열전95, 外夷1, 高麗, "[至元七年]四月, 東京行尙書省軍近西京, 遣徹徹都等同禃之臣鄭子璵等持省箚, 召高麗國令公林衍. 使還, 言, 衍已死, 子惟茂襲令公位. □□[~~五月~~], 其國侍郎洪文係[系]·尙書宋宗禮, 殺惟茂及衍婿崔宗玿[紹]. 惟茂弟惟梱自剄. □□[~~六月~~], 衍党裴仲孫等復集餘衆, 立禃庶族承化侯爲王, 竄入珍島. 大軍次王京西闕城, 遣人收繫林衍妻子. 行省與禃議遷江華島居民於王京, 仍宣詔撫綏之, 禃弗從, 至入居其舊京, 始從行省之議".
- 『원고려기사』本文, 世祖, 지원 7년, "五月六日, 東京行尙書省軍近西京, 遣徹徹都等, 同植之臣鄭子嶼[鄭子璵]等, 特[~~持~~]省箚, 召高麗國令公林衍, 十七日, 使回言, 衍二月二十五日已死, 子惟茂襲令公位. …".
- 『국조문류』 권41, 잡저, 정전총서, 정벌, 高麗, "[至元]七年, 討衍師壓境, 衍已前死, 國人滅其族. 因又設官, 監其國, 無何, 植之族承化公, 以三別抄叛, 又遣將破斬之, 餘黨金通精走耽羅, 尋亦禽誅, 植始歸其王京者居焉. 是後王來, 世子入侍, 寵錫便蕃, 至尙主爲王官, 賜功臣號, 至于今渥澤益. 以加列聖之涵, 濡煦嫗者, 至矣. 匪頒貢, 語在禮典, 玆第書·軍旅之事, 而附以耽羅焉".
- 『국조문류』 권41, 잡저, 정전총서, 정벌, 高麗[注, "[至元]十年[~~七年~~]正月, 討林衍. 二月, 植還國, 設達魯花赤. 五月, 大軍次王京, 衍已前死. 六月, 承化公, 以三別抄軍叛, 據江華島, 劫焚府庫·圖籍, 逃入海中. 行省令乃顔追擊之](四部叢刊本, 여기에서 冒頭의 十年은 七年의 誤字인데 四庫全書本에는 바르게 되어 있다). 四庫全書本에는 達魯花赤이 達嚕噶齊로, 乃顔[Nayan]이 納新으로 각각 改書되어 있다.

278) 脫朶兒는 是年 2월 16일 高麗達魯花赤에 임명되었기에 ~~添字~~와 같이 고쳐야 옳게 될 것이다(→원종 13년 4월 16일 李益의 派遣 記錄).

庚戌[11日], 蒙古中書省 遣諸之豆等七人來, 督林衍赴京.

○王先遣上將軍鄭子璵·大將軍李汾禧來, 諭國中臣僚云, “帝使[東京]行省頭輦哥國王及趙平章[平章政事趙璧]等率兵, 護寡人歸國”. 仍語之曰, “卿歸諭國人, 悉徙舊京, 按堵如舊, 則我軍卽還. 如有拒命者, 不惟其身, 至於妻孥, 悉皆俘擄. 今之出陸, 毋如舊例, 自文武兩班, 至坊里百姓, 皆率婦人小子而出, 又漕運新興倉米一萬石, 以支軍餉及行從之備, 且慮愚民見大兵壓境, 必致驚動, 宜速傳諭, 令諸道民, 安心樂業, 犒迎王師”. 又諭曰, “社稷安危, 在此一擧, 宜各盡心”.

○林惟茂□□[~~悉欲~~]不從, [而恐衆議不合, 令羣僚議之, 皆曰, “君命也, 敢不從”. 惟茂憤怒, 莫知所爲:節要轉載], 分遣□□[~~諸道~~]水路防護使及山城別監,[279] 聚保人民, 以拒命. [又使將軍金文庇, 領夜別抄, 戍喬桐, 以禦王師[~~以防北軍~~]. [林]衍所遣夜別抄, 至慶尙道, 督民入保諸島, 按察使崔簡[~~崔儒~~]與東京副留守朱悅·判官嚴守安謀,[280] 執夜別抄□□[九人], 囚金州, 以待王還. 及聞王入境, 從間道赴行在□[~~所~~]. 全羅道按察使權旵,[281] 忠淸道按察使[·郎將]崔有渰, 見王傳諭[~~帝旨~~], 皆感泣, 卽曉諭州縣[~~州郡~~], 西海道按察使邊亮, 聞王還, 奔詣行在□[~~所~~]. 惟茂聞之, 遣人追之, 不及:節要轉載].[282]

[→及[林]衍子惟茂議拒命, 千遇曰, “王與世子, 引上國兵以來, 閉城而拒, 豈臣子之義乎?雖欲固守, 得乎?” 惟茂大不悅:列傳18兪千遇轉載].

[→[元宗]十一年, 王自元請兵而來, 將復古都. 衍子惟茂欲拒之, 令夜別抄四出, 諭人民入保海島·山城. 別抄九人至金州, [東京判官嚴]守安告按廉崔儒曰, “不可聽權臣之言輕動百姓, 宜執別抄待變”. 儒從之, 囚別抄. 未幾, 惟茂誅, 一方晏然:列傳19嚴守安轉載].

[壬子[13日], 太白犯鎭星:天文2轉載].

癸丑[14日] [甲寅[~~15日~~]:校正],[283] 御史中丞洪文系, [大將軍·]直門下省事宋松禮誅惟茂,[284] 流

279) ~~添字~~는 『고려사절요』 권18 및 열전43, 林衍, 惟茂에 의거하였다. 그중에서 ‘令羣僚議之’는 “使致仕宰樞, 三品以上顯官, 四品以下及臺省, 各以實封議可否”로 달리 기술되어 있다. 또 山城別監은 山城防護別監의 略稱이다.

280) 崔簡은 이해의 春夏番慶尙道按察使 崔儒의 다른 표기 또는 오자로 추측된다(『慶尙道營主題名記』; 열전19, 嚴守安).

281) 權旵(권단)은 열전43, 林衍, 惟茂에 權坦(권탄)으로 되어 있으나 오자일 것이다(盧明鎬 等編 2016년 484面).

282) ~~添字~~는 열전43, 林衍, 惟茂에 의거하였고, 添字 ‘九人’은 열전19, 嚴守安에 의거하였다.

283) 이날의 日辰은 14일(癸丑)이 아니라 15일(甲寅)일 것이다. 곧 是月의 宋曆·日本曆의 朔日이 庚子인 점을 보아 高麗曆도 동일할 가능성이 높다. 또 이 시기의 기사를 보완해 줄 수 있는 『원고

其黨□[守]司空李應烈·樞密院副使□□[~~致仕~~]宋君斐, 罷書房三番及造成色,[285] 朝野大悅.

[→誅林惟茂. 惟茂以童稚, 繼執父權, ~~罔知所裁,~~ 每事決於妻父李應烈與樞副[樞密院副使]致仕宋君斐等, 姊夫御史中丞洪文系及直門下□□[省事]宋松禮, 外雖面從, 心常憤惋. 惟茂將拒命, 中外洶洶. 是日夜, 王遣李汾成, 密諭文系曰, "卿累葉衣冠之後, 當揆義度勢, 以利社稷, 無忝祖父". 文系再拜謂汾成曰, "明日, 待我府門外". ~~文系,~~ 卽謀於松禮, 松禮二子琰及玢,[286] 俱爲衛士長, 松禮·文系集三別抄, 諭以衛社大義, 謀執惟茂. 惟茂聞變, 擁兵以待, 三別抄壞其家東門, 突入亂射, 衆乃潰, 擒惟茂及姊夫大將軍崔宗紹, ~~以蒙古使在館, 恐生他變,~~ 皆斬于市. 流應烈·君斐及族父宋邦乂·李成老·外弟李黃綬等. 惟梱自剄未殊, ~~蒙古使見之, 扼其喉而~~殺之. 乃罷書房三番及成造色[~~造成色~~], 朝野大悅. ~~咸謂更生. 應烈剃髮而逃, 追者獲之至毬庭, 有少年輩數其罪, 爭拳之.~~ 衍妻[~~惟茂母~~]李氏, 性妬險, 惟茂之[凡]拒命殺戮, 多其敎也, 及其敗[敗], 盛服懷珍寶, 欲出, 趙瓚姊妹[妻子], 至門伺之, 捽髮批頰, □[又]里有宿怨者響應[~~爭聚~~], 裂脫其衣, 觀者如堵, 無所逃匿[~~不得匿~~], 遂入芹田, 兒童爭以瓦礫投之, 後幷其子惟幹·惟柜·惟楻等, 執送蒙古:節要轉載].[287]

[→十五日[甲寅], 高麗國侍郎洪文系·尙書宋松禮, 殺惟茂及衍壻崔宗玿[~~崔宗紹~~]:追加].

려기사』의 기사에도 15일로 되어 있다. 또 15일(甲寅)은 율리우스曆으로 1270년 6월 5일(그레고리曆 6월 12일)에 해당한다.

- 「洪奎墓誌銘」, "[林公]構廢立, 謀專執國柄, 作權臣. 時元廟入上國, 受嚴命, 欲移都出陸, 擁兵東還. 林公[林衍]已歿, 而其子惟茂繼, 立圖不軌, 三韓皆謂, 國非其國, 慄慄若□[墜?]. 三[五]月十五日, 公與大將軍宋松禮, □[集?]智勇, 驅堅鋭, 襲其府, 徵惟茂及支黨, 然後, 先於文虎群臣, 出迎行李主業, 由是, 不墜其功烈, 奚啻, 大礪之不忘哉"(『南陽洪氏族譜』所收 ; 金龍善 2006년 434面). 여기에 三月十五日은 五月十五日의 誤字일 것이다.
- 『원고려기사』本文, 世祖, 지원 7년, "五月十五日, 高麗國侍郎洪文系·尙書宋松禮, 殺惟茂及衍壻崔宗玿[~~崔宗紹~~]. 十六日, 惟茂弟惟裍[~~惟梱~~]自剄[元史外夷傳, 惟茂弟惟裍[~~惟梱~~]自剄, 衍黨裴仲孫等, 復集餘衆, 立植庶族承化侯爲王, 竄入珍島".

284) 洪文系(林衍·金鍊의 壻)는 1295년(충렬왕21) 9월 24일 이후에서 1297년(충렬왕23) 10월 2일 사이에 洪奎로 改名하였다(열전19, 洪奎 ; 洪奎墓誌銘).

285) 造成色은 『고려사절요』 권18에는 成造色으로 되어 있는데, 造成色의 다른 표기가 造成都監이므로 오자일 것이다(열전43, 林衍, 惟茂에도 造成色이다. 盧明鎬 等編 2016년 485面).

286) 이때 宋松禮의 次子인 宋玢은 將軍으로 三別抄의 單位部隊[支隊]인 神義軍[神義軍別抄]를 통솔하고 있었던 것 같다(→원종 13년 1월의 末尾 記事).

287) ~~添字~~는 열전43, 林衍, 惟茂에 의거하였는데, 『고려사절요』의 편찬자가 『고려실록』을 縮約, 潤文하면서 字句의 순서를 흩트려 놓고, 세련된 文章의 格을 떨어뜨린 것 같다. 또 林衍의 넷째 아들은 『고려사절요』 권18에서 楻로, 列傳에서 提로 刻字되어 있다. 그리고 이와 같은 기사가 열전19, 洪奎(洪文系의 改名)에도 수록되어 있고, 관련된 기사로 다음이 있다.

- 열전38, 宋玢, "… 礪良縣人, 中贊致仕·貞烈公松禮之子. 松禮之誅林惟茂, 玢爲衛士長與有功".

乙卯[16日], 王次龍泉驛, 中靈驛卒二人, 賫昇天府牒來, 報林惟茂伏誅, 王喜, 賜銀錘等物.

[→十六日[乙卯], 惟茂弟惟裀[惟栅]自剄:追加].[288)]

○是日, [御史]中丞洪文系·將軍宋玢·內園令郭預等與李汾禧, 赴行在. 群臣表賀, 略曰, "逆竪弄權, 方稔滔天之禍, 皇靈假手, 克成衛社之功. 日月復昇, 光啓中興之業, 風雲相契, 蹊脩上覲之儀. 旣結隣懽, 仍淸國憝".

○又遣政堂文學兪千遇·同知樞密院事朴琪·右承宣蔡仁揆等, 迎駕. [是時, 降林衍內鄕, 知義寧郡事官爲淸州牧任內鎭州, 惟茂外鄕, 靖原都護府爲知原州事:地理1鎭州·原州轉載].[289)]

庚申[21日], 流林衍家臣李公烈及家奴等於海島.

[○蒙古軍次王京西闕城, 遣人收繫林衍妻子:追加].[290)]

壬戌[23日], 宰樞會議復都舊京, 榜示晝日, 三別抄有異心, 不從, 擅發府庫.[291)]

[○王與[蒙古]東京行省官議定, 遷江華島居民於王京:追加].[292)]

[○□[是]時, 官府舊物, 皆棄不收, 獨[禮部員外郞李]益培收禮部文籍, 以功遷右司諫:列傳15李益培轉載].

[癸亥[24日], 王與東京行省官累議, 就江華島宣詔, 撫綏士民, 及諭諸疑貳者, 植弗從:追加].[293)]

甲子[25日], [夏至]. 永寧公綧率妻子來謁.

○王遣上將軍鄭子璵, 入江華, 敦諭三別抄.

乙丑[26日], 遣員外郞李仁成[李脅庇], 奉迎太祖眞于江華.[294)]

---

288) 이는 다음의 자료에 의거하였다.

· 『원고려기사』本文, 世祖, 지원 7년 5월, "十六日, 惟茂弟惟裀[惟栅]自剄[注, 元史外夷傳, 惟茂弟惟裀[惟栅]自剄, 衍黨裴仲孫等, 復集餘衆, 立植庶族承化侯爲王, 竄入珍島]". 여기에서 注는 中華民國[民國] 초기에 『元高麗紀事』가 편집될 때 添加된 것이다.

289) 鎭州는 다음의 기사에 의거하였는데, 添字와 같이 고쳐야 옳게 될 것이다.

· 지10, 지리1, 淸州牧, 鎭州, "及衍[惟茂]誅, 還降, 稱今名".

290) 이는 『원고려기사』本文, 世祖, 지원 7년 5월, "二十一日, 大軍次王京西闕城, 遣人收繫林衍妻子"에 의거하였다.

291) 이와 같은 기사가 열전43, 裴仲孫에도 수록되어 있다.

292) 이는 『원고려기사』本文, 世祖, 지원 7년 5월, "二十三日, [東京]行省與植議定, 遷江華島居民於王京"을 추가한 것이다.

293) 이는 『원고려기사』本文, 世祖, 지원 7년 5월, "二十四日, [東京行省]累與植議, 就江華島宣詔, 撫綏士民, 及諭諸疑貳者, 植弗從"을 추가한 것이다.

丙寅[27日], 王還舊京, 御沙坂宮, 妃嬪亦自江華至.[295)]

戊辰[29日晦], [○王始聽從:追加],[296)] 遣將軍金之氐, 入江華, 罷三別抄.

[○初, 崔瑀以國中多盜, 聚勇士, 每夜巡行禁暴, 因名夜別抄. 及盜起諸道, 分遣別抄以捕之, 其軍甚衆, 遂分爲左右. 又以國人, 自蒙古逃還者, 爲一部, 號神義軍, 是爲三別抄. 權臣執柄, 以爲爪牙, 厚其俸祿, 或施私惠, 又籍罪人之財, 而給之. 故權臣頤指氣使, 爭先效力, 金俊之誅崔竩, 林衍之誅金俊, [宋]松禮之誅惟茂, 皆藉其力. 及王復都舊京, 三別抄反懷疑貳, 故罷之:節要·兵1五軍轉載].[297)]

[○[金]之氐取其名籍還, 三別抄恐以名籍聞于上朝, 益有叛心:節要轉載].

[→王遣將軍金之氐, 入江華, 罷三別抄, 取其名籍還. 三別抄恐以名籍聞于蒙古, 益懷反心[叛心]:列傳43裴仲孫轉載].

[○前平章事柳璥·平章事金佺,自江華來謁→6월로 옮겨감].[298)]

六月己巳朔[大盡,癸未], 將軍裴仲孫·~~夜別抄~~指諭盧永禧等, 領三別抄叛, 逼承化侯溫爲王, 署置官府, 以大將軍劉存奕·尙書左丞李信孫爲左·右承宣.[299)]

---

294) 李仁成은 1275년(충렬왕1) 4월에서 1279년(충렬왕5) 2월 29일(丙午) 사이에 李尊庇로 改名하였다(李尊庇墓誌銘).

295) 이날 遷都한 것은 중국 측의 자료에서도 확인된다. 그런데 李穀은 元宗[忠敬王]이 5월 26일 江華에서 開京[松京]으로 遷都[復都]하였다고 하여 1日의 차이가 있다. 또 이때 樞密副使 元傅, 前西北界兵馬判官(推定) 崔瑞가 扈從하였고(元傅墓誌銘 ; 崔瑞墓誌銘), 都知 裴廷芝가 12歲로 참여하여 隊正에 임명되었다.
- 『원고려기사』本文, 世祖, 지원 7년 5월, "二十七日, 植入居其舊京".
- 『가정집』 권1, 節婦曹氏傳, "節婦曹氏, 遂寧縣人也. 至元庚午五月廿六日, 忠敬王, 自江華復都松京. 時將軍洪文系等, 誅權臣誤國者, 用復政于王, …"
- 「裴廷芝墓誌銘」, "至元七年庚午, 國家倉卒遷都, 公年十二, 負紲扈從, 不離銜橛, 以□[功]補隊正".
- 열전21, 裴廷芝, "元宗十一年, 還都舊京, 廷芝年十一[十二], 負紲扈從, 以功補隊正". 이에서 ~~添字~~로 고쳐야 옳게 될 것이다.

296) 이는 『원고려기사』本文, 世祖, 지원 7년 5월, "二十九日, 植始聽從"을 추가한 것이다. 또 聽從은 政務를 執行하는 것을 가리킨다.
- 『國語』 권5, 魯語上, "齊孝公來伐魯, … 君今來討弊邑之罪, 其亦使聽從, 而釋之. …".

297) 지35, 兵1, 五軍에는 字句의 출입이 있고, 이와 관련된 자료에는 三別抄의 構成에 대해 미묘한 차이를 보이고 있다.
- 『櫟翁稗說』前集1, "權臣募驍勇之士, 養以自衛, 曰神義軍, 曰馬別抄, 曰夜別抄, 所謂三別抄".

298) 三別抄의 擧兵은 6월 1일에 이루어졌으므로 이 기사는 6월로 이동하여야 옳게 될 것이다[校正事由].

299) ~~添字~~는 『고려사절요』 권19 및 열전43, 裴仲孫에 의거하였는데, 이때 三別抄軍의 일부는 朝廷

[○遣人於東京行省報, 有先自上國逃來一翼軍, 與高麗兩翼軍叛, 蓋植族承化侯溫, 以三別抄軍叛也:追加].[300)]

[→將軍裴仲孫·夜別抄指諭盧永僖~~盧永禧~~等作亂,[301)] 使人呼於國中曰, "狄兵大至, 殺戮人民, 凡欲輔國者, 皆會毬庭." 須臾, 國人大會, 或有奔走四散, 爭舟渡江, 或沈沒水中, ~~多溺死者~~. 三別抄禁人出入, 巡江大呼曰, "凡~~兩班~~在舟, 不下者, 悉斬之". 聞者皆懼而下. 其或發船, 欲向古開京者, 賊乘小艇, 追射之, 皆不敢動. 城中人驚駭, 散匿林藪, 童稚婦女, 哭聲滿路. □~~賊~~乃發金剛庫兵器, 分給與軍卒, 嬰城固守. 仲孫·永禧領三別抄, 會市廊, 逼承化侯溫爲王, 署置官府, 以大將軍劉存奕·尙書左丞李信孫, 爲左·右承宣:節要轉載].[302)]

[○初, 賊與將軍李白起, 謀作亂, 不應, 乃殺之:節要轉載].

[→初, 賊謀作亂, 將軍李白起不應. 至是, 斬白起及蒙古所遣回回於街中:列傳43裴仲孫轉載].

[○將軍玄文奕逃奔舊京, 賊船四五艘, 翼而追之, 文奕獨射, 飛矢相接, 其妻在側, 抽矢授之, 賊不敢近, 文奕船膠于淺灘, 賊追及之, 射中其臂, 仆於舟中, 妻曰, "吾義不爲鼠輩所辱", 遂携二女, 投江而死. 賊執文奕, 惜其勇不殺. 旣而, 文奕逃還舊京.[303)] ○賊又以直學鄭文鑑, 爲承宣, 使秉政, 文鑑曰, "與其富貴於賊, 無寧潔身於泉下", 卽投水死, 其妻邊氏, ~~見文鑑死~~, 亦投于水. ~~邊氏西海按察使胤之女也~~.[304)] ○參

의 명령에 順應하여 官軍에 편입되었던 것 같다.

· 열전37, 李貞, 金文庇, "… 有金文庇者, 家世單微, 以勇力聞, 爲夜別抄指諭. 忠烈時, 積官至軍簿判書".

· 『가정집』 권1, 節婦曹氏傳, "… 六月初一日, 權臣家兵神衛神義等軍, 擁承化侯, 將圖不軌, 乃驅臣僚·軍士未及渡江者, 航海而南, 舳艫相接".

300) 이는 다음의 자료를 追加한 것이다.

· 『원고려기사』本文, 世祖, 지원 7년, "六月一日, 植遣人報, 有先自天朝逃來一翼軍, 與高麗兩翼軍叛, 蓋植族承化公, 以三別抄軍叛也".

301) 盧永僖는 盧永禧의 오자일 것인데, 이 記事의 後尾에도 後者로 되어 있다(盧明鎬 等編 2016년 485面).

302) 이 기사는 열전43, 裴仲孫에도 수록되어 있으나 자구에 출입이 있다.

303) 玄文奕과 그의 夫人에 관한 기사는 열전34, 烈女, 玄文奕妻에도 수록되어 있다.

· 『역옹패설』前集2, 8張左, "玄文赫玄文奕, 少以善騎射, 爲三別抄首領都領, 率妻子乘小舟, 遁以自歸. 賊追及之, 射貫其臂, 仆於舟中, 妻曰, '義不爲鼠輩所辱', 携其女, 踏水而死. 玄公與子僅免". 여기에서 ~~添字~~와 같이 고쳐야 옳게 될 것이다.

304) 鄭文鑑에 관한 기사는 열전34, 忠義, 鄭文鑑 ; 『역옹패설』前集2에도 수록되어 있는데, ~~添字~~는 이에 의거하였다. 또 鄭文鑑이 띠고 있는 直學은 그가 1260년(원종1) 9월 參知政事 李藏用의

知政事蔡楨·樞密院副使金鍊·都兵馬錄事康之邵,[305] 聞亂逃出橋浦, 賊騎追之, 不及.[306] ○江華守卒, 多亡出陸, 賊度不能守, 乃聚船艦, 悉載公私財貨及子女, 南下, 自仇浦, 至缸破江, 舳艫相接, 無慮千餘艘. ○時百官咸出迎王, 而其妻孥皆爲賊所掠, 慟哭之聲, 振動天地:節要轉載].[307]

[→庚午[2日], 世子諶復報言, 叛兵據江華島, 宜率軍水陸進擊之. 是日, 晩, 王報叛兵悉遁去:追加].[308]

辛未[3日], 剽掠子女財貨, 乘舟南下, 前中書舍人李淑眞·郎將尹吉甫, [~~聚奴隸,~~] 尾擊餘賊於仇浦, [~~斬五人,~~] 至浮落山, 臨海耀兵. 賊[~~望見~~]恟懼, [~~以爲蒙古兵已至,~~] 遂遁.[309]

[→前中書舍人李淑眞·郎將尹吉甫, 聚奴隸, 尾擊餘賊於仇浦, 斬五人, 至浮落山, 臨海耀兵, 賊望見恟懼, 以爲狄兵已至, 遂遁. 淑眞與郎中田文胤等, 封府庫, 使人守之, 故無賴者, 不得肆其姦:節要轉載].[310]

[○世子諶報, 叛兵劫府庫, 燒圖籍, 逃入海中. [東京]行省使人, 覘江華島中, 百姓皆空, 島之東南, 相距四十里, 叛兵乘船候風, 勢欲遁. 於是, 卽命乃顏, 率衆追擊:追加].[311]

癸酉[5日], 頭輦哥國王遣朶剌歹[~~朶剌歹~~], 領兵二千, 入江華. 王恐朶剌歹[~~朶剌歹~~], 以遺民

門下에서 乙科 2人[榜眼]으로 급제한 점을 고려하면, 寶文閣直學士(視從4品)의 略稱으로 추측된다(→원종 1년 9월 4일의 脚注). 그리고 여기에서의 邊胤은 邊亮의 誤字일 가능성이 있는데(→是年 5월 11일), 前者는 是年 9월 7일 上將軍으로 三別抄의 토벌에 참여한 점을 보아 이때 5품의 按察使에 적절한 인물이 아니다. 또 後者는 明年(명종12) 5월 10일 將軍(정4품)으로 在職하고 있음을 보아 이때 西海道按察使에 합당할 것이다.

305) 康之邵는 열전43, 裵仲孫에 康之紹로 되어 있다(盧明鎬 等編 2016년 486面).

306) 蔡楨에 관한 기사는 그의 열전에도 수록되어 있다.

· 열전15, 蔡松年, 楨, "… 三別抄之難, [參知政事蔡]楨留守江都, 聞亂卽馳出, 賊追不及. 謁王于西京, 王慰諭之".

307) 이때 經德齋生 崔峙(尹龜生의 妻인 海州 崔氏의 曾祖父)도 삼별초에 가담하지 않고 물에 빠져 죽었다고 한다(尹龜生妻崔氏墓誌銘).

308) 이는 다음의 자료를 追加한 것이다.

· 『원고려기사』本文, 世祖, 지원 7년 5월, "二日, 世子愖[諶]復報言, 叛兵據江華島, 宜率軍水陸進擊之. 是日晩, 植報叛兵悉遁去".

309) ~~添字~~는 열전43, 裵仲孫에 의거하였다.

310) 이와 같은 기사가 열전43, 裵仲孫에도 수록되어 있으나 자구에 출입이 있다.

311) 이는 다음의 자료를 追加한 것이다.

· 『원고려기사』本文, 世祖, 지원 7년 5월, "三日, 世子愖[諶]報, 叛兵劫府庫, 燒圖籍, 逃入海中. [東京]行省使人覘江華島中, 百姓皆空, 島之東南, 相距四十里, 叛兵乘船候風, 勢欲遁. 於是, 卽命乃顏[宋滿瑚], 率衆追擊".

爲逆黨，而殺掠，請勿入．朶剌歹朶剌歹不聽，遂入，縱兵收掠財物，人心恟恟．

乙亥7日，幸頭輦哥屯所，時初出古京，衣冠未備，王及百官，皆以戎服行，又無官廨，皆張幕以居．

辛巳13日，以知樞密院事?金方慶爲逆賊追討使，［領軍六十餘人，同蒙古宋萬戶等軍一千餘人，追討三別抄，至海中，望見賊船泊靈興島，方慶欲擊之，宋萬戶懼止之，賊乃遁，自賊中逃還者，男女老幼幷千餘人，宋萬戶以爲賊黨，悉虜以歸:a節要轉載］.[312]

［→是年夏，三別抄叛，驅掠人民，航海而南．王遣叅知政事申思佺，爲追討使，又命方慶，領兵六十餘人，與蒙古宋萬戶等兵一千餘人，追討:b列傳17金方慶轉載］．

［→辛巳13日，以參知政事申思佺爲逆賊追討使，又命知樞密院事?金方慶，領軍六十餘人，同蒙古宋萬戶等軍一千餘人，追討．至海中，望見賊船泊唐城郡靈興島，方慶欲擊之，宋萬戶懼止之，賊乃遁，自賊中逃還者，男女老幼幷千餘人，宋萬戶以爲賊黨，悉虜以歸:c校正］．

［壬午14日，以神虎衛保勝第二領攝別將鄭仁卿爲牽龍行首:追加］.[313]

［是月，遣使如蒙古，報曰，"將軍裴仲孫·指諭盧永禧等，領三別抄叛，逼承化侯溫爲王":追加］.[314]

［□□□是月頃:追加］ 前平章事門下侍郞同中書門下平章事柳璥·中書侍郞?平章事金佺，自江華來謁←5월에서 옮겨옴］．

［→三別抄之亂，璥在江華，挈家舟還古京，沒于賊．璥載妻子于小舸，財寶于大船．與賊共處久之，璥佯嘔若中熱，請就凉小舸，賊許之，璥斷纜而去，賊追不及．王聞璥陷賊，恐以爲謀主，璥徒步謁王，王大喜厚奬，復拜門下侍郞平章事·判兵部事:列傳18柳璥轉載］．

［○三別抄之亂，內侍·直翰林院安珦陷賊，賊素聞名，將用之，誘且脅令曰，"縱安翰林者罰．珦以計得脫"．王義之，嘉賞:列傳18安珦轉載］．

---

312) 이 記事를 金方慶列傳의 기사를 비교해 보면, 이때 追討使에 임명된 인물은 申思佺이고, 金方慶은 그를 보좌하는 위치에 있었던 것 같다. 그러므로 13일(辛巳)의 a, b 기사는 c와 같이 校正되어야 할 것이다[校正事由].

313) 이는 「鄭仁卿政案」에 의거하였다.

314) 이는 다음의 자료에 의거하였다.

· 『원사』 권208, 열전95, 外夷1, 高麗, "至元七年六月，禃遣人報有朝廷逃軍與承化侯者，以三別抄軍叛．世子愖諶復言，叛兵據江華島，宜率軍水陸進擊之．禃復報叛兵悉遁去．世子愖諶言，叛兵劫府庫，燒圖籍，逃入海中．東京行省使人覘江華島中百姓皆空，島之東南，相距約四十里，叛兵乘船俟風，勢欲遁．於是，即命乃顏宋滿瑚率衆追擊之".

[○三別抄之叛, 都兵馬錄事李承休陷賊中, 脫走王所, 元宗大悅. 承休因獻策曰, "待賊半過窄梁, 遣精銳橫斷賊船, 堅守江都, 則前者勢孤, 後者失據, 前後不相應, 賊可以破". 王令兩府議, 依違不行. 時軍須不給, 內外橫斂, 營繕大興, 民甚苦之, 承休上書, 極言其弊:列傳19李承休轉載].

[○金之淑, 元宗朝爲將軍. 三別抄之亂, 陷賊中, 無計得脫, 自投海, 隨波出沒. 賊以小艇, 追及取之, 至珍島, 將斬以徇. 承化侯溫救解之, 使當一面, 之淑密以賊狀, 再達于官軍. 及珍島敗, 王嘉其忠義, 賞以官:列傳21金之淑轉載].

[是月, 此亂中, 十員殿監主·禪師心鑑, 奮不顧身, 移安闕內佛牙, 達於開京. 上甚喜, 褒賞其功, 移授名刹:追加].315)

秋七月己亥朔小盡,甲申, 頭輦哥命上將軍徐均漢·秘書丞藩阜·監察御史金光就等, 發江華倉, 賜群臣·百姓.

辛亥13日, 頭輦哥遣管領歸附高麗軍民摠管洪茶丘, 巡視全羅·慶尙·東界三道.316)

[丙辰18日, 以鄭仁卿爲神虎衛保勝左府第一馬軍攝別將:追加].317)

丙寅28日, 幸白州, 宴頭輦哥.

[某日, 以李叔貞李淑眞爲慶尙道按察使:慶尙道營主題名記].318)

[是月戊午20日, 蒙古右丞相安童等言奏, 頭輦哥等遣大托·忙古解來言, 令阿海領軍一千五百, 屯王京伺察其國中. 遂以阿海爲安撫使:追加].319)

八月戊辰朔大盡,乙酉, 遣世子諶如蒙古,320) 上表, 奏裴仲孫叛狀, 且賀節日, 樞密

---

315) 이는 다음의 자료에 의거한 것으로 1236년(고종23) 4월 是月條의 脚注에 연결된 것이다.
· 『삼국유사』 권3, 塔像第4, 前後所將舍利, "… 又至庚午元宗11年, 出都之亂, 顚沛之甚, 過於壬辰高宗19年, 十員殿監主·禪師心鑑, 亡身佩持, 獲免於賊難. 達於大內, 大賞其功, 移授名刹, 今住氷山寺, 是亦親聞於彼".

316) 洪茶丘(Chaqu, 洪福源의 長子)는 1263년(元宗4) 3월 管領歸附高麗軍民總管에 임명되었으므로 이때 管軍總管(從4品)으로 고려에 파견되었을 것이다.

317) 이는 「鄭仁卿政案」에 의거하였다.

318) 李叔貞은 李淑眞의 오자로 추측된다.

319) 이는 다음의 자료에 의거하였다.
· 『원사』 권208, 열전95, 外夷1, 高麗, "至元七年七月, □右丞相安童等言, 頭輦哥等遣大托·忙古解來言, 令阿海領軍一千五百, 屯王京伺察其國中. 遂以阿海爲安撫使".
· 『원고려기사』本文, 世祖, 지원 7년, "七月二十日, □右丞相安童等奉奏, 頭輦哥等, 遣大託·忙古解來言, 令阿海, 領軍一千五百, 屯王京, 伺察其國中. 遂以阿海爲安撫使".

院副使元傅·上將軍宋松禮·御史中丞洪文系, 從行.

○又奏云, "年前, 小邦西北面摠管幕下吏崔坦, 殺西京分臺御史·監倉使·留守官及屬縣守令等, 遂脅西北鄙諸城, 以樹其黨, 卽詣帝所, 飾辭妄訴. 意欲分疆自異, 幸災橫行, 其罪惡, 天地所不容. 又西北之人, 元在王京者, 今乃捉拏將去, 何悖逆如之. 小邦專賴皇帝威靈, 旣克掃除權臣, 禀承詔旨, 復出古都, 則此誠洒刷舊汚, 一新心力, 永世供職之秋也. 而此褊小土地, 又割西京以北諸城, 別作疆界, 則臣之所與修職貢者, 幾何人哉. 昔三叛人入魯,[321] 春秋譏之. 伏惟聖慈, 歸我舊境". 不報.

甲戌[7日], 樞密院副使致仕宋義, 與其甥將軍尹秀, 叛入蒙古. [初, 義以隊正, 隨使如蒙古, 知欲加兵於我, 逃還以告, □得遷都江華, 以功驟至樞副樞密院副使. 至是, 復都舊京, 義懼蒙古詰前事, 秀亦懼追究趙璥見殺之, 故相與謀, 挈家投頭輦哥, 以叛:節要轉載].[322]

戊寅[11日], 頭輦哥使人, 焚江華城內民家. 凡米穀·財貨被燒者, 不可勝數.

丙戌[19日], 三別抄入據珍島, 侵掠州郡, 矯帝旨, 令全羅道按察使, 督民收穫, 徙居海島.[323]

[□□~~是月~~, 及三別抄叛據珍島, 傳檄州縣, 令民皆入珍島. 又聲言, 囚別抄者, 罪之. 金州守李柱懼而逃, 東京判官嚴守安權知州事, 慰安民心:列傳19嚴守安轉載].

[□□□~~是月頃~~, 樞密院副使致仕宋義□~~之~~子和. 義之叛入也, 和泣諫不聽. 至中路逃歸, 義告頭輦哥, 追還之. 和少習騎馬擊毬, 弄杖妙絶古今. 帝甚歎賞, 謂左右曰, "若非神助, 則是幻術". 康守衡曰, "致高麗入都江華, 抗拒王師, 義之所爲也. 今高麗出陸, 義懼罪來耳". 由是, 義貧困失所, 和益怨其父, 請帝挈妻東還. 元宗喜, 擢爲御牽龍行首. 至中禁指諭, 以其母賤, 限職三品:列傳37宋和轉載].

---

320) 世子 諶은 8월 13일(庚辰) 蒙古에 도착하여 賀禮를 드렸다.
· 『원사』 권7, 본기7, 세조4, 至元 7년 8월 庚辰, "高麗世子王愖諶來, 賀聖誕節".

321) 三叛人은 邾의 庶其, 莒의 牟夷, 邾의 黑肱을 가리킨다(『춘추좌씨전』傳, 昭公 31년 11월).

322) 이 기사는 열전37, 嬖幸2, 尹秀에도 수록되어 있다.

323) 三別抄軍이 珍島에 자리를 잡은 후의 治所는 陸·海上으로 交通의 關門인 碧波亭에서 가까운 龍藏城 지역(以前의 龍藏寺, 現 全羅南道 珍島郡 郡內面 龍藏里 106, 史蹟 第126號)으로 추측되고 있다(『신증동국여지승람』 권37, 珍島, 古跡 龍藏城 ; 裵象鉉 2005년). 또 三別抄가 진도의 龍藏城에 入城한 것은 8월 19일이 아니라 6月 下旬 무렵이고, 그 이전에 이미 江華京[江都]에 이어 제2의 遷都地로서 諸般施設이 준비되어 있었던 것 같다고 한다(尹龍爀 2000년 197面·2015년 102面 ; 崔盛樂 2012년).

九月[戊戌朔大盡,丙戌], 己亥[2日], 全羅道討賊使·參知政事申思佺, 不以討賊爲意, 或問其故, 對曰, “我已爲宰相, 破賊成功, 復何爲哉”. 至羅州, 聞賊出陸, 奔還于京. 全州副使李彬亦棄城逃, 皆坐免.[324)]

辛丑[4日], 將軍楊東茂·高汝霖等, 以舟師, 討珍島.

○賊入長興府, 殺京卒二十餘人, 擒都領尹萬藏, 剽掠財穀. 王遣使安撫.

甲辰[7日], 以[知樞密院事?]金方慶爲全羅道追討使, 與蒙古元帥阿海, 以兵一千, 討珍島. [時賊勢甚熾, 州郡望風迎降, 賊將至羅州, 副使朴琈等首鼠未決, 州□[士]戶長鄭之呂, 慨然曰, “如不能, 登城固守, 寧避兵於山谷, 何面目爲州首吏, 而背國從賊乎?”. 司錄金應德, 性本勇敢, 聞其言, 乃奮然決意守城, [牒州及領內諸縣,] 入保錦城山, 插棘爲柵, 率勵軍卒. 及賊圍攻, [士卒皆]裹瘡死守, 賊攻城凡七晝夜, 竟不得拔. 州人金敍·鄭元器·鄭允等來, 聞于王, 王嘉之, 賜應德七品, 敍等攝伍尉, 又賜米穀[各十五石]. ○賊, 初圍羅州, 分兵攻全州, 羅人與全□[州]議降, 全人亦猶豫. 方慶在途聞之, 棄軍倍日南行, 先牒全□[州]曰, “某日, 當率一萬軍入州, 速備軍餉以待”. 全□[州]以牒示羅□[州], 賊聞之, 遂解圍去, 自是, 不復肆掠諸州. 方慶劾奏討賊使·上將軍邊胤, 將軍曹子一·孔愉, 見賊攻錦城, 不救, 請流于島. 王宥之, 止削職. 愉, 以交結宦官, 得免:節要轉載].[325)]

丙午[9日], 宰樞宴達魯花赤脫朶兒.

戊午[21日], 達魯花赤[脫朶兒]入江華, 巡審虛實.

癸亥[26日], 設藏經道場于本闕, 王始備法駕, 然侍從甚少, 褺官未具, 文武官多有步行者.

[丙寅[29日], 熒惑·鎭星犯軒轅:天文2轉載].

[○以金晅爲金州副使:追加].[326)]

冬十月戊辰□[朔小盡,丁亥], 設百座道場于本闕.[327)]

[甲戌[7日], 雷:五行1雷震轉載].

---

324) 이와 같은 기사가 열전17, 金方慶에도 수록되어 있다.

325) 朴琈는 그의 壻인 崔瑞의 墓誌銘에 의하면 密直副使·軍簿判書·上將軍에 이르렀다고 한다. 또 金應德과 金方慶에 관한 기사는 열전16, 金應德과 열전17, 金方慶에도 수록되어 있다.

326) 이는 「金晅墓誌銘」에 의거하였다.

327) 戊辰에 朔이 탈락되었다.

乙亥[8日], 以復都舊京, 宥二罪以下.

[戊寅[11日], 太白入大微[~~太微~~]左執法. 流星出郎位, 入大微[~~太微~~]上相:天文2轉載].

[己丑[22日], 太白·歲星入氐:天文2轉載].

[□□□[~~是月頃~~], [金]方慶與阿海, 屯三堅院[~~三岐院~~], 對珍島而陣. 賊於所掠船艦, 皆畫怪獸, 蔽江照水, 動轉如飛, 勢不能當. 每戰, 賊軍先鼓譟突進, 互勝負, 曠日相持:列傳17金方慶轉載].328)

十一月 [丁酉朔[大盡, 丁亥], 太白犯亢:天文2轉載].329)

[某日, 潘南人洪贊等, 自賊中逃還曰, "[知樞密院事?]金方慶·孔愉等, 陰與賊通". [蒙古元帥]阿海信其言, 報達魯花赤[脫朶兒], 達魯花赤召還方慶, 與洪贊對辨, 以參知政事蔡楨代之. 阿海縶方慶, 送于京, 見者皆泣. 與贊對辨, 贊伏誣罔, 乃釋方慶:節要轉載].

[→會潘南人洪贊·洪機, 讒于阿海曰, "方慶·孔愉等, 陰與賊相通". 阿海執而囚之, 移牒達魯花赤. 達魯花赤令方慶還, 與贊等對辨, 以參知政事蔡楨代之. 阿海鏁方慶, 令卒五十人, 押送于京, 見者皆寃, 以至悲泣. 達魯花赤言於王曰, "贊等所言誣妄, 宜繫牢獄. 釋方慶":列傳17金方慶轉載].

[某日, 科歛[斂]百官紬絹, 給軍卒:節要轉載].

[→命宗室·百官, 出紬絹有差, 以供軍衣:食貨2科歛轉載].

己亥[3日], 賊陷濟州.

[→初, [全羅道]按察使權晅,330) 遣~~靈巖副使~~[靈光副使]金須, 以兵二百守濟州, 又遣將軍高汝霖, 以兵七十繼之. 及賊攻濟州, 須·汝霖等, 力戰死之. ○羅州人陳子和, 直

---

328) 三堅院은 海南縣의 三歧院(後日의 三枝院, 現 全羅南道 海南郡 黃山面 玉洞里 三歧院→희종 3년 是年의 脚注)의 오자일 가능성이 있다. 이곳은 珍島縣의 碧波亭(碧波津, 현 珍島郡 古郡面 碧波里)과 마주보는 곳에 위치한다고 하며(金明鎭 2019년), 丁酉再亂 때인 1597년(선조30) 9월 7일(甲午, 日本曆 6일, 그레고리우스曆 10월 16일)에 忠武公 李舜臣이 토도 타카토라[藤堂高虎]가 이끈 대규모의 倭軍과 격렬한 戰鬪를 벌였던 戰場[鏖兵處]이었다고 한다[鳴梁海戰].

· 『신증동국여지승람』 권37, 海南縣, 驛院, "三歧院, 在縣西六十里".

· 『石川詩集』 권3, 吾邑之西, 地盡之頭, 有亭, 名碧波, 臨巨海之洶湧, 實海山之奇絶處也.

· 『梅泉集』 권2, 碧波津[注, 卽李忠武, 鏖兵處].

329) 이해의 閏月은 宋曆은 10월, 蒙古曆과 高麗曆은 11월, 日本曆은 9월이었기에, 高麗曆의 11월 朔日은 宋曆 閏10월의 朔日인 丁酉와 같다.

330) 權晅은 이해의 春夏番全羅道按察使였는데(→원종 11년 5월 11일 以後), 秋冬番도 連任[仍番]하였을 가능성이 있다.

入賊中, 斬其將郭延壽以出, 又入亦如之, 士卒喜躍, 旣而復入, 爲賊所害, 賊乘勝盡殺官軍:節要轉載].[331)]

[壬寅[6日], 熒惑犯大微[太微]右藩上相:天文2轉載].

[己未[23日], 歲星與太白同舍, 又太白入大微[太微]:天文2轉載].

[是月丁巳[21日], 蒙古設置鳳州等處屯田經略司:追加].[332)]

閏[十一]月[于卯朔小盡,戊子],[333)] [戊辰[2日], 太星犯房:天文2轉載].

---

331) 이와 관련된 기사로 다음이 있다.

· 열전16, 金應德, "陳子和, 亦羅州人也, 長身驍勇. 按察使權呾, 遣靈巖副使[靈光副使]金須, 以兵二百, 守濟州, 又使將軍高汝霖, 率兵七十繼之. 子和時年十九, 亦從軍. 及賊攻濟州, 須·汝霖等, 力戰死之, 子和直入賊中, 斬其將郭延壽以出, 又入, 又如之, 士卒喜躍. 旣而復入, 爲賊所害, 賊乘勝盡殺官軍, 遂陷濟州".

· 『졸고천백』 권1, 金台鉉墓誌銘, "公諱台鉉, 字不器, … 父監察御史諱須, … 至元己巳[元宗10年], 自御史出知靈光郡. 明年, 三別抄叛, 掠江都人物, 舟而南下, 志在先據耽羅. 本國遣將軍高汝霖追討, 又牒下全羅道, 選正官雅[選定官衙]爲人所信服者領軍偕進. 侍中[金須]當其選, 不宿家遂行抄軍, 亟會汝霖于耽羅, 則賊猶保珍島未至. 於是晝夜築堡設械, 謀斷來道, 使無得入. 而守土者首鼠不爲力, 賊由他道至, 不覺. 侍中素以大義勵士卒, 人多感激, 有百其勇, 奮呼爭登, 殺賊先鋒殆盡. 然而土人資敵, 衆寡不侔, 竟與高將軍[高汝霖]歿陣不還, 人冤之至今". 여기에서 添字와 같이 고쳐야 옳게 될 것이다.

· 『신증동국여지승람』 권38, 濟州牧, 古跡, "東濟院, 在州東九里. 有遺址, 卽李文京陳兵處 … 松淡川, 在州東十三里. [三別抄都領?]李文京縱兵焚掠, 高汝林[高汝霖]等逆戰於此不克. 文京盡殺官軍, 據朝天浦".

332) 이는 다음의 자료에 의거하였는데, 이들 자료에서 金州는 鳳州의 잘못일 것이다.

· 『원사』 권7, 본기7, 세조4, 至元 7년 11월, "丁巳, 敕益兵二千, 合前所發軍爲六千, 屯田高麗. 以忻都及前左壁總帥史樞並爲高麗金州[鳳州]等處經略使, 佩虎符, 領屯田事. 仍詔諭高麗國王立侍儀司".

· 『원사』 권100, 지48, 병3, 屯田, 高麗國立屯, "高麗屯田, 世祖至元七年創立. 是時東征日本, 欲積糧餉, 爲進取之計, 遂以王綧·洪茶丘所管高麗戶二千人, 及發中衛軍二千人, 合婆娑府·咸平府軍各一千人, 於王京·東寧府·鳳州等一十處, 置立屯田, 設經略司以領其事, 每屯用軍五百人".

· 『원사』 권159, 열전46, 趙良弼, "至元七年, 以趙良弼爲經略使, 領高麗屯田, 良弼言屯田不便, 固辭. 遂以良弼奉使日本".

· 『원사』 권208, 열전95, 外夷1, 高麗, "[至元七年]十一月, 中書省臣言於高麗設置屯田經略司. 以忻都·史樞爲鳳州等處經略使, 佩虎符, 領軍五千屯田于金州[鳳州]. 又令洪茶丘以舊領民二千屯田, 阿剌帖木兒爲副經略司, 總轄之, 而罷阿海軍".

· 『원고려기사』本文, 世祖, 지원 7년, "十一月二十五日, 中書省奏, 於高麗設置屯田經略司, 以忻都·史樞, 爲鳳州等處經略使, 領軍五千, 屯田於金州[鳳州]. 又令洪茶邱[丘]以舊領民二千屯田, 阿剌帖木兒爲副經略司, 總轄之. 而罷阿海軍".

333) 이달[是月]은 宋曆은 11월 丙寅朔이고, 蒙古歷과 高麗曆은 閏 11월 丁卯朔이다.

[某日, 王請達魯花赤[脫朶兒], 復遣金方慶, 討賊:節要轉載].

[某日, 令百官, 出米有差, 以助軍餉:節要·兵2屯田轉載].

乙酉[19日], 達魯花赤[脫朶兒]請婚良家, 從之.

[庚寅[24日], 月與歲星同舍:天文2轉載].

是月, 萬戶高乙麻領兵二百, 戍南方, 以備三別抄.[334)]

○遣~~國子司業~~朴恒·~~郎將~~崔有渰如蒙古,[335)] 賀正, 且奏曰, "小邦承皇帝詔旨, 已復都舊京, 招集殘民, 勵心供職. 今愚民之避役者, 犯罪而逋逃者, 公私奴婢之欲免賤者, 相率往托留屯兵馬及西京, 肆意橫行, 乃至引誘平民, 日益繁蔓. 若此不禁, 則其與修職貢者, 有幾. 伏望聖慈, 一皆推刷還之, 使萬世永永服勤".

十二月 [丙申朔[小盡,己丑], 有物墮地, 聲如雷, 光如電:五行1雷震轉載].

[己亥[4日], 木稼:五行2轉載].

[甲辰[9日], 月入畢星:天文2轉載].

庚戌[15日], 罷[門下侍郞]平章事柳璥, 流政堂文學兪千遇于仁勿島. [初, 螺匠木同, 認良民爲隷, 賣與達魯花赤[脫朶兒]. 宰樞請治其罪, 王不聽, 璥·千遇牒有司, 免隷爲民. 達魯花赤[脫朶兒]憾而告王, 王亦怒其擅斷, 罪之:節要轉載].

[→螺匠木同, 認良民爲隷, 賣與達魯花赤, 宰樞請治其罪, 王不聽. 璥與政堂文學兪千遇, 牒有司, 免隷爲民, 達魯花赤憾而告王. 王亦怒其擅斷, 罷璥流千遇:列傳18柳璥轉載].

乙卯[20日], 世子諶與蒙古斷事官不花·孟祺等來,[336)] 王出迎于郊, 詔曰, "頃承世

---

334) 이 기사는 지36, 兵2, 鎭戍에도 수록되어 있으나 冒頭에 閏字가 탈락되었다. 또 耽羅 출신으로 추측되는 高乙麻(高乙麽)의 軍官職이 萬戶로 되어 있음을 보아 그는 몽골제국의 將帥로서 고려에 파견되어 와 있었던 것 같다(→원종 12월 5월 15일).

335) ~~添字~~는 『고려사절요』 권18과 『원사』에 의거하였다. 또 이들 사신은 明年 正旦에 世祖에게 賀禮를 올렸다.

· 『원사』 권7, 본기7, 세조4, 至元 8년, "春正月乙丑朔, 高麗國王王禃, 遣其秘書監朴恒·郎將崔有渰來賀, 兼奉歲貢".

336) 世子 諶은 閏11월 1일(丁卯) 蒙古에서 출발하였다. 또 世子와 함께 온 斷事官은 蒙古語로 札魯忽·札魯忽赤·札魯花赤·札魯火赤으로도 기록된 執政官, 政務官을 가리킨다(藤野 彪·牧野修二 2012年 141面).

· 『원사』 권7, 본기7, 세조4, 至元 7년, 윤11월, "閏月丁卯朔, 高麗世子王愖[諶]還, 賜王禃至元八年曆".

· 『원사』 권160, 열전47, 孟祺, "至元七年, 持節使高麗, 還, 稱旨, 授承事郞·山東東西道勸農副使".

嫡，來展壽儀，雖歲事之有常，見敬心之無替．宜申寵錫，用答勤誠，今賜卿西錦一叚[段]及曆日”．

○又詔曰，“陪臣元傅等奏陳，頭輦哥國王行省官等，擾害數事，今使對辨，皆是不實．復言，非卿親所聞見，得之他人，此殆非出卿意，若輩小人所爲．曩者，卿嘗謂朕，毋聽小人之言．朕諭之曰，‘朕於小人之言，或曾誤聽，第朕不自知，卿愼勿聽也’．自今觀之，卿亦聽小人之言，寧非顯然．若輩小人，又陳說前代故事，曁祖宗法度，雖有前代故事，或卿祖宗法度，豈無善與不善．當擇其善者從之，其不善者改之，可也．朕於卿，豈肯用不善之心，若欲用不善之心，當在去年矣．如前年，有人言，高麗與南宋·日本交通，嘗以問卿，卿惑於小人之言，以無有爲對．今年，却有南宋商船來，卿私地發遣，迨行省致詰，始言不令行省知會，是爲過錯．又見有將到日本國歸附高麗人說，往者，日本歲貢高麗．又前年，卿承當括兵造船，至今未見成效，托於林衍擅權，事非由己．朕若此後，再用小人，卿寧復指以爲辭．卿國雖小，卿亦是一國之王，黜陟威福，或是或非，當自己出．如專任不善之人，則不善之事，止及卿身．天道悠遠，事之未來者，人孰預知，就人事論之，若輩小人，於卿，猶擅廢立，況於卿子孫，豈肯盡心輔佐．朕與卿，旣爲一家，籍我國家之力，以威遠人．自玆以往，或南宋或日本，若有事，則兵馬戰艦資粮，宜早措置．儻依前託辭，以營辨爲難，則爭效成功之人，甚衆，卿其思之”．337)

· 『원사』 권208, 열전95, 外夷1, 高麗，“[至元七年]閏十一月，世子愖[諶]還．有詔諭禃以其陪臣元傅等妄奏頭輦哥國王爲頭行省官員數事，及其國私與南宋·日本交通，又往年所言括兵造船，至今未有成效，且謂自此以往或先有事南宋，或先有事日本，兵馬·船艦·資糧，早宜措置”．

337) 이 詔書는 중국 측의 자료에도 수록되어 있는데, 윤11월에 하사된 것으로 原形에 가까울 것이다.

· 『원고려기사』本文，世祖，지원 7년，“閏十一月，下詔，諭王植曰，上天眷命皇帝聖旨，諭高麗國王王植，據陪臣元傅等奏陳，頭輦哥國王爲頭行省官員數事，及今明辯，俱是妄說．復謂非親聞親見，蓋得之於他人．此殆非卿意，皆若輩小人所爲．曩者，卿嘗謂朕，毋聽小人之言，朕特諭卿，朕於小人之言，或曾誤聽，第朕不自知，卿愼勿聽也．自今觀之，卿廳小人之事，寧非顯然．若輩小人又陳設前代故事，曁祖宗法度，雖有前代故事，或卿祖宗法度，其中豈無善與不善，當擇其善者而從之，其不善者，而改之可也．朕於卿豈用不善之心，若欲用不善之心，當在前年去年矣．至於前年，有人言，高麗與南宋·日本，往來交通．嘗以問卿，卿惑於小人之言，以無有爲對．今歲却南宋船來，卿私地發遣，迨行省至詰，始言不令行省知會，是爲過錯．又見有將到日本國歸附高麗之人，說往者日本歲貢高麗．又前年卿承當括兵造船，至今未有成效，託以林衍擅權，事非由己．脫[朕]若此後再用小人，卿寧復欲指以爲辭．卿國小，卿是一國之主，黜陟威福，或是與非，當自己出，如專任不善之人行，爲不善之事，止及卿身．若夫天道悠遠，事之未來者，人孰預知．就人事論之，若輩小人於卿，猶擅廢立 況已後於卿子孫，豈肯盡心輔佐．朕與卿既爲一家，可,乘此,時藉國家之力，以威遠人，自玆以往，或先有事南宋，或先有事日本，若兵馬·船艦·資粮，宜早措置．儻依前託辭，以營辦爲難，先自效願赴事功之人甚衆，卿其審思之”．

○時元傅等奏陳, [東京]行省當我國出排時, 多所侵割之事, 帝使對辨, 傅等屈. 又出排後, 宋商船來泊, 國家密使遣還, 行省知之, 故有此詔.

○又詔曰, "頃以林衍叛逆, 乃命將出師, 撫定爾國. 今罪人殲滅, 卿宜奠居舊京~~卿以奠居古京~~, 東方無事矣. 然念罹茲變故, 東土之人, 不無驚擾, 自玆以[已]往, 卿其保全生聚, 諭以朕意, 毋或妄生猜釁, 各安其業~~俾各安生業, 毋或妄生猜釁~~"[338].

○又詔曰, "近以高麗權臣構亂, 乃遣兵東下, 唯林衍是問. 不意脅從詿誤之人, 妄自疑懼, 往往逋竄未出, 或逃往他境, 因爲叛逆. 朕之素心, 務在輯寧爾邦, 詔諭之後, 有能自新, 復歸本國, 其已往之愆, 咸當矜釋. 其中, 雖有早曾背主, 逃匿爾國中者, 亦令安業爲民, 不許各主認識, 如或不爾, 雖悔可追".

○王遣員外郞朴天澍, 持帝詔, 往諭三別抄.

[○以鄭仁卿爲神虎衛保勝左府第一馬軍別將:追加].[339]

丁巳[22日], 金方慶與賊戰于珍島, 阿海怯懦不戰. 賊圍方慶, 將軍楊東茂救之, 賊解圍去.

[→金方慶至珍島, 賊皆乘船, 盛張旗幟, 鉦鼓沸海. 又於城上, 鼓噪大呼, 以助聲勢, 阿海怯戰, 下船而幕. 又令退屯羅州, 方慶曰, "元帥若退, 是示弱也, 而賊乘勝長驅, 誰敢當其鋒, 帝若責問, 將何以對". 阿海不敢退, 方慶獨率師攻之, 賊以戰艦逆擊之, 官軍皆走, 方慶曰, "決勝在今日", 突入賊中. 賊以船圍之, 驅迫以去, 方慶船, 矢石俱盡, 又士皆中矢, 不能起, 已薄珍島岸. 有賊卒, 露刃跳入船中, 金天祿以短矛逆刺之, 方慶起曰, "寧葬魚腹, 安能死賊手", 欲投海中. 衛士許松延·許萬之, 挽止之, 人皆殊死戰, 方慶據胡床, 指揮軍士, 將軍楊東茂, 以蒙衝擊救

---

338) 이 詔書는 중국 측의 자료에도 수록되어 있는데, 윤11월에 하사된 것으로 原形에 가까울 것이다. 또 ~~添字~~는『익재난고』권9상, 忠憲王世家에서 달리 표기된 것이다.

· 『원사』 권208, 열전95, 外夷1, 高麗, "[至元七年]閏十一月, … 是月, 又詔禃曰, '曏嘗遣信使通問日本, 不謂執迷, 固難以善言開諭, 此卿所知. 將經略於彼, 敕有司發卒屯田, 爲進取之計, 庶免爾國他日轉輸之勞. 仍遣使持書, 先示招懷. 卿其悉心盡慮, 俾贊方略, 期於有成, 以称朕意'. ○初, 林衍之變, 百姓驚擾, 至是下詔撫慰之".

· 『원고려기사』本文, 世祖, 지원 7년 윤11월, "是月, 又詔植曰, '嚮嘗遣信使通問日本, 不謂執迷, 固難以善言開諭, 此卿所知, 將經略於彼, 勅有司發卒屯田, 爲進取之計, 庶免爾他日轉輸之勞, 仍護遣使持書, 先示招懷. 卿其悉心盡慮, 裨贊方略, 期於有成, 以稱朕意'. ○初, 林衍之變, 百姓驚擾. 至是, 下詔撫慰之曰, 諭高麗王王植, 頃以林衍叛逆, 乃命將出師, 撫定爾國, 罪人殲滅. 卿已奠居故京, 東方無復事矣. 然念罹衆變故, 東土之人, 無不驚擾, 自玆以往, 卿其保全生聚, 諭以朕意, 俾生業, 毋或妄生猜釁".

339) 이는「鄭仁卿政案」에 의거하였다.

之,[340] 賊乃解去, 遂潰圍而出. 方慶數將軍安世貞·孔愉等, 不赴救之罪, 欲斬之, 阿海止之, 乃免:節要轉載].[341]

[某日, 以金方慶爲守司徒·參知政事, 洪文系爲右副承宣:追加].[342]

[是月丙申朔, 蒙古命陝西等路宣撫使趙良弼爲秘書監, 充國信使, 使日本:追加].[343]

---

340) 蒙衝[蒙衝船]에 대한 설명으로 다음이 있다.

- 『釋名』 권7. 釋船第25, "… 外狹而長曰蒙衝, 以衝突敵船也".
- 『자치통감』 권244, 唐紀60, 文宗泰和 5년(831), "秋八月戊寅[13日], 以陝虢觀察使崔郾爲鄂岳觀察使. 鄂岳地囊山帶江, 巴·蜀·荊·漢之會, 土多群盜, 剽行舟, 無老幼必殺乃已. 郾至, 訓卒治兵, 作蒙衝追討[胡三省注, 蒙衝, 戰船也], 歲中, 悉誅之".

341) 이와 같은 기사가 열전17, 金方慶에도 수록되어 있으나 字句에 출입이 있다.

342) 이는 「金方慶行狀」; 「洪奎墓誌銘」에 의거하였다. 그중에서 「金方慶行狀」은 김방경이 서거한 50년 후인 1350년(충정왕2) 2월 僉議參理 安震이 찬한 것으로서, 열전17, 金方慶의 底本이 되었을 것으로 추측된다(『安東金氏大同譜』, 1979년 所收 ; 張東翼 2013년b). 그리고 洪文系의 승진은 세조 쿠빌라이의 意思가 반영되었던 것 같다.

- 열전19, 洪奎, "[御史中丞洪文系]從世子如元, 帝賜錦袍鞍馬, 以旌其功, 令授本國一品職. 於是, 拜左副承宣".

343) 이는 다음의 자료에 의거하였다.

- 『원사』 권7, 본기7, 세조4, 至元 7년 12월, "丙申朔, 蒙古命陝西等路宣撫使趙良弼爲秘書監, 充國信使, 使日本".
- 『원사』 권159, 열전46, 趙良弼, "至元七年, … 先是, 至元初, 數遣使通日本, 卒不得要領. 於是, 趙良弼請行, 帝憫其老, 不許, 良弼固請, 乃授秘書監以行. 良弼奏, 臣父兄四人, 死事于金, 乞命翰林臣文其碑, 臣雖死□[於]絶域, 無憾矣. 帝從其請, 給兵三千以從, 良弼辭, 獨與書狀官二十四人俱".
- 『원사』 권167, 열전54, 王國昌, "而東夷皆內屬, 惟日本不受正朔, 帝知隋時嘗與中國通, 遣使諭以威德, 令國昌率兵護送, 道經高麗".
- 『원사』 권208, 열전95, 外夷1, 高麗, "[至元七年]十二月, 詔諭禃送使通好日本, 曰, 朕惟日本, 自昔通好中國, 實相密邇, 故嘗詔卿導達去使, 講信修睦, 爲其疆吏所梗, 竟不獲明諭朕心. 後以林衍之亂, 故不暇及. 今旣輯寧爾家, 遣少中大夫·秘書監趙良弼, 充國信使, 期於必達. 仍以忽林赤·頭輦哥王國昌·洪茶丘將兵送抵海上. 比國信使還, 姑令金州等處屯駐. 所需糧餉, 卿專委官赴彼, 逐近供給, 幷鳩集金州旁左船艦於金州, 需待, 無致稽緩匱乏".
- 『원사』 권208, 열전95, 外夷1, 日本, "~~至元七年~~十二月, 又命秘書監趙良弼往使. 書曰, 蓋聞王者無外, 高麗與朕旣爲一家, 王國實爲鄰境, 故嘗馳信使修好, 爲疆埸之吏抑而弗通. 所獲二人, 敕有司慰撫, 俾賫牒以還, 遂復寂無所聞. 繼欲通問, 屬高麗權臣林衍構亂, 坐是弗果. 豈王亦因此輟不遣使, 或已遣而中路梗塞, 皆不可知. 不然, 日本素號知禮之國, 王之君臣寧肯漫爲弗思之事乎? 近已滅林衍, 復舊王位, 安集其民, 特命少中大夫·秘書監趙良弼充國信使, 持書以往. 如卽發使與之偕來, 親仁善鄰, 國之美事. 其或猶豫以至用兵, 夫誰所樂爲也, 王其審圖之". 이 기사는 原文에서 至元六年에 연결되어 있으나 七年의 오류일 것이다.
- 『원사』 권208, 열전95, 外夷1, 日本, "[至元]七年十二月, 詔諭高麗王禃送國信使趙良弼通好日本, 期于必達. 仍以忽林失·頭輦哥王國昌·洪茶丘將兵送抵海上, 比國信使還, 姑令金州等處屯駐".
- 『원고려기사』本文, 世祖, 지원 7년, "十二月二日, 下詔諭植, 送我使通好日本曰, 朕惟日本,

[→元宗朝, 元世祖遣秘書監趙良弼, 宣撫日本, 令我國道達. 金有成選充書狀, 偕良弼, 往諭以順逆禍福. 日本承命, 遣使朝元, 以功累遷監察御史:列傳19金有成轉載].

是年, 構屋于泥板洞, 權安世祖·太祖梓宮及奉恩寺太祖塑像·九廟木主.

[○大將軍·知兵部事奇洪碩重營兵部廳舍於舊基':追加].[344]

[○以大將軍康允紹爲上將軍:列傳36轉載].[345]

[○以國子博士金賆爲閤門祗候:追加].[346]

[○以前西北面兵馬判官?崔瑞爲監察御史:追加].[347]

[○以掖庭內侍伯元貞爲詹事府丞:追加].[348]

[○以禁衛都知裴廷芝爲隊正:追加].[349]

[○以朴瑞爲碩州副使, 金諧爲碩州判官:追加].[350]

[○以李山甫爲永州判官:追加].[351]

[○帝命管領歸附高麗軍民總管洪茶丘率兵往鳳州等處, 立屯田總管府:追加].[352]

[仁同人 張東翼 校注, 增補].

自昔通好中國, 實相密邇, 故嘗詔卿, 道達去使, 講信修睦, 爲渠疆吏所梗, 竟不獲明諭朕意. 後以林衍之亂 故不暇及, 今旣輯寧爾家, 遣少中大夫·秘書監趙良弼, 充國信使, 期於必達. 仍以忽林失·頭輦哥王國昌·洪茶丘, 將兵送抵海上, 比國信使還, 姑令金州等處屯駐, 所需糧餉, 卿專委官赴彼, 逐近供給, 幷鳩集金州旁左船艦於金州, 需待, 無致稽緩匱乏".

· 『국조문류』 권41, 經世大典, 政典, 征伐, 日本[注, 至元七年十二月, 又命秘書監趙良弼往使, 良弼乞定與其王相見之儀. 廷議與其國上下分未定, 與其國且無禮數. 上從之. 良弼至, 留其太宰府守護所者, 久之]. 이 기사도 原文에서 至元六年에 연결되어 있으나 七年의 오류일 것이다.

344) 이는 다음의 자료에 의거하였다.

· 『졸고천백』 권1, 軍簿司重新廳事廳舍記, "… 至元庚午, 克仗皇靈, 獲復舊京. 時有部貳奇公洪碩, 治其故地而重營之".

345) 原文에는 "及□王還, 又加上將軍"으로 되어 있다.

346) 이는 「金賆墓誌銘」에 의거하였다.

347) 이는 「崔瑞墓誌銘」에 의거하였다.

348) 이는 「元瓘墓誌銘」에 의거하였다.

349) 이는 「裴廷芝墓誌銘」에 의거하였다.

350) 이는 『연안부지』에 의거하였다.

351) 이는 『영천선생안』에 의거하였다.

352) 이는 다음의 자료에 의거하였는데, 이 기사의 冒頭에 七年이 탈락되었다.

· 『원사』 권154, 열전41, 洪福源, 俊奇, "□□七年, 帝命茶丘率兵往鳳州等處, 立屯田總管府".

『高麗史』卷二十七 世家卷二十七

[輔國崇祿大夫·議政府左贊成·知集賢殿經筵春秋館成均事·世子賓客·臣金宗瑞奉教撰]

正憲大夫·工曹判書·集賢殿大提學·知經筵春秋館事兼成均大司成·臣鄭麟趾奉教修

元宗 三

辛未[元宗]十二年, 元 至元八年,[1] [南宋咸淳七年], [西曆1271年]

1271년 2월 11일(Gre2월 18일)에서 1272년 1월 31일(Gre2월 7일)까지, 355일

春正月[乙丑朔大盡,庚寅], 己巳[5日], 削[將軍]孔愉·[將軍]安世貞職, 又以阿海, 畏縮不救, 遣將軍印公秀, 如蒙古以奏. 帝免<u>阿海</u>職, 召還,[2] [以忻都代之, 仍詔誅[洪]贊等:列傳17金方慶轉載].

庚午[6日], 門下侍中李藏用·參知政事崔瑛, 坐與謀林衍廢立, 免. [瑛, 惟梱妻之外祖也:節要轉載].

[→又明年, 蒙古斷事官不花等宣言, 林衍廢立時, 與謀者, 尙在朝列, 不正其罪, 何以懲惡. 遂免[李]藏用官, 藏用曰, "當時不能死, 豈非罪乎?":列傳15李藏用轉載].

○[員外郞]朴天澍至珍島, 賊迎致碧波亭, 宴慰之, 潛遣兵船二十艘, 掠官軍, 奪一艘, 殺九十餘人. [羅州司錄<u>金應德</u>與賊戰, 獲一艘, 盡殺之:節要轉載].[3]

---

1) 大蒙古國이 國號를 大元蒙古國으로 바꾼 것은 이해의 11월 15일(乙亥)이었다(『원사』 권7, 본기7, 세조4, 至元 8년 11월 乙亥 ; 『大元聖政國朝典章』 권1, 詔令, 建國號詔). 또 大元蒙古國을 元이라고 하는 것은 略稱인데(杉山正明 2002年 172面), 현재 이 用語는 중국과 한국에서만 사용되고 있다.

· 『국조문류』 권40, 雜著, 經世大全序錄, 帝號, "… 蓋聞」世祖皇帝初易大蒙古之號, 而爲大元也. 以爲昔之有國者, 或以所起之地, 或人所受之封, 爲不足法也, 故謂之原焉. 元也者, 大也. 大不足以盡之, 而謂之元者, 大之至也. …"(4左5行).

2) 印公秀의 보고로 인해 蒙古政府는 1월 22일(丙戌) 阿海의 일을 의논하고 免職시켰던 것 같다.

· 『원사』 권7, 본기7, 세조4, 至元 8년 1월, "丙戌, 高麗安撫□[使]<u>阿海</u>略地珍島, 與逆黨遇, 多所亡失. 中書省臣言, 諜知珍島餘糧將竭, 宜乘弱攻之. 詔不許, 令巡視險要, 常爲之備".

· 『원사』 권208, 열전95, 外夷1, 高麗, "[至元八年正月]安撫使<u>阿海</u>略地珍島, 與逆黨遇, 多所亡失. 中書省臣言, 諜知珍島餘糧將竭, 宜乘弱攻之. 詔不許".

3) 金應德에 대한 기사는 열전16, 金應德에도 수록되어 있다.

辛未[7日]，以[管領歸附高麗軍民總管洪]茶丘叔父僕射致仕洪百壽爲樞密院副使，△△[仍令]致仕.

丙子[12日]，[斷事官]不花·孟祺等還，王使樞密院使金鍊，伴行，仍請婚.[4)] 表略曰，“臣頃當親覲之時，深沐至慈之眷，覬將嫡嗣，升配皇支，尋蒙領許於結褵，誠滴我願.却諭言還而就陸，更請斯來. 自聞天語之丁寧，曷極臣心之慶抃. 旣還歸於本國，方徙處於古都，而令世子，復詣於天庭，以告端由，時則新居，曾未遑於營緝，卽於睿鑑，恐將謂之遽忙，以此稽留，未能敷奏. 伏望，俾諧親好於附蹠，永固恩榮於庇本”.

○又奏云，“詔旨所諭，發遣南宋船事，頃當承問，對以嘗有宋商舶往返，距今十年，未曾見來. 適於年前，有一船到于我境，小邦執事，慮於睿鑑，將謂從前絡繹往來，而敢匿其情，不以實陳，議欲送還. 而臣不卽禁沮，以至無狀，伏冀聖慈. 其日本歲貢事，一如前次表奏. 詔旨所諭，爭先自效，願赴事功之人，此殆是小邦之有宿憾者，圖欲買恩於上國，而生事于此土耳. 伏冀聖慈，自今凡事，一委小邦，以觀其效. 其詔云，若輩小人，於卿猶擅廢立，況此後，於卿子孫，豈肯盡心輔佐. 仰承諭旨，益感聖恩，其首謀廢立事，侍中李藏用·參知政事崔瑛，已皆黜職”.

○時蒙古中書省請於高麗，置屯田經略司. 王寄書中書省曰，“竊聞，有人請於小邦，置屯田，未知信否. 小邦自林衍逆命，王師問罪時，有不軌之人，妄自疑懼，遂構亂而南下，又有宿憾於小邦者，幸其本國之有難，因利乘便，方小邦，去水就陸之時，放兵大掠. 由是，中外嗷嗷愁怨. 今又因逆賊之未除，王師猶在於南鄙，小邦人民，外則勞於逆賊攻討之事，內則困於兵馬資粮之費. 而內外蓄積，去年，爲逆賊偸掠無遺，粗得出居，臣民，其將保喘供職，難矣. 而此輩人有是請，盖嘗狃于去年，亦欲東來，名爲屯田，而實欲殘害. 乃以小邦之所難堪者，多般乞請. 萬一朝廷聽從其言，則彼必恣行侵害，靡所不至，小邦人民，殆無孑遺矣. 小邦，今已欽奉詔旨所諭資粮事，已差遣諸道勸農使，盡力措辦，伏望諸相公，善爲敷奏，以遏奸人屯田之請”.

○初，郎將李瑛逃入蒙古奏曰，“本國有司天監伍允孚，能曉天文，郎將金希牧，手能裂石”. 帝因不花之來，召之，王命皆遣之.

己卯[15日]，蒙古遣日本國信使·秘書監趙良弼及忽林赤·王國昌·[管領歸附高麗軍民總管]洪茶

---

4) 金鍊은 明年(1271) 1월 28일(壬辰) 몽골에 도착하여 表를 올려 世子의 婚姻을 요청하였다.
- 『원사』 권7, 본기7, 세조4, 至元 8년 1월 壬辰[28日], “高麗國王王禃遣使奉表，爲世子愖[諶]請昏[婚]”.
- 『원사』 권208, 열전95, 外夷1, 高麗，“[至元]八年正月，禃遣其樞密使金鍊奉表入見，請結婚”.
- 『원고려기사』本文，世祖，至元，“八年正月十二日，植遣其樞密使金諫[金鍊]，奉表來見，請結婚”. 여기의 12일은 金鍊이 開京에서 출발한 날이다.
- 『國朝文類』 권41, 잡저, 정전총서, 정벌, 고려[注，[至元]八年正月，請尙主].

丘等四十人來, 詔曰, "朕惟, 日本自昔通好中國, 又與卿國, 地相密邇, 故嘗詔卿, 道達去使, 講信修睦. 爲渠疆吏所梗, 不獲明諭朕意, 後以林衍之故, 不暇及. 今旣輯爾家, 復遣趙良弼, 充國信使, 期于必達". 仍以忽林赤·王國昌·洪茶丘, 將兵送抵海上, 比國信使還, 姑令金州等處屯住. 所需粮餉. 卿專委官赴彼, 逐近供給, 鳩集船艦, 待於金州, 無致稽緩匱乏.[5)]

○王迎詔于郊, 管領歸附高麗軍民總管洪茶丘見王不拜, 又出示中書省牒曰, "據洪茶丘告說, 父洪福源欽奉累朝聖旨, 王國有父母兄弟親屬, 曾敎取發. 今有叔父洪百壽等五戶, 尙未曾得. 今欽奉聖旨, 洪百壽等幷取發來".

[→洪茶丘見王不拜, 又以中書省牒來, 索其叔父百壽. 王拜百壽樞密副使致仕, 將遣之, 茶丘故爲遷延, 竟不偕去, 蓋欲激帝怒, 而危國家也:節要轉載].[6)]

壬午18日, [驚蟄]. 趙良弼請與倖臣·上將軍康允紹, 偕行, 王不得已從之.

丙戌22日, 員外郞朴天澍還自珍島, 賊勒留伴行客使杜員外, 以詔還附天澍曰, "此詔非諭我也, 不敢受". □惟答國書曰,[7)] "惟命是從".

○密城郡人方甫·桂年·朴平·朴公·朴慶純·慶祺等, 嘯聚郡人, 將應珍島, 乃殺副使李頤, 遂稱攻國兵馬使改國兵馬使,[8)] 移牒郡縣, 遣其黨, 殺淸道監務林宗[一作崔良梓], 淸道郡人~~戶長白柱英·同母弟及第白利章~~詐降, 飮以酒, 醉而殲之.[9)] 時密城人趙阡爲一善縣令, 賊召阡, 約與同叛, 阡從之, 尋聞其黨, 殲於淸道, [知必敗:節要轉載]. 乃與郡人孫逸, 謀殺賊魁. 按察使李敖[一作李淑眞],[10)] 與金州防禦使金州防禦副使金晅·慶

5) 이 조서는 前年(지원7) 12월 2일에 하사된 것이다(→충렬왕 11년 12월 是月丙申朔의 脚注).

6) 이 기사는 열전43, 洪福源, 茶丘에도 수록되어 있으나 자구에 출입이 있다. 또 이때 管領歸附高麗軍民總管 洪茶丘가 元宗에게 拜禮를 하지 않았다고 하지만, 만일 배례를 했다면 歸還된 후에 몽골제국으로부터 처벌을 받을 수 있었다.

7) ~~添字는~~ 『고려사절요』 권19에 의거하였다.

8) 攻國兵馬使는 改國兵馬使의 오자일 것이다. 嚴守安의 열전과 『역옹패설』前集2에는 改國兵馬使로 되어 있다(열전19, 嚴守安 ; 『역옹패설』前集권2, 金潤坤 1981년 ; 東亞大學 2008년 155~156面).

9) 이때 淸道郡의 사정은 『濯纓集』 권5, 代人上巡察使書에 기록되어 있다(金潤坤 2001년a ; 東亞大學 2008년 7책 156面).

10) '按察使李敖, 一作李淑眞'은 金晅·嚴守安 등의 열전에 李淑眞으로 되어 있다(열전19, 金晅·권106, 열전19, 嚴守安). 또 『慶尙道營主題名記』에 의하면 前年의 秋冬番[秋冬等]에 李淑貞(李淑眞의 誤字)으로 되어 있다. 이를 통해 볼 때 前中書舍人으로 慶尙道按察使에 임명된 李淑眞이 옳을 것이지만, 李敖가 李淑眞의 改名일 가능성도 있다. 李敖는 圓鑑國師 冲止와 교유한 인물로서 1275년(충렬왕1)~1277년에 尙書로서 西原牧(現 忠淸北道 淸州市)에 在職하고 있었다(『圓鑑國師語錄』, 西原牧伯尙書李公…, 寄西原李尙書敖).

州判官嚴守安,[11] 領兵奄至, 阡等斬方甫等, □[垪]降, 賊遂平.[12]

[→密城人殺其宰以叛, 移牒郡縣, 皆隨風而靡. 晅出勝兵, 先斷賊路, 召慶州判官嚴守安至則, 相與勒兵, 告按廉使[按察使]李淑眞, 爲討賊計. 淑眞恇怯, 喚術僧卜吉凶, 故爲遷延. 晅手劍擊其僧, 淑眞懼而從, 賊聞之, 斬渠魁以降:列傳19金晅轉載].

[→[元宗]十二年, 密城人朴景純等, 殺其宰以叛, 按廉[按察使]李淑眞聞變, 奔金州. 賊搜淑眞不獲, 號改國兵馬使, 移牒郡縣. [東京判官嚴]守安與金州守金晅, 謀勒兵挾淑眞, 爲討賊計. 賊聞之, 斬其魁以降:列傳19嚴守安轉載].

丁亥[23日], 流前[門下侍郎]平章事柳璥于哀島.

[→[前政堂文學]兪千遇母, 訴於達魯花赤脫朶兒曰, "吾子與柳璥同罪, 獨吾子配島, 請免之", 脫朶兒怒, 流璥于島, 未幾竝召還:節要轉載].[13]

己丑[25日], 遣[員外郎]朴天澍如蒙古.

癸巳[29日], 官奴崇謙·功德等, 聚其徒, 謀殺達魯花赤及國中在位者, 往投珍島. 隊正宋思均告變, 王命將軍崔文本·曹子一, 鞫之, 俄而祗候辛佐宣, 見閭巷七八人偶語, 奔告于王曰, "事急矣". 時日將暮, 宰樞及承宣·重房·內侍·茶房, 相顧失色, 計無所出. 王遣知樞密院事李玄原·上將軍鄭子璵, 請救於[達魯花赤]脫朶兒. 脫朶兒與[高麗軍民總管]洪茶丘等, 會宰樞, 捕崇謙等十餘人, 按問, 皆服.[14] [茶丘欲使崇謙等, 辭連本國, 因謀起兵, 襲取京城, 密與脫朶兒議之, 脫朶兒執不可:節要轉載].

[→時官奴崇謙·功德等反[叛], 謀殺達魯花赤, 事覺捕鞫之. 茶丘欲使崇謙等, 辭連本國, 因起兵襲取京城, 密引達魯花赤脫朶兒議之. 蒙古法, 凡議事意合, 則脫冠以示其從, 茶丘等皆脫冠, 脫朶兒不脫, 爲之明辨, 故免:列傳43洪福源轉載].

[某日, 以金之卿爲慶尙道按廉使:慶尙道營主題名記].

二月乙未朔[小盡,辛卯], 崇謙等四人, 棄市, 餘悉釋之. 拜宋思均△[爲]攝別將, 賜銀甁·

---

11) 金州防禦使는 金州防禦副使로 고쳐야 옳게 된다. 金晅의 열전에는 前年에 金州防禦로, 自撰墓誌銘에는 金州副使로 赴任하였다고 되어 있다(열전19, 金晅 ; 金晅墓誌銘).

12) ~~添字는~~『고려사절요』 권19에 의거하였다. 또 方甫, 桂年 등에 의한 밀양의 민란에 대한 기록도 찾아진다.

· 『佔畢齋集』文集권1, 與密陽鄕校諸子序, "… 前朝中葉, 乾綱解紐, 州之群不逞如方甫·桂年之徒, 詿誤齊民, 以應珍島之賊, 嘯聚未幾, 自底蕩覆, 世遂以此, 貶絶其俗. 後之錄觀風, 誌地理者, 咸曰, '其民好鬪爭', 至今爲山川人物之羞辱焉".

13) 이와 같은 기사가 열전18, 柳璥에도 수록되어 있다.

14) 이때의 사정은『止浦集』권2, 告奏表에 반영되어 있다.

羅絹等物.

己亥[5日], 遣上將軍鄭子璵如蒙古, 告方甫·崇謙之亂.

辛丑[7日], 窖梁防戍蒙古兵, 入大部島, 侵奪居民, 民甚怨之. 大部人聞崇謙等起, 遂殺蒙古□[~~兵~~]六人以叛. 水州副使安悅率兵, 討平之, 進悅秩五品. [後, 脫朶兒承帝旨, 鞫謀亂者, 斬唐城人洪澤, 杖洪均庇等, 充驛吏:節要轉載]. [又以功, 陞知水州事爲水原都護府:地理1水州轉載].[15)]

癸卯[9日], 都兵馬使言, "近因兵興, 倉庫虛竭, 百官祿俸不給, 無以勸士, 請於京畿八縣, 隨品給祿科田". [時諸王及左右嬖寵, 廣占腴田, 多方沮毁, 王頗惑之. 右承宣許珙等, 屢言之, 王勉:節要轉載]從之.[16)] 自權臣誅夷, 諸王及寵臣李玄原·[上將軍]康允紹·李汾禧·金子貞[~~金子廷~~]·李汾成等, 爭先請王, 受其田園. 至是, 宰樞又請收之, 悉屬迎送庫, 以充國用. 王大怒, 欲罪先發言者, 勅問堂吏崔承的, 對曰, "廟議皆如是, 臣不知先發言者".

○三別抄寇長興府[~~寶城郡~~]兆陽縣, 虜掠甚衆, 焚燒戰艦. 防禦都領陳井, 素業儒者, 自募從軍, 沉湎酒色, 不修武備, 故敗.[17)]

丁未[13日], 忠淸道按察使洪子藩·交州道按察使盧文佐等復命, 王親問民間疾苦.

戊申[14日], 燃燈, 王如奉恩寺, 會楮市橋邊, 民家三百餘戶火, 乃除燃燈伎樂, 但謁太祖眞殿.

[→戊申, 楮市橋邊, 民家三百餘戶火:五行1火災轉載].

辛亥[17日], [達魯花赤]脫朶兒告王曰, 我兵之戍南方者, 侵掠州郡, 民不聊生, 宜遣使安撫. 於是, 遣[左諫議大夫]張鎰于慶尙道, [禮賓卿?]朱悅于全羅道, 郭汝弼于忠淸道.[18)]

乙卯[21日], 設消灾道場于本闕.

○遣將軍印公秀·寶城千戶□[某]等如蒙古, 請罷屯田. 表曰, 今聞上朝, 發遣種田軍人, 玆事非敢有辭於違拒, 但小邦蓄積, 方就陸時, 悉爲逆賊攘奪, 又因供億王

---

15) 窖梁은 陸地에서 江華島로 進入하는 通路의 入口[길목]에 해당하는 要塞地이다(尹京鎭 2015년).

16) 이와 같은 기사가 지32, 식화1, 祿科田에도 수록되어 있다.

17) 長興府는 寶城郡의 오류로 추측된다. 兆陽縣은 寶城郡의 屬縣이며(지31, 지리2, 寶城郡), 1389년(공양왕1) 長興府가 倭寇를 피해 寶城郡에 合入하였던 적이 있다(『동문선』 권76, 中寧山皇甫城記). 이로 인해 『고려사』의 撰者가 錯覺하였을 가능성이 있다.

18) 이 시기 이전에 張鎰은 慶尙道水路防護使를 역임하였던 것 같다.

· 열전19, 張鎰, "歷兵·禮二部侍郎·左諫議大夫. 三別抄叛據珍島, 以鎰得南民心, 授慶尙道水路防護使, 鎭撫之".

師，罄盡無餘．時則留屯軍馬所須，亦於中外人民，家歛[斂]戶收，甚爲艱難，設有種田軍又至，則農粮旣乏於此，時穀種，更求於何處．乃如耕牛，元來不畜，况城中居民，鮮有畜使者，當索於外邑．然小邦忠淸·全羅道，方困討賊，徵索未便，唯慶尙道，儻可得致，斯亦不多耳．然則上供之事，豈唯難於成辦，東作之師，亦懼羅於歉艱．擬令世子，權攝國事，凡小邦情狀，筆所未到者，近當三月，跨馬，躬自朝于天陛，一皆敷奏，惟是賤介之陳諗，冀垂憐察．

丙辰[22日]，右副承宣洪文系□[乞]辭，以洪子藩代之．[文系，恬淡寡欲，倜儻不羈，見同僚阿意苟容，恥與同列，故辭:節要轉載].[19]

[→□□[是後]，[右副承宣洪子藩]奏曰，比來，不親聽政，有司章奏，悉委宦竪出納，中外觖望．請親庶政，以慰輿望．時臺省及士大夫，皆緘默自保，子藩獨持讜論，時議多之:列傳18洪子藩轉載].

○命有司，歛[斂]銀布于百官有差，以充親朝之費．

[→命有司，斂銀物·布貨，宰樞各出白銀一斤，三品紵布四匹，四品三匹，五·六品二匹，七·八品一匹，以充親朝之費:食貨2科斂轉載].

庚申[26日]，以朴之亮爲水路防護使，率兵赴慶尙道．

[壬戌[28日]，雨雹:五行1雨雹轉載].[20]

是月，[達魯花赤]脫朶兒爲子求婦，必於相門，凡有女者懼，競先納壻，國家記宰相兩三家，使自擇焉，脫朶兒選姿色，欲聘[樞密院使]金鍊女．其家已納預壻，其壻懼而出．鍊，時入朝未還，其家請待以成禮，不聽．國俗，納年幼者，養于家，待年，謂之預壻．

[是月甲辰[10日]，蒙古命忽都答兒持詔，招諭高麗林衍餘黨裴仲孫:追加].[21]

三月[甲子朔大盡,壬辰]，丙寅[3日]，蒙古遣[元帥]忻都及史樞等，代阿海，詔曰，“朕嘗遣信使，通諭日本，不謂執迷固閉，難以善言開諭，此卿所知．今將經略於彼，勑有司，發卒屯田，用爲進取之計，庶免爾國他日轉輸之弊．仍復遣使持書，先示招懷，卿其悉心盡慮，裨贊方略，期於有成，以稱朕意”．

○又中書省移文曰，“欽奉帝旨，以[元帥]忻都·史樞，行經略司，於鳳州等處，營軍

---

19) ~~忝字~~는 『고려사절요』 권19에 의거하였다. 또 이와 같은 기사가 열전19, 洪奎에도 수록되어 있다.

20) 이날 일본의 京都에서는 비가 내렸다고 한다(『吉續記』, 文永 8년 2월, “廿八日, 雨下”).

21) 이는 다음의 자료에 의거하였다.

· 『원사』 권7, 본기7, 세조4, 至元 8년 2월 甲辰[8日], “命忽都答兒持詔，招諭高麗林衍餘黨裴仲孫”.

· 『원사』 권208, 열전95, 外夷1, 高麗, “[至元八年]二月，命忽都答兒持詔，諭裴仲孫”.

屯田. 所有屯田牛六千頭, 除東京等處, 起遣一半, 餘三千頭, 令經略司, 受直王國和市外, 農器·種子·芻秣之類及接秋軍糧, 一就供給, 無致闕乏".

[○雨雹:五行1雨雹轉載].

己巳[6日], 東界安集使報, 襄州民張世·金世等, 謀殺守令及吏士, 事覺伏誅. 其餘黨天瑞等□□[~~六人~~], 潛投古和州趙暉, 請兵四百餘人, 猝入襄州, [執知州事, 欲脅遷和州. 王請達魯花赤, 遣人往諭, 天瑞不聽:節要轉載], 誣以謀率人民, 徙居海島, 驅掠知州及吏民千餘人, 分載三船而去.[22]

[→元宗十二年□□[~~三月~~], 襄州民張世·金世等, 以蒙古將有所鞫, 謀殺守令·吏士, 將逃匿遠地, 事覺伏誅. 其餘黨天瑞等八人, 潛投[雙城摠管趙]暉請兵. 暉給四百餘人, 猝入襄州, 執縛知州事·兩班等, 誣以謀率人民徙居海島, 遂欲脅遷于和州. 王請達魯花赤, 遣人往諭, 天瑞不聽, 驅掠知州及吏民一千餘人, 而去:列傳43趙暉轉載].

壬申[9日], 三別抄寇合浦□[~~縣~~], 執監務而去.[23]

癸酉[10日], 鳳州經略司, 以絹一萬二千三百五十四來, 市農牛.

甲戌[11日], 移御南山宮.

丁丑[14日], 蒙古中書省移文, 禁國人貿易上國兵器及馬.

壬午[19日], 樞密使金鍊還自蒙古, 帝聞崇謙·方甫□□□□[~~及密城人~~]等謀叛, 凡所奏陳, 皆不允.[24]

甲申[21日], 三別抄寇東萊郡.

癸巳[30日], 蒙古斷事官沈渾來, 索軍糧. [初, 大將軍康允紹, 附洪茶丘, 妄言本國多蓄軍糧. 茶丘以告中書省, 故索之:節要轉載].

○召還[前門下侍郎平章事]柳璥·[前政堂文學]兪千遇.

○[將軍]印公秀還自蒙古, 帝答詔曰, "王所奏陳, 朕悉知之, 嚮□[者], 王在國中, 猶有姦人生事, 今叛人未靖, 王不可來朝". 於是, 悉還百官所納銀布.

是月, 遣殿中監郭汝弼如蒙古,[25] 陳情, 表略曰, "天使忻都·史樞至, 聖旨所諭日本事, 小邦, 今方去水就陸, 盖欲悉心供職, 其私日本而有以庇護者, 寧有是理. 但

---

22) ~~添字~~는 『고려사절요』 권19에 의거하였다.

23) ~~添字~~는 『고려사절요』 권19에 의거하였다.

24) ~~添字~~는 『고려사절요』 권19에 의거하였다.

25) 郭汝弼은 5월 21일(癸未) 蒙古에 도착하여 貢物을 바쳤던 것 같다.
· 『원사』 권7, 본기7, 세조4, 至元 8년 5월 癸未[21日], "高麗國王王禃遣使, 貢方物".

其俗，頑癡莫甚，慮當使臣之入也，接遇容有不謹．今又聖勑嚴厲，兢惶失措．庶將敬禀使臣之指揮，期於有成．又承中書省牒，鳳州屯田農牛·農器·種子·軍粮等事，若乃農牛，如前表奏，小邦京中，鮮有畜使者，外方農民，雖產之．饒者畜養，亦不過一二頭，貧者，多以耒耕，或相賃牛而使之．今外方牛畜，悉因全羅道糧餉轉輸，以至飢困損失者大[太]半．農器則小邦人民，元來未有贍庀者，此皆雖不得如數，併當隨力供辦．種子，則百姓趁年畊作，以修貢賦，用其餘以爲糧料，稍存若干斗斛，以備明年耕種，以故雖或戶斂[戶斂]，殆是不多碩耳．軍糧，則大軍之後，小邦，元來蓄積，除逆賊攘奪外，悉因供億留屯軍馬，及追討軍馬，罄竭無餘．中外臣民，徵歛[徵斂]者累度，猶不連續．且又汎計種子·蒭秣·接秋軍粮，凡幾萬碩，此則何從而致之耶．況今逆賊，日益蔓衍，侵及慶尙道金州·密城，加又掠取南海·彰善·巨濟·合浦·珍島等處，至於濱海部落，悉皆惻奪，以故，凡所徵歛[徵斂]，難於應副．而慶尙·全羅貢賦，皆未得陸輸，必以水運．今逆賊據於珍島，玆乃水程之咽喉，使往來船楫，不得過行．其軍糧·牛料·種子，雖欲徵歛[徵斂]，致之無路．然不敢違命，當以力盡爲限，但念，所謂農器·農牛·穀種·糧料，則斯皆百姓之資生，如盡奪而供給，迺此三韓之遺噍，實荐飢以秏淪．愚情惘望之在玆，睿鑑裁量之何似”．

[是月己卯[16日]，蒙古中書省臣言，“高麗叛臣裴仲孫乞諸軍退屯，然後內附，而忻都未從其請，今願得全羅道以居，直隸朝廷”．詔以其飾辭，遷延歲月，不允:追加].[26)]

夏四月[甲午朔小盡,癸巳]，丙申[3日]，分遣諸道農務別監，催納農牛·農器于黃·鳳州．[以備元屯田之需:食貨2農桑轉載].

庚子[7日]，或告達魯花赤脫朶兒曰，“本國之俗，以四月八日，觀燈，竊聞有人欲因此作亂”．脫朶兒信之，出舍城外，數日不還．

辛丑[8日]，三別抄寇金州，防護將軍朴保與別抄，皆奔入山城．賊縱火剽掠，而去．

壬寅[9日]，賜靈光副使金湏[金須]妻，米十斛，以表湏[須]戰亡之忠．

丁未[14日]，追討使金方慶報，珍島賊，使人告忻都曰，“有密議，請官人，暫臨小島”．忻都曰，“我不受帝命，何敢入”．賊又請具酒殽來饋，乃許之．忻都奏帝曰，[27)]

26) 이는 다음의 자료에 의거하였다.

· 『원사』 권7, 본기7, 세조4, 至元 8년 3월, “己卯，中書省臣言，高麗叛臣裴仲孫乞諸軍退屯，然後內附，而忻都未從其請，今願得全羅道以居，直隸朝廷．詔以其飾辭，遷延歲月，不允”.

· 『원사』 권208, 열전95, 外夷1, 高麗，“[至元八年]三月，[裴]仲孫乞諸軍退屯，然後內附，忻都未從其請，有詔諭之”.

"叛臣裵仲孫稽留使命, 負固不服, 乞與忽林赤·王國昌, 分道追討". 帝從之.

[某日, 右副承宣洪子藩, 進御史臺狀, 因奏曰, "比來, 不親聽政, 凡有司章奏, 一委宦豎出納, 中外缺望. 請自今, 復親庶政, 以慰輿望". 王不納. 時臺諫及士大夫, 緘默保位, 自謂有智, 唯子藩, 讜論如此, 時議多之:節要轉載].

壬子[19日], 蒙古遣永寧公綧之子熙·雍等二人, 領兵四百來, 討珍島.

乙卯[22日], [達魯花赤]脫朶兒承帝旨, 與宰樞, 斬唐城人洪澤, 杖其黨洪均庇等, 充驛吏. 治殺窄梁防戍軍之罪也.

丁巳[24日], 蒙古遣周夫介來, 詔曰, "據忻都·白羊奏請, 添遣軍馬, 比及暑雨前, 討平逆賊, 朕以爲, 暑雨之前, 軍馬未能到彼. 卿宜於旁近, 簽軍六千人, 分附攻取珍島. 若事早畢, 於卿百姓, 便益".[28]

○中書省移文曰, "珍島賊黨, 虜掠官民, 陷沒諸島三十餘所, 其力漸盛. 明見虛行調發, 不肯實心投拜, 便合急攻, 以除巨害. 若至暑雨時節, 卒難收取, 除珍島邊, 見有兵船二百六十艘, 令本國添發兵船一百四十艘, 更乞增兵并力攻賊. 其合用軍餉·什物, 委官盡力供頓, 毋致失誤".

[→中書省移文曰, "珍島賊黨, 虜掠官民, 陷沒諸島三十餘所, 其力漸盛, 志益驕恣, 雖曰投降, 實非誠心, 便合急攻, 以除巨害, 若至暑雨, 卒難攻取, 可令本國, 添發兵一百四十艘, 併力攻賊, 其軍餉什物, 盡力供頓, 毋致失誤":節要轉載].

[某日, □[守]司空田份·左僕射尹君正等, 閱府衛兵. 不滿其額, 乃并閱文武散職·白丁·雜色, 及僧徒, 以充之:兵1五軍轉載].[29]

是月, 斷事官沈渾還, 上表, 略曰, "前次, 使臣忻都等奉傳聖旨, 諭以屯田事, 此盖皇帝矜恤小邦, 將省軍糧·蒭秣之供給. 令就小邦, 和市農牛三千, 玆事雖不受

---

27) 이때 忻都의 建議는 다음과 같이 『원사』에도 수록되어 있다.
- 『원사』 권7, 본기7, 세조4, 至元 8년 4월, "壬寅[9日], 高麗鳳州經略使司忻都言, 叛臣裵仲孫稽留使命, 負固不服, 乞與忽林赤[頭輦哥]·王國昌分道進討. 從之. … 命高麗簽軍征珍島".
- 『원사』 권208, 열전95, 外夷1, 高麗, "[至元八年]四月, 忻都言仲孫稽留詔使, 負固不服, 乞與虎林赤·王國昌分道進討. 從之. 以討珍島諭禃".

28) 이 조서는 중국 측의 자료에도 수록되어 있는데, 原形에 더 가까울 것이다.
- 『원고려기사』本文, 世祖, 지원 8년, "四月, 上降旨諭植曰, 據忻都·白羊奏, 若添與軍, 比及天氣喧熱霖雨發時, 將反賊[叛賊]收附. 朕爲此間軍民, 比及喧熱霖雨已前, 不能到彼, 卿於側近軍民, 卽便僉起軍六千人, 分付攻取珍島, 若軍事早畢, 於卿百姓, 便益".

29) 이 기사는 『고려사절요』 권19에 축약되어 있다("閱府衛兵, 不滿額, 乃并閱文武散職·白丁·雜色及僧徒, 以充之").

直, 皇帝有命, 敢不盡力供辦. 況送官絹, 以充其直, 感戴悉深, 經略使史樞與忽林赤·趙良弼·三國昌·洪茶丘等, 議農牛·農器·種子, 必定其成數, 多般詰責, 玆用約以農牛－千一十頭·農器一千三百事·種子一千五百碩, 尋委中外. 當及農時, 又於今年內, 續後須索, 僅可得農牛九百九十頭, 以定其數. 使臣沈渾, 繼至, 復諭之以農牛等事, 竊念, 向件元約數外, 農牛·農器之今未足辦者, 漸次當依元數. 其軍馬接秋糧餉, 限以力盡, 不令受飢. 噫此百姓, 皆是皇帝之百姓, 迺此農牛·農器·種子, 一皆收奪, 使失其業, 則恐百姓, 決定飢死. 其又在此者, 役煩力竭, 不堪困苦, 而從逆者, 靡有歉艱, 則焉知愚民, 有所貳於彼哉. 聖鑑, 若知如此, 必曰何不撲力陳實, 早達宸所, 使我百姓, 至於此極. 然則, 誰當任其責, 玆用昧死, 庶幾一曉于哀悰".

五月癸亥朔[大盡,甲午], [高麗軍民總管]洪茶丘領兵, 討珍島. [其族屬及無賴之徒, 多從之:節要轉載].[30] 是日, [達魯花赤]脫朶兒與宰樞, 閱兵于郊, 凡五百餘人, 其都領·指諭, 給馬人一匹, 軍卒每十人, 給馬一匹, 及行, 軍卒多掠取行人馬. 脫朶兒問曰, "宰樞子弟, 有從軍者乎?". 答云, "無". 脫朶兒乃令宰樞, 各出馬, 給軍官.

甲子[2日], 加發京軍, 又調忠淸·慶尙道軍, 以濟師.

乙丑[3日], 親醮三界于本闕.

壬申[10日], □□□[~~遣將軍~~]邊亮·李守深等, 領舟師三百, 討珍島. [令四品以上家, 出奴一人, 充水手:節要·兵1五軍轉載].[31]

乙亥[13日], 門下□□[~~侍郞~~]平章事金佺卒, [謚翊戴:追加].[32]

丙子[14日], [蒙古使]周夫介還, 王遣使伴行, 上表陳謝, 略曰, "推仁恤難於下藩, 意存除害, 易帥揚威於南島, 命促赴功. 臣方出古都, 忽遭頑賊, 豕涉波而竊地, 螗拒轍

30) 중국 측의 자료에는 다음과 같이 기록되어 있다. 또 이와 같은 기사가 열전43, 洪福源, 茶丘에도 수록되어 있다.
- 『원사』 권154, 열전41, 洪福源, 俊奇, "[至元八年]五月, 茶丘奉旨, 偕經略使欣都進兵討之, 破其軍, 殺承化侯, 其黨金通精率餘衆走耽羅".
- 『國朝文類』 권41, 잡저, 정전총서, 정벌, 고려[注, [至元]八年, … 五月, 經略使忻都·史樞等攻破珍島, 斬承化公. 其黨金通精走耽羅. 六月, 世子愖[諶]入侍]. 여기에서 四庫全書本에는 忻都가 實都로 改書되어 있다.

31) ~~添字~~는 『고려사절요』 권19와 지35, 兵1, 五軍에 의거하였다.

32) 金佺의 최종관직은 門下侍郞平章事였고(열전16, 金就礪 ; 金賆墓誌銘), 謚號는 孫子인 金倫의 묘지명에 의거하였다. 이날은 율리우스曆으로 1271년 7월 21일(그레고리曆 7월 28일)에 해당한다.

以欺天. 闊略無良, 旣經年而莫制, 舟師已老, 徒曠日以相持, 豈意陛下, 尋選將以代之. 又遣周夫介, 諭臣以比及霾熱已前, 當於側近軍民, 起發六千人, 分附攻取. 仰窺明訓, 深感至恩, 於是, 委諸中外, 依數調發, 亟令進討".

丁丑[15日], 金方慶·忻都·[洪]茶丘·[王]熙·雍等率三軍, 討珍島, 大破之, 斬僞王承化侯溫. 賊將金通精率餘衆, 竄入耽羅.[33)]

[→金方慶與忻都, 將中軍, 入自碧波亭, 熙·雍及洪茶丘, 將左軍, 入自獐項, 大將軍金錫·萬戶高乙麽, 將右軍, 入自東面, 摠戰艦百餘艘. 賊聚碧波亭, 欲拒中軍. 茶丘先登, 放火夾攻, 賊驚潰趣右軍, 右軍懼, 欲赴中軍, 賊捕二艘皆殺之. 先是, 官軍數與賊戰不勝, 賊輕之, 不設備, 及官軍奮擊, 賊皆棄妻子遁. 其所虜江都士女·珍寶及珍島居民, 皆爲蒙兵所獲, 僞王承化侯溫, 永寧公綧母兄也, 綧囑熙·雍曰, "若事捷, 當救兄死", 茶丘先入, 殺溫及其子桓. 賊黨金通精率餘衆, 竄入耽羅. ○初, 判太史局事安邦悅, 卜還舊都于太祖眞, 得半存半亡之兆. 以謂亡者, 出陸者也, 存者, 入海者也, 乃隨賊南下, 入據珍島, 說賊曰, "龍孫十二盡, 向南作帝京之讖, 於此驗矣".[34)] 遂爲謀主, 及敗, 抽身將謁金方慶, 兵士擊殺之. ○時賊將劉存奕, 據南海縣, 摽掠沿海, 聞賊遁入耽羅, 亦以船八十餘艘, 從之:節要轉載].[35)]

[→是時, 經略使忻都等, 攻破承化公, 斬之. 初, 忻都·史樞·洪茶邱[洪茶丘]往攻珍島, 賊列戰艦於島之北岸, 樞曰, "今兇豎跳梁, 未可力爭, 況夏暑方熾, 海氣鬱蒸, 弓力緩, 卒難爲用. 誠因此時, 分軍爲三隊, 多張旗幟, 以爲疑兵, 吾與諸軍, 潛師以出, 直挫其鋒, 以趨珍島, 破之必矣". 遣使以聞, 且乞火槍·火礮及諸攻戰之具. 上從之. 旣而與賊戰, 大敗, 禽斬之. 其黨金通精走耽羅:追加].[36)]

---

33) 이 戰況의 보고는 2일 후인 17일(己卯) 蒙古에 보고되었다고 하지만, 날짜[日辰]가 사실이 아닐 것이다.
- 『원사』 권7, 본기7, 세조4, 至元 8년 5월 己卯, "忻都·史樞□[上]表言, 珍島賊徒敗散, 餘黨竄入耽羅".
- 『원사』 권166, 열전53, 王綧, "阿剌怙木兒襲職, … 至元八年, 將兵討叛賊金通精, 賊敗走耽羅".
- 『원사』 권167, 열전54, 王國昌, "時高麗有叛臣據珍島城, 帝因命國昌與經略使印突[忻都]·史樞等共拔之". 이 기사에서 印突은 忻都[Qindu]의 다른 표기이다.
- 『원사』 권208, 열전95, 外夷1, 高麗, "[至元八年]五月, 忻都與史樞·洪茶丘大敗珍島賊, 獲承化侯斬之, 其黨金通精走耽羅".

34) 여기에서 讖은 918년(貞明4, 戊寅)에 나타난 王昌瑾의 鏡銘을 지칭한다고 한다(→貞明 4년 世系, "此一龍子三四[12代], 遞代相承六甲子"; 李丙燾1961년 31面).

35) 이때 將軍 趙抃(金方慶의 壻)이 참전하였다고 한다(열전16, 趙冲, 抃).

36) 이 기사는 『원고려기사』本文, 世祖, 지원 8년 5월에 의거하였는데, 冒頭의 是月로 是時로 변개

[→溫，封承化侯．元宗十一年，三別抄叛，逼溫爲王，據珍島．蒙古遣綧子雍·熙等來討，綧囑雍·熙曰，“救溫死”．及破珍島，洪茶丘先入，殺之及其子守司徒桓:列傳3顯宗王子平壤公基轉載].[37]

[→初，守司空致仕李甫，判太史局事安邦悅，上將軍池桂芳，大將軍姜渭輔，將軍金之淑，大將軍致仕宋肅，少卿任宏，皆陷賊中．及賊敗，甫·桂芳被殺，渭輔·之淑·肅·宏，得免歸朝．[尙書左丞李]信孫隨賊，欲向耽羅，中路而還．邦悅當還都時，卜于奉恩寺太祖眞，得半存半亡之兆，以謂，“亡者出陸者也，存者隨三別抄入海者也.”乃隨賊南下．說賊曰，“龍孫十二盡，向南，作帝京之讖，於此驗矣”．遂爲謀主，及賊敗，抽身將謁方慶，兵士擊殺之．○[時賊將·大將軍劉]存奕，據南海縣，剽掠沿海，聞賊遁入耽羅，亦以八十餘艘，從之:列傳43裴仲孫轉載].

[→方慶見賊潰，追之，獲男女一萬餘人·戰艦數十艘，餘賊走耽羅．方慶入珍島，得米四千石·財寶·器仗，悉輸王京，其陷賊良民[~~良民~~]，皆令復業:列傳17金方慶轉載].

[→時，朝士妻多陷賊，率改娶，及賊平，妻或有還者，皆弃之．裕亦已娶新妻，先入賊中，得舊室還，復爲夫婦如初．聞者義之:列傳17羅裕轉載].

庚寅[28日]，監試放榜，蒙使趙良弼·焦天翼等往觀之，曰，“眞盛事也，吾等聞之久矣，今得見之，其於亂離□□[~~之餘~~]，不墜文風如此，良可嘉也”.[38]

[○大司成韓康，□□□□□[掌國子監試]，取梁淳等五十三人:選擧2國子試額轉載].[39]

○遣上將軍鄭子璵如蒙古，謝平賊，[40] 仍奏曰，“賊船頗有逋漏者，禍燼尙存，且逆賊妻息·族類，甘伏其辜，但大小人民，先出古都，其父母·親屬·奴婢，被賊劫掠

하였다.

37) 承化侯 溫과 麾下의 墓所로 전해지는 무덤이 全羅南道 珍島郡 義新面 枕溪里 45번지에 있다고 한다(全羅南道 記念物 第126號). 또 삼별초의 근거지였던 龍藏城의 龍藏寺는 申楫(1580~1639)이 求禮縣監으로 재직하고 있었던 1623년(인조1) 무렵에도 존재하고 있었던 것 같다.
· 『河陰集』 권2, 題雲峯荒山大捷碑, 次下在鳳城[~~求禮縣~~]時作, 龍藏寺僧太顚詩軸, 次漢陰李相公韻.

38) 이에서 蒙古使臣[蒙使]으로 표기된 趙良弼과 焦天益 중에서 前者는 일본에 파견되어 가는 인물이고, 後者는 고려의 副達魯花赤으로 파견되어 온 인물이다. 또 ~~添字~~는 『고려사절요』 권19에 의거하였다. 그리고 이 시기에 趙良弼은 右副承旨 李穎을 만나 교유하였던 것 같다.
· 열전19, 李穎, “元宗朝, [李穎]拜右副承旨. 元宣撫使趙良弼, 一見恨相知之晩. 後寄詩云, ‘扶蘇山下李髥卿, 別後三年怎麽生. 兩遇使華無一字, 誰言人老愈鍾情’. 見重如此”.

39) 梁淳의 耽羅出身의 後裔라고 한다(『松川遺集』 권5, 梁應鼎行狀).

40) 鄭子璵는 7월에 몽골제국에 들어갔던 것 같은데, 출발과 도착에 차이가 있다.
· 『원사』 권208, 열전95, 外夷1, 高麗, “[至元八年]七月, 禃遣其上將軍鄭子璵奉表, 謝平珍島”.
· 『원고려기사』本文, 世祖, 지원 8년, “六月六日, 植遣其上將軍鄭子璵, 進表謝攻珍島”.

者，今復爲官軍所獲，盡歸上朝，伏望聖慈，敦諭將帥，悉令復舊”.

[○改[金州防禦使]爲金寧都護府，金州防禦副使金晅爲禮部郎中·金寧都護副使:追加].[41]

六月[癸巳朔小盡,乙未]，甲午[2日]，王如奉恩寺.

丙申[4日]，蒙古遣斷事官只必哥等六人來，詔曰，“卿，嚮□[者]遣[將軍]印公秀奏曰，‘小邦蓄積，就陸之日，悉爲逆賊攘奪，又因供億王師，罄盡無餘，歛[斂]及中外臣民，甚爲艱窘，而又耕牛不畜，難於徵索’. 乃勑有司，前往體問. 卿方上表，謂軍馬接秋糧餉，限以力盡，不令受飢，屯田農牛·農器等，漸次當依元數. 則前奏豈非虛妄. 且匹夫一言不誠，尙恐不爲人所信，卿一國臣民之主，敷奏不實可乎？ 爾後，愼勿如此. 卿又云，‘吾之民，亦是皇帝之民也，使其失業，不堪勞苦，則恐有貳於盜賊，若不揆力陳實，早達于宸所，以至困窮，誰任其責’. 盖由爾國不逞之人，肆爲叛逆，以致軍民之勞. 旣爲一家，初無內外之間，如撫定之後，豈坐視人民困苦，而不加恤哉. 尙體至仁，益殫誠赤”.[42]

○中書省移文曰，宣使沈渾回，賫表文曰，“襄州□[民]天瑞等，縛打官員，詐稱謀入水內. 據取納官之辭，悉剃頭，驅虜百姓，入古和州. 欽奉聖旨，差官前去取問. 并王京避役犯罪之人，多竄于西京，亦令差去使臣，徇問是實，分付王國，請各差官，一同取問”.

---

41) 이는 다음의 자료에 의거하였다.

- 「金晅墓誌銘」, “辛未[元宗12年]五月, 在任加禮部郎中”.
- 열전19, 金晅, “三別抄叛, 欲分兵向慶尙, 而金在邊, 先受敵. 晅以計拒之, 賊不得入, 一道賴以安. 論其功, 陞本州爲金寧府, 拜晅禮部郎中, 仍爲都護以鎭之”.
- 지11, 지리2, 金州, “元宗十一年[十二年], 以防禦使金晅, 平密城之亂, 又拒三別抄有功, 陞爲金寧都護府”.
- 『경상도지리지』, 晋州道, 金海都護府, “元宗至元庚午[辛未], 改爲金寧都護府”.

  위의 두 자료는 모두 ~~添字~~와 같이 고쳐야 옳게 될 것이다.

42) 이 조서는 5월에 발급된 것으로 중국 측의 자료에도 수록되어 있으나 字句에 차이가 있다.

- 『원고려기사』本文, 世祖, 지원 8년, “五月, 詔諭植曰, 嚮嘗遣陪臣邛公秀[印公秀], 上表奏陳, ‘小邦蓄積, 就陸之日, 悉爲逆賊攘奪, 又因供億王師, 罄盡無餘, 斂及中外臣民, 甚是艱窘, 而又耕牛不蕃, 徵索未便’. 及勅有司, 遣官前往體問, 卿方上表, 謂軍馬接秋糧餉限, 以力盡受飢 屯牛農器等, 漸次當依元數, 則前奏豈非虛妄. 且匹夫一言不誠, 尙恐不爲人所信, 卿一國臣民之主, 敷奏不實, 可乎? 然爾後愼勿復再. 卿又云, ‘此百姓皆皇帝之百姓, 使其失業, 不堪勞苦, 且恐有貳於賊盜’. 若不揆力陳實, 早達宸所, 以至困難, 誰任其責. 蓋由爾不令之人, 肆爲叛逆, 未免軍民俱勞. 已爲一家, 初無內外之間, 如撫定之後, 豈肯坐視人民困苦, 而不加恤哉? 尙體至懷, 益殫誠赤”.

[→[是年三月頃] 王奏于蒙古, 請治[襄州民張世餘黨]天瑞等罪, 帝遣只必哥來, 問之. 時只必哥在西京, [雙城摠管趙]暉自蒙古還, 謂只必哥曰, “我奏, ‘襄州人實自納款上朝, 非我驅迫其民.’ 帝卽以詔授我, 使勿問”. 只必哥遂不問:列傳43趙暉轉載].

○又曰, “聞前大卿閔昉, 能治人手足疾, 可速遣來. 昉素無行義, 坐法免, 廢錮累年. 聞帝有足疾, 見達魯花赤[宣使]沈渾, 妄言能醫術, 渾信之, 達于帝, 而召之, 授尙書左丞, 以遣之”.[43]

己亥[7日], [大暑]. 遣世子諶入質于蒙古, 尙書右丞宋玢·軍器監薛公儉·戶部郎中金㥠等二十人, 從之,[44] 又命樞密院副使李昌慶, 調護其行, 表奏云, 自臣至于輔相, 欲令子弟, 相遞入侍, 而先遣世子與衣冠胤胄二十人, 衙內職員百人, 進詣.

[○以鄭仁卿爲左右衛保勝右府第二郎將:追加].[45]

丁未[15日], 王受菩薩戒于內殿.

戊申[16日], [斷事官]只必哥還, 上表, 略曰, “小邦元來蓄積, 悉爲逆賊所攘, 粗有所遺, 供給年前大軍, 後又以供留屯軍馬, 殫竭無餘. 收歛[斂]內外臣民, 至于累度, 猶不能繼. 且聞憸人有言, 小邦尙有軍糧多蓄, 請使臣審閱內外, 驗其實否, 亦不聽. 今下詔云, 敷奏不實, 愼勿復爲. 及斯言之聆禀, 無所惜[措]以震惶.[46] 其糧料之有無, 漸當採實”.

---

43) 達魯花赤은 宣使로 고쳐야 옳게 된다. 蒙古使臣 沈渾은 達魯花赤이 아니라 宣使였다.

44) 이때 禮部郎中 金賆, 郎將兼世子府右持謚 鄭仁卿, 金汝孟(金坵의 子), 上將軍 康允紹 등도 隨從하였다고 한다(金賆墓誌銘」; 「鄭仁卿墓誌銘」; 「金汝孟功臣敎書」: 『扶寧金氏族譜』所收). 또 世子 諶은 7월 24일(乙酉) 몽골제국에 도착하였던 것 같다.

- 열전36, 嬖幸1, 康允紹, “… 又加上將軍, 然以前事, 常不自安. 及世子率衣冠子弟, 入侍于元, 允紹不在選中, 不告于王, 遂行”.
- 『익재난고』 권9상, 忠憲王世家, “[至元]八年, 又率衣冠子弟二十人入朝, 爲禿魯花”.
- 『원사』 권7, 본기7, 세조4, 至元 8년 7월 乙酉[24日], “高麗世子王愖[諶]入質. ○珍島脅從民戶來降”.
- 『원사』 권208, 열전95, 外夷1, 高麗, “[至元八年七月], 世子愖[諶]率其尙書右丞宋玢,·軍器監薛公儉等衣冠胤胄二十八人, 入侍”.
- 『원고려기사』本文, 世祖, 지원 8년 6월, “是月, 世子愖[諶]率其尙書右丞宋玢·軍器監薛公儉等衣冠胤胄二十八人, 入侍天庭”.

  또 元傅가 1272년(원종12, 辛未)에 世子(忠烈王)를 陪行하여 元에 파견되었다고 하지만, 이때 中書門下省의 宰相이었을 元傅에 대한 기록이 없는 점을 보아 시기 정리에 오류가 있었던 것 같다[繫年錯誤].
- 「元傅墓誌銘」, “辛未歲, 今上以東宮上朝, 公亦隨駕”.

45) 이는 「鄭仁卿政案」; 「鄭仁卿墓誌銘」에 의거하였다.

46) 여러 판본의 『고려사』에서 惜으로 되어 있으나 措의 오자일 것이다(東亞大學 2008년 7책 295面).

○又報中書省曰, “前此, 小邦避役犯罪而逋逃者, 表奏, 乞令推究, 皇帝聖慈, 特遣斷事官只必哥, 就鞫. 時有李黃秀, 乃逆臣林衍妻姪, 與衍同謀廢立, 又與惟茂, 謀拒王師, 不出古都. 陪臣洪文系·宋松禮等, 誅惟茂, 流黃秀于珍島, 後以三別抄向其地, 徙黃秀拘于羅州, 黃秀自獄中, 解鏁而逃, 走入上國. 今年隨洪茶丘以來, 恣意肆惡, 奪人田民及攻珍島驅掠男女百餘人, 攘奪衣服百五十餘件及米麥. 又奪戰艦, 仍脅船軍·蒿工等, 滿載而還. 其罪惡, 當置於法, 第緣投托官軍, 不敢致詰, 徒自腐心, 會有斷事官只必哥, 與脫朶兒, 推究其罪, 一皆自首., 然未敢自斷, 上奏宸聽, 以俟帝命, 伏望丞相閣下, 善爲敷奏斷罪, 鑑戒諸人”.

○遂遣大將軍郭汝弼·國子博士魏文愷, 偕斷事官只必哥, 往西京, 推究逃民.[47)]

乙卯23日, 蒙古遣必闍赤黑狗·李樞等七人來, 索宮室之材, 又以省旨, 求金漆·青藤·八郎虫·椵木·奴台木·烏梅·華梨·藤席等物. [樞, 上將軍應公之子, 嘗逃入蒙古, 誣奏此物產於本國. 帝信而索之:節要轉載].

[→李樞, 上將軍應公之子, 初名唐古. 嘗反叛入元妄奏, “金漆·青藤·八郎虫·椵木·奴台木·烏梅·華梨·藤席等物, 產於本國”. 帝信之, 遣必闍赤黑狗及樞等來, 索之:列傳43李樞轉載].

○王報中書省曰, “今奉省旨云, ‘王國未平, 聖慮憐憫, 今歲朝幣, 不須進奉. 所用金漆良多, 今遣必闍赤往取’. 竊念, 小邦所貯金漆, 就陸時散盡. 且其所產, 南方海島, 比爲逆賊往來之所, 當更乘間, 往取奉獻. 先將所有十缸以進, 其瀝汁之匠, 當就產地, 徵來起遣. 又黑狗口宣椵木, 土人謂之白木, 問其產地於樞, 則云昇天府之今要島也. 其青藤·八郎虫, 亦出於此, 又於珍島·南海等處, 皆產焉. 其椵實·桐栢實, 亦產此地. 距王京千餘里, 難以立致. 樞不自往見而返, 玆與達魯花赤, 並差人, 視其有無, 待還具奏, 先以收取色狀椵木若干片奉獻, 八郎虫, 則樞初言, 產於喬桐郡, 今使人往取, 則無有也. 又云, 出於今要島, 當復遣人就審, 其奴台木·海竹·冬栢·竹簟, 輒隨所有以進, 烏梅·華梨·藤席, 元非所產, 昔於西宋商舶得之, 粗有若干, 並此進奉”.[48)]

[是月, 元日本通事曹介升等上言, “高麗迂路導引國使, 外有捷徑, 倘得便風半日可到. 若使臣去, 則不敢同往. 若大軍進征, 則愿爲鄉導”. 帝曰, “如此則當思之”:追加].[49)]

---

47) 魏文愷는 魏元凱(魏珣), 곧 圓鑑國師 冲止의 弟이다(『圓鑑國師語錄』, 舍弟平陽新守文愷 …).
48) 이 기사는 열전43, 趙彝, 李樞에도 수록되어 있으나 자구에 출입이 있다.

秋七月[壬戌朔大盡,丙申], 丙寅[5日], [斷事官]只必哥至西京而還. 時古和州趙暉, 自蒙古來, 以詔, 授只必哥曰, "襄州人實自納款于上朝, 非我驅迫其民也. 吾以此奏于帝, 受詔而來". 只必哥推刷西京逃民而來. 西京又欲割西海道銀波莊·三進江爲屬縣. 王又報中書省曰, "銀波莊·三進江, 本西海道所屬, 今西京人托言, 頭輦哥國王來, 在西京時, 已籍兩處人民. 是其妄言, 明矣. 年前頭輦哥班師, 至今年正月十五日, 有西京百戶福大, 始至其處. 脅其人民而開剗, 則時有先後, 理有曲直. 伏冀一依帝命, 使彼人民, 悉復屬款".

[某日, 以郞將鄭仁卿爲太子府右持諭:追加].[50]

[某日, 以崔有候[~~崔有侯~~]爲慶尙道按廉使:慶尙道營主題名記].[51]

八月壬辰朔[大盡,丁酉], 日食.[52]

[壬寅[11日], 忽林赤與日本國信使趙良弼如合浦縣屯所:追加].[53]

---

49) 이는 다음의 자료에 의거하였다.
 · 『원사』 권208, 열전95, 外夷1, 日本, "[至元]八年六月, 日本通事曹介升等上言, '高麗迂路導引國使, 外有捷徑, 倘得便風半日可到. 若使臣去, 則不敢同往. 若大軍進征, 則願爲鄕導'. 帝曰, 如此則當思之".
 · 『국조문류』 권41, 經世大典, 政典, 征伐, 日本[注, 時又有曹介叔[~~曹介升~~]者上言, '高麗迂路導引國使, 有捷徑, 順風半日可到. 若使臣去, 但使臣則不敢同往. 大軍進征, 則願爲鄕導'. 上曰, '如此則當思之'].

50) 이는 「鄭仁卿政案」에 의거하였다.

51) 崔有候는 崔有侯(崔滋의 長子)의 오자일 것이다.

52) 이날 宋·元에서도 일식이 있었고(『송사』 권52, 지5, 천문5, 日食 ; 『원사』 권7, 본기7, 세조4, 至元 8년 8월 壬辰), 일본의 교토에서도 일식이 있었다. 이날은 율리우스曆의 1271년 9월 6일이고, 開京에서 일식 현상이 심했던 시간은 7시 45분, 食分은 0.16이었다(渡邊敏夫 1979年 310面).
 · 『吉續記』, 文永 8년 8월, "一日壬辰, 日蝕也, 御祈奉行右頭中將, 阿闍梨奝助僧正, 御讀經如例歟, … 陰陽師安倍惟弘被召置內裏, 被見蝕現否, 刻限正現云々".
 · 『續史愚抄』3, 文永 8년 8월, "一日壬辰, 日蝕. 召置陰陽師於宮中, 被爲見之, 剋限正見云".

53) 이는 다음의 자료에 의거하였다. 또 이때 趙良弼이 9월에 다자이후[大宰府]에서 日本國王과 幕府의 將軍에게 보낸 書狀이 있다(張東翼 2004년 217~218面).
 · 『원고려기사』本文, 世祖 至元 8년, "八月十一日, 忽林失至高麗, 赴鎭邊合浦縣屯所".
 · 『원사』 권208, 열전95, 外夷1, 高麗, "[至元八年]八月, 忽林赤赴鎭邊合浦縣屯所".
 · 「趙良弼書狀」 (東福寺文書), "大蒙古國皇帝差來國信使趙良弼,欽奉」 皇帝聖旨,奉使」 日本國請和,於九月十九日,到大宰府,有守護所小貳殿[經資],阻隔」 不令到京,又十餘遍,堅執索要國書,欲差人特上」 國王幷」 大將軍處者,良弼本欲付與,緣」 皇帝聖訓,直至見」 國王幷」 大將軍時,親手分付,若與于別人授受,卽當斬汝,所以不分付守護所」 小貳殿,先以將者國書副本,並無一字差別,如有一字冒書,本身」 萬斷,死於此地,不歸鄕國,良弼所賫」 御寶書,直候見」 國王幷」 大將軍,親自分付,

丙辰25日，門下侍郎平章事蔡楨卒.[54)]

丁巳26日，蒙古吐蕃僧四人來，王出迎于宣義門外.

是月，上將軍鄭子璵還自蒙古，中書省移文曰，“今奉聖旨，自江華島，爲賊人驅去百姓，其父母妻子，許令相認復舊．除賊人家屬·奴婢，分給戰士外，據珍島元有百姓，俱敎家屬圓聚，明白分付，本國仍將珍島百姓，起移王京附近之地，耕種安業”.

○王乃諭元帥忻都，令還脅從者，忻都不聽.

○王遣將軍印公秀如蒙古，復奏云，“逆賊所脅無罪之民，父母·子女·夫妻，既蒙聖恩，聽還本國，擧國感激，咸望更生，今官軍乃謂，所脅之民，祖孫·舅甥·叔姪·兄弟·姉妹及奴婢，聖旨不錄．略不容釋，向件被執之民，相與號跳哭泣，而相告曰，不曾表請珍島之民，憫其無罪，皆許復舊，吾屬何罪，獨不放釋．伏望聖慈，更下明勅，咸使復舊”.

○又上中書省書云，“伏蒙諸公，咸賜矜憐，導宣聖澤，逆賊之民，許令復舊，擧國感仰．然其脅從臣民親屬，方離亂時，或有來此，或有往彼，抑因事故，未得徑出，而擧族遇脅者，今官軍皆以爲逆賊之類，不許放歸．輒於聖旨未降前，分取人物，各自散住於全羅·慶尙·王京·黃·鳳州等處，或相爭匿於旁近，或先潛送于上朝，雖有親戚，不得相見，何由識認．或自別島他邑，入珍島而見獲者，或官軍，分往別島他邑，而驅捉者，名雖揀給，其實不曾圓聚一處，窮詰許放．又若奴婢，各從其主者也，當其主順命就陸，乃因打疊家產，而還江華者，悉被驅去．今皆分執，同于逆賊之屬，則蒙聖恩而復舊者幾何．且珍島百姓之家屬，元不申請，而猶許放免，自江華順命出陸臣民家屬，尤所矜憐，而未免拘繫．雨露之澤，始優渥而今也漸希，籠檻之囚，初懽呼而卒乃啜泣，良可矜哀．伏望，僉垂惻隱，善爲敷奏，無辜之民，悉令還本”.

○又上陳情表，略曰，“切以小邦，元來倉廩所蓄既薄，自年前出來上朝軍馬，至今留屯，初以百官俸粟，供給而不足，繼斂斂兩班百姓之戶者，至于四五度．今接秋，中外所供軍馬料，以上朝碩，數之，則無慮十五餘萬．始則耐忍艱苦，今則絶不能輸納．今有追討使金方慶報云，界內百姓，皆食草實木葉，雖有徵索，勢無可爲者．且見今官軍六千，而科施赤，則不得細諳其數多少，外有官人·扎撒赤·首領官·令史幷官軍家屬及其兄弟，遞番往來者，悉令給料，至乃攻破珍島後，驅掠人物，亦令給

若使人强取，卽當自刎於此，伏乞照鑒，」 至元八年九月卄五日，陝西四州宣撫使·小中大夫·秘書監·國信使趙良弼」”.

54) 이날은 율리우스曆으로 1271년 9월 30일(그레고리曆 10월 7일)에 해당한다.

糧. 今計正軍六千人所帶馬, 率以一人三匹爲計, 則凡一萬八千匹, 一匹日支五升, 自十月至明年二月, 則當用上朝碩十三萬五千, 而本國碩, 則二十七萬矣. 加以四千農牛料, 一首日支五升, 自十月至明年三月, 以上朝碩, 計之, 三萬六千, 本國碩, 則七萬二千. 然則小邦百姓飢困, 固不假恤, 官軍所須亦必匱乏. 欲陳情實, 則恐有彌縫縫之責, 姑忍稽留, 則事勢至於窘急. 伏望, 曲賜矜憐, 許令蠢蠢之遺黎, 獲保緜緜之餘喘".[55)]

[→○蒙古中書省奉帝旨, 移文曰, "自三別抄叛, 驅掠百姓, 其父母妻子, 有相失者, 許令相認復舊. 除賊人家屬·奴婢, 分給戰士外, 據珍島元有百姓, 俱令家屬圓聚. 王乃諭元帥忻都, 令還脅從者, 忻都不聽. 王遣將軍印公秀, 如蒙古, 奏于帝. 又獻書中書省訟之. 時蒙古兵討珍島者, 凡六千人, 馬無慮一萬八千, 加以鳳州屯田農牛, 亦不下五六千. 其粮餉, 一令本國供辦, 中外俱困, 民食草木之實". 王患之, 又以書達于中書省:節要轉載].

[是月頃, 三別抄移牒日本國, 告遷都珍島事及韃坦侵入事, 仍請軍糧助兵:追加].[56)]

[○元遣忽林赤, 將兵鎭合浦, 供億浩繁, 士卒徵求無厭, 小不滿意, 便侵暴, 一方騷然. 王以判少府事·東宮侍講學士朱悅爲慶尙道安撫使, 悅至合浦, 減軍須冗費什七八, 士卒忿怒攘臂. 悅, 儼然不爲動, 面諭以義, 士卒歛退, 民賴以安:列傳19朱悅轉載].

九月壬戌朔小盡,戊戌, [丁卯6日, 遣通事·別將徐偁, 導送宣撫趙良弼, 使日本:追加].[57)]

---

55) 이 기사에 의거하여 元石[元碩, 上朝碩, 1石=10斗, 1斗=10升]은 高麗石[高麗碩, 1石=15斗, 1斗=10升]의 2培이고, 고려의 1升은 몽골제국의 1升에 비해 容積이 1/3이라고 한다(李宗峯 2016년 140面).

56) 이는 다음의 자료에 의거하였는데, 이 牒이 日本朝廷에 전달되었을 때의 형편은 『吉續記』, 文永 8년 9월 2일에서 23일 사이에 기록되어 있다(張東翼 2004년 139~141, 268面).

· 「高麗牒狀不審條々」 (東京大學史料編纂所 所藏), "高麗牒狀不審條々, 一. 以前狀文永五年, 揚蒙古之德, 今度狀文永八年, 韋毳者無遠慮云々, 如何. 一. 文永五年狀, 書年號, 今度, 不書年號事. 一. 以前狀, 歸蒙古之德, 成君臣之禮云々. 今狀, 遷宅江華近四十年, 被髮左衽聖賢所惡, 仍又遷都珍嶋事. 一. 今度狀, 端ニハ不從成戰之思也, 奧ニハ爲蒙被使云々, 前後相違如何. 一. 漂風人護送事. 一. 屯金海府之兵. 先廿許人, 送日本國事. 一. 我本朝統合三韓事. 一. 安寧社稷, 待天時事. 一. 請胡騎數萬兵事. 一. 達兇旒許垂寛宥事. 一. 奉贄事. 一. 貴朝遣使問訊事".

57) 이는 다음의 자료에 의거하였다.

· 세가27, 원종 13년 1월 丁丑18日, "… 宣撫使趙良弼, 以年前九月, 到金州境, 裝舟放洋而往".

· 『원사』 권208, 열전95, 外夷1, 高麗, "至元八年九月, 禃遣其通事·別將徐稱徐偁導送宣撫趙良弼, 使日本".

· 『원사』 권208, 열전95, 外夷1, 日本, "至元八年九月, 高麗王禃遣其通事別將徐偁導送良弼使日本,

[戊辰[7日], 熒惑犯尾:天文2轉載].

庚午[9日], 宰樞與脫朶兒, 往忻都屯所烏山, 請還逆賊外人民. 忻都堅執不許. 脫朶兒稱聖旨, 力詰, 稍令揀出.

[乙亥[14日], 月入東井:天文2轉載].

[○國贐庫火:五行1火災轉載].

[庚辰[19日], 月入五諸侯:天文2轉載].

丙戌[25日], [立冬]. 幸王輪寺.

[丁亥[26日], 熒惑犯南斗. 太白·熒惑同舍:天文2轉載].

日本始遣弥四郎者入朝, 帝宴勞遣之".

- 『원고려기사』本文, 世祖, 지원 8년, "九月六日, 植遣其通事別將徐稱, 導送宣撫趙良弼, 使日本".
- 『國朝文類』 권42, 經世大典, 政典, 征伐, 日本[注, "至元九年五月, 命高麗王植, 致書日本, 諭使通好, 始遣彌四郞者入朝. 上宴勞之. 旣又遣使者徒歸. 竟不報聘].

  또 이는 趙良弼이 이달의 9월 19일(庚辰, 陽10月 24日) 大宰府의 서쪽 약3里에 위치한 筑前國 今津에 도착하였던 것(『五代帝王物語』; 『원사』 권208, 열전95, 外夷1, 日本, 至元 9년 2월)을 감안하여 추가하였다. 이후 趙良弼의 일정과 이와 관련된 일본 측의 반응은 다음과 같다.
- 9월 19일 이후, 日本人 彌四郞을 데리고 大宰府守護所에 들어갔다(『五代帝王物語』). 이때 趙良弼이 命을 받아 동쪽의 일본으로 사신으로 갈 때 험난한 바다가 넓어 앞일을 예측할 수 없고, 叛賊耽羅가 要衝을 막았다[承命東使日本, 鯨海浩瀚, 莫測其際, 叛賊耽羅蔽其衝]고 한다(『北京圖書館藏中國歷代石刻拓本匯編』48, 贊皇復縣之記). 또 太宰府에 머물고 있던 宋人은 高麗 耽羅人이 이를 저지하려고 하였다고 하는데[旣至, 宋人與高麗耽羅, 共沮撓其事](『國朝名臣事略』 권11, 樞密趙文正公), 이들은 같은 해에 日本에 온 南宋의 僧侶 西澗子曇(台州人)(『扶桑禪林僧寶傳』 권7, 勅謚大通禪師行實)과 일본의 支援을 얻기 위해 牒狀을 가지고 온 耽羅 三別抄의 사신으로 추측된다.
- 9월 21일(壬午), 仁王會를 개최하기 위한 呪願文의 작성에서 西蕃[高麗]의 사신[使价]이 와서 北狄[蒙古]의 음모를 고하다(有西蕃之使价, 告北狄之陰謀)라는 내용이 있었다. 이에 대해 22일, 23일에 걸쳐 藤原經長이 고려가 몽고를 北狄으로 표기한 것에 대해 의문점을 가지고, 1269년(至元6, 文永6) 고려가 보낸 牒(慶尙道按察使의 牒)을 조사하였다. 그 결과 1269년에는 蒙古를 北朝로 표기하고 있는데 비해 이번의 牒(三別抄軍의 牒)에는 北狄으로 표기한 이유가 무엇인지에 대해 의문점을 가졌다(『吉續記』, 同日條, 22일·23일條).
- 9월 25일, 趙良弼이 國書를 지참하고 교토[京都]에 나아가려고 하였으나, 少貳資能(소니 수케요시)이 蠻夷가 帝闕에 나아간 先例가 없다고 허락하지 않았다. 趙良弼이 國書의 正本은 皇帝의 命에 의해 國王 및 大將軍에게 직접 전달해야 한다고 주장하며 副本을 만들어 少貳資能에게 전하였다. 少貳資能이 이를 鎌倉에 송부하였다(「東福寺文書趙良弼書狀」; 『吉續記』, 文永 8년 10월 24일條; 『關東評定傳』, 文永 8년 10월 某日條; 『武家年代記』, 文永 8년 10월조; 『원사』 권159, 열전46, 趙良弼·권208, 열전95, 外夷1, 日本).

  以下 10월 이후 趙良弼 一行의 일본에서의 형편과 일본 측의 대응은 該當 月次의 增補에서 정리하였다.

冬十月[辛卯朔大盡,己亥], [壬辰[2日], 大雷:五行1雷震轉載].

[癸巳[3日], 流星出王良, 入織女:天文2轉載].

丁酉[7日], 赦曰, “朕以凉德, 臨莅三韓, 十有二載. 今者, 復都舊京, 庶欲萬世延基, 而災變連年. 朕心兢省, 欲以恩宥, 覃及中外. 斬·絞二罪以下, 咸赦除之. 戍濟州戰死將軍高汝霖·靈光副使金須及從討逆賊京外別抄之子, 超資賞職. 無子者, 復其父母及妻. 其自賊中歸順人, 有職者還職田, 軍人還田丁, 雜類人從願, 特加優恤. 其從賊之徒, 賊平之後, 潛還鄕里者, 亦各勿問, 俾安其業. 將軍玄文奕妻·<u>直學</u>[~~寶文閣直學士~~?]鄭文鑑妻, 投水亡身, 不爲賊所汚, 節義可尙, 宜超等封贈, 官其子孫”.

己亥[9日], 王以天變, 設金剛法席於內殿.

○達魯花赤<u>脫朶兒</u>卒.[58] 脫朶兒, □□[~~爲大~~], 沉重寬厚, 撫恤人民, 聽斷明白, 未嘗枉法. 王亦甚重之. 及疾作, 國醫進藥, 脫朶兒却之曰, “我病殆不起, 若飮此而死, 則讒構爾國者, 必曰高麗毒之”. 遂不飮而卒. 國人惜之.[59]

辛丑[11日], [小雪]. [樞密院副使]李昌慶還自蒙古, 帝許世子婚.

壬寅[12日], 設消灾道場于本闕.

甲辰[14日], 副達魯花赤焦天翼曰, “兵器不可畜於私家”. 收國人攻珍島兵仗, 悉輸于塩州屯所.

[是月己未[29日], 帝賜至元九年曆:追加].[60]

[○蒙古使趙良弼護送官王國昌, 卒于義安郡:追加].[61]

[增補].[62]

---

58) 이날은 율리우스曆으로 1271년 11월 12일(그레고리曆 11월 19일)에 해당한다.

59) 脫朶兒(혹은 脫脫兒, Todor)에 관한 기사는 중국 측의 자료에서도 확인된다.

- 『원고려기사』本文, 世祖, 지원 8년, “十月九日, 達魯花赤<u>脫脫兒</u>卒”.

60) 이는 다음의 자료에 의거하였다.

- 『원사』 권7, 본기7, 세조4, 至元 8년 10월 己未, “賜高麗至元九年曆”.

61) 이는 다음의 자료에 의거하였다.

- 『원사』 권167, 열전54, 王國昌, “[至元]八年, 復遣使入日本, 乃命<u>國昌</u>屯於高麗之義安郡, 以爲援. 冬十月, 卒于軍”.

62) [日本朝廷의 형편],

- 10월 23일, 幕府의 使者가 西園寺實兼의 집에 도착하여 몽골의 첩을 전달하자 西園寺實兼이 院[後嵯峨上皇]에 보고하고 院의 評定을 개최할 것을 건의하여 밤중에 評定이 개최되었다. 첩에 몇 차례에 걸쳐 첩을 보냈으나 答書[返牒]가 없으니 다음 11월까지 答書가 없으면 兵船의 發進을 준비하겠다는 내용이 있었다. 이보다 앞서 高辻長成의 答書[返牒]草案을 약간 修正하여 答書로 할 것을 결정하였다(『吉續記』, 同日條, 10월 24일條, 目錄 ; 『帝王編年記』26).

十一月辛酉朔大盡,庚子, [某日, 歛斂馬料于京中, 戶二碩, 民多逃, 乃減一碩:節要轉載].

[→以蒙古軍馬久留, 府庫匱竭, 供給不支. 斂馬料于京中, 戶二石, 民多逃散, 乃減一石:食貨2科斂轉載].

甲子4日, 親醮太一于本闕.

癸未23日, 遣同知樞密院事李昌慶·文宣烈如蒙古, 賀正, 仍謝許世子婚.63)

○且奏云, 逆賊餘種, 逋入濟州, 橫行於諸島浦漵閒. 慮將復出陸地, 乞令殄滅.

○又上書中書省, 請還我國逋逃人口.

丙戌26日, 追討使金方慶還, 以功加守太尉·中書侍郎平章事.64)

[→凱還, 王遣使郊迎, 以功加守大尉·中書侍郎平章事:列傳17金方慶轉載].

[是月乙亥15日, 蒙古改國號大元蒙古國:追加].

[增補].65)

十二月辛卯朔小盡,辛丑, 甲午4日, 忻都自鳳州來, 詰王曰, "軍馬多飢斃, 粮料不繼, 何也". 忻都以此籍口, 而其實聽讒, 欲覘國中也. 於是, 有司督輸軍粮, 道路悠遠, 人皆苦之. 金方慶請移屯塩·白州.

己亥9日, 蒙古遣使, 告建國號曰大元.66)

[庚子10日, 王師混元入寂:追加].67)

· 10월 25일, 일본 국왕이 石淸水八幡宮에 행차하여 異國事에 대해 祈禱하였다(『吉續記』).

· 10월 某日, 蒙古 國書의 副本이 가마쿠라 바쿠후[鎌倉막부]에 도착하였다(『鎌倉年代記』下).

63) 중국 측의 자료에 의하면 李昌慶은 같은 달에 燕京에 도착하였다고 하는데, 이는 고려 측의 자료에 의거하였기에 출발을 도착으로 잘못 정리한 것이다. 또 李昌慶·文宣烈은 明年 正旦에 世祖를 謁見하고 賀禮를 드렸던 것 같다.

· 『원사』 권208, 열전95, 外夷1, 高麗, "至元八年十一月, 禃遣其同知樞密院事李昌慶奉表, 謝許婚事".

· 『원사』 권7, 본기7, 세조4, 至元 9년, "春正月庚申朔, 高麗國王王禃遣其臣禮賓卿宣文烈文宣烈來賀". 여기에서 文宣烈은 宣文烈로 달리 표기되어 있는데, 오자일 것이다.

· 『원고려기사』本文, 世祖, 지원 8년, "十一月, 植遣同知樞密院事李昌慶, 奉表謝允婚事".

64) 이때 金方慶은 金紫光祿大夫·守太尉·中書侍郎平章事·判吏部事·太子太保에 임명되었다고 한다(金方慶墓誌銘).

65) [日本朝廷의 형편],

· 11월 22일, 異國事에 대해 院의 評定이 있었다. 天台座主 澄覺法親王이 異國에 대해 摠持院에서 熾盛光法을 修行하였는데, 이에 대해 靑蓮院僧正이 熾盛光法을 自身들이 行하여야 할 것이라고 院에 訴訟을 제기하였다(『吉續記』).

66) 大蒙古國의 國號 變更은 是年 冒頭의 注釋과 같다.

67) 이는 『동문선』 권117, 臥龍山慈雲寺王師贈謚眞明國師塔碑銘(金坵 撰)에 의거하였다.

癸卯[13日], 親設消災道場于本闕.

丙午[16日], 忻都使人來言, "馬飢多死, 難移鹽州". 於是, 有司更督科歛[科斂]. 時, 國家府庫匱竭, 供給不支. 經略司報于元曰, "兩差使人, 催取糧料, 寂無輸轉, 牛馬羸瘦, 僵仆者十二三. 卽將先到種子四百餘碩, 支給飼秣, 尋復盡死, 若又供運不繼, 恐牛馬盡斃, 有誤春作".

○元又移牒, 督之.

丁未[17日], 忻都移屯塩·白州.

[戊午[28日], 始設鳳州副使:追加].68)

己未[29日晦], 盜竊除授大寶.

[增補].69)

[是年, 以倭寇徙巨濟縣民于居昌加祚縣.70) 又徙溟珍浦人于晋州管內永善縣, 尋別置溟珍縣:追加].71)

---

68) 이는 다음의 자료에 의거하였다.

· 『연안부지』, 守臣, "辛未, … 是年, … 十二月二十八日, 創設鳳州副使".

69) [日本朝廷의 형편]

· 12월 16일 異國事에 의해 洞院實守를 公卿勅使로서 大神宮에 파견하였다(『吉續記』, 同日條, 12월 11일條 ; 『五代帝王物語』, 이상의 내용은 張東翼 2009년 215~217面을 함께 참고하기를 바란다).

70) 이는 다음의 자료에 의거하였는데, 巨濟縣이 三別抄로 인해 加祚縣으로 옮겼다[僑置郡縣]는 견해도 있다.

· 『경상도지리지』, 晋州道, 巨濟縣, "元宗代, 至元辛未[元宗12年], 因倭寇, 人物徙陸, 寓居居昌兼加祚縣".

· 『경상도지리지』, 晋州道, 居昌縣, "屬縣一, 加祚縣 … 元宗時, 至元辛未, 合屬巨濟縣".

· 지11, 지리2, 加祚縣, "元宗十二年, 移屬巨濟".

· 지11, 지리2, 居濟縣, "元宗十二年, 因倭失土, 僑寓居昌縣之加祚縣".

· 『佔畢齋集』詩集권7, 宿加祚縣, "縣屬居昌, 高麗三別抄之亂, 巨濟吏民, 渡海奔迸于此, 遂僑寓焉. 本朝初, 還其舊土, 至今號此縣爲巨濟, 又村名尙帶·鵝洲·松邊, 烏攘等稱".

· 『신증동국여지승람』 권31, 居昌郡, 建置沿革, 屬縣, "加祚縣, 在縣東十五里. 本新羅加召縣, 因方言相近, 變召爲祚. 景德王改咸陰來屬. 高麗初復舊名, 顯宗屬陜州, 後復來屬. 元宗時, 巨濟縣避三別抄之亂, 僑治于此, 仍稱巨濟. 至我世宗朝, 巨濟還于本島, 縣亦還屬于居昌".

71) 이는 다음의 자료에 의거하였다.

· 『세종실록』 권35, 9년 1월 壬寅[18日], "戶曹據巨濟縣人民等狀告條件啓. 一. 巨濟縣及任內溟珍縣, 前朝之時, 因倭寇失土出陸, 巨濟縣人物, 寓於居昌, 溟珍縣人物, 寓於江城, 倂號珍城. 歲在壬寅[世宗4年], 復置巨濟縣, 還其寓居居昌人吏十五名·官奴婢三十餘名, 溟珍人物, 尙屬江城而不復. 由是巨濟縣人物數少, 不堪其役. 請還溟珍人物于本縣".

· 『세종실록』 권150, 지리지, 晋州牧, 珍城縣, "珍城縣, ○江城縣, 本闕支郡, 景德王改名闕城郡,

[○革罷碩州府判官:延安府誌轉載].
[○以田文允[田文胤]爲東京副留守:追加].[72)]
[○以[監察御史]崔瑞爲右正言·知制誥:追加].[73)]
[○以崔益兼爲碩州判官, 尋以崔植代之. 是年, 革罷判官:追加].[74)]
[○[安珦]奉使西□[海]道, 以廉稱. 召還內侍院, 書奏院中宿弊祛之:列傳18安珦轉載].[75)]
[○元改西京爲東寧府:追加].[76)]

壬申[元宗]十三年, 元 至元九年, [南宋咸淳八年], [西曆1272年]

1272년 2월 1일(Gre2월 8일)에서 1273년 1월 20일(Gre1월 27일)까지, 355일

春正月庚申朔[大盡,壬寅], [元將帥]白羊至自南.
甲子[5日], [白羊,] 北還, 珍島士女, 被擄而去者, 甚多.
[乙丑[6日], 街衢里三十餘戶火:五行1火災轉載].
[辛未[12日], 有物墮西北, 聲如雷:五行1雷震轉載].
丁丑[18日], 趙良弼還自日本, 遣書狀官張鐸, 率日本使十二人如元.[77)] 王遣譯語·郞

高麗改爲江城縣. 顯宗戊午, 屬晋州任內, 恭讓王庚午, 始置監務. ○溟珍縣, 本買珍伊縣, 海中島也. 景德王改名溟珍, 爲巨濟郡領縣, 高麗因之, 後置監務. 元宗辛未[12年], 避倭出陸, 僑寓晋州任內. ○永善縣, 本朝恭靖王元年己卯, 併二縣, 號珍城".

· 『신증동국여지승람』 권30, 晋州牧, 古跡, "溟珍部曲, 在永善東十五里. 高麗末巨濟溟珍浦人僑居于此, 入本朝還本土, 因名之".
· 『신증동국여지승람』 권32, 巨濟縣, 古跡, "溟珍廢縣, 本新羅買珍伊縣. 亦在本島. 景德王改今名來屬, 高麗因之, 後置監務. 元宗朝避倭出陸, 僑寓晉州永善縣. 本朝恭靖王朝合于江城縣, 稱珍城. 世宗朝還本島. 復來屬. 距縣南十五里".

72) 이는 『동도역세제자기』에 의거하였는데, 田文允은 田文胤의 오자일 것이다.
73) 이는 「崔瑞墓誌銘」에 의거하였다.
74) 이는 『연안부지』에 의거하였다.
75) 이때 安珦은 西海道按察使로 파견되었던 같다.
76) 이는 『원사』 권59, 지11, 지리2, 遼陽行省 東寧路에 의거하였다.
77) 張鐸은 2월 1일(庚寅) 日本人을 거느리고 燕京에 도착하여 世祖에게 謁見을 요청하였다. 또 여기에서 1월, 1월 10일은 燕京에의 到着이 아니라 고려에서의 출발이다.
· 『원사』 권7, 본기7, 세조4, 至元 9년, "二月庚寅朔, 奉使日本趙良弼, 遣書狀官張鐸同日本二十六人, 至京師來見".
· 『원사』 권159, 열전46, 趙良弼, "… 日本, 知不可屈, 遣使介十二人入覲, 仍遣人送良弼至對馬島".

將白琚, 表賀曰, "盛化旁流, 遐及日生之域, 殊方率服, 悉欣天覆之私. 惟彼倭人, 處于鰈海, 宣撫使趙良弼, 以年前九月, 到金州境, 裝舟放洋而往, 是年, 正月十三日, 偕日本使佐一十二人, 還到合浦縣界, 則此誠由聖德之懷綏. 彼則嚮皇風而慕順, 一朝涉海, 始修爾職而來, 萬里瞻天, 曷極臣心之喜. 玆馳賤介, 仰賀宸庭".

[辛巳,元移鳳州屯田于塩·白州→是月末로 옮겨감].

○分遣程驛蘇復別監于諸道.[78)]

甲申[25日], 遣齊安侯淑·樞密院副使宋松禮如元, 賀建國號, 表曰, "三百有旬之成歲功, 自正朝而爲始, 六十餘卦之備易, 道從乹象以起. 初一言以興, 四德之長, 惟萬國之攸戴, 在百王以莫高. 猗歟允[先]正其名, 屬我大明之代. 鳳傳景詔, 喜不外於海東, 燕賀誠心, 庶得先於天下".[79)]

丁亥[28日], [驚蟄]. □[前]門下侍中李藏用卒,[80)] [年七十二, 後[忠烈王1年]追謚文眞:轉載].[81)] [藏用, □□[爲人], 恭儉沈重, 博覽書史, 爲一代儒宗. 然以冢宰, 當林衍廢立, 旣不能討, 又從而爲之謀, 罪莫大焉:節要轉載].

[某日, 以盧□[某]爲慶尙道按察使:慶尙道營主題名記].

[某日, 議, 以品祿減少[~~減小~~], 分給文武官京畿田有差, 以近地, 給校尉·隊正. 盖爲苦役也:食貨1祿科田轉載].

[某日, 御史臺奏, "庚午[元宗11年]之變, 朝官以其家屬陷賊, 率多改娶. 今賊平, 其舊室, 雖有還者, 或疑有所汚, 或悅新昏[新婚], 遂棄而不顧, 以敗人倫, 以致多怨, 請禁之", 從之:刑法1戶婚轉載].[82)]

[□□[是時?], 無父母和論, 無故棄妻者, 停職付處:刑法1戶婚轉載].

· 『원사』 권208, 열전95, 外夷1, 高麗, "[至元]九年正月, 禃遣其別將白琚, 偕張鐸等十二人奉表, 入見".
· 『원고려기사』本文, 世祖, 至元, "九年正月十日, 植遣其別將白鋸[白琚], 偕張鐸等十二人, 奉表, 來見".

78) 이 기사는 지36, 兵2, 站驛에도 수록되어 있다.

79) 이 賀表의 原文이 『동문선』 권32, 賀立大元國號起居表의 賀表인데(金坵 撰), ~~添字~~는 이에 의거한 것으로 그렇게 고쳐야 옳게 된다. 또 齊安侯 淑은 2월 3일(壬辰) 燕京에서 國號의 改稱을 賀禮하였다.
· 『원사』 권7, 본기7, 세조4, 至元 9년 2월, "壬辰, 高麗國王王禃遣其臣齊安侯王淑來, 賀改國號".

80) 이날은 율리우스曆으로 1272년 1월 28일(그레고리曆 3월 6일)에 해당한다.

81) □에 前이 탈락되었는데, 『고려사절요』 권19에는 옳게 되어 있다. 諡號는 열전15, 李藏用에서 전재하였다.

82) 庚午之變은 1270년(원종11) 6월 江華島에서 일어난 三別抄의 高麗政府에 대한 擧兵을 가리킨다.

[是月辛巳22日, 元移鳳州屯田于塩·白州.←辛巳에서 옮겨옴].[83]

[是月, 特進·上柱國·高麗世子王愖□□~~在元~~, □□□□~~士中書省~~狀言, "林衍之能擅權倔强者, 專以左邊·右邊及神義軍等三別抄故也. 及其死也, 其子惟茂傳繼, 詔發官軍討之. 行省入小邦境土, 先遣徹徹都官人·曹□~~員~~外郎及本國尙書鄭子璵·李玢禧等往諭詔旨, 惟茂竟不祇奉, 益堅據江華城, 分遣三別抄人使外官州郡, 促入島嶼·山城而固守. 當是時無敢議者, 尙書右丞宋玢, 玢父上將軍松禮慷慨自奮, 欲殺惟茂. 而玢幸爲將軍, 統神義軍別抄, 故往年五月十四日夜, 宿向前軍所, 及夜半, 松禮與衍之壻洪文系克期會到. 玢使神義軍屬松禮, 卽刻, 玢先率不多人, 突入左右邊三別抄所, 密諭而能合衆心. 比曉, 與三別抄攻破惟茂家, 滅之. 是月十七日, 與洪文系偕行, 詣國王~~頭輦哥~~·趙平章~~趙璧~~行軍路次平州寶山站, 告之. 念我小邦, 自入江華以來, 往往以陸地詔示因循未奉者, 迺累世權臣專欲, 而不顧國便故耳. 況惟茂多率食客, 與三別抄拒違詔命也. 玢不顧萬死, 與父松禮同盡心力, 一朝掃除, 然後京都能出古基. 事上朝益勤, 玢父子之功, 實不小矣. 伏聞, 聖朝凡有功者, 賞延於世, 況自成功者也. 今愖還國, 欲庀船楫與軍糧, 必以宋玢經略事務. 須佩大朝章服, 以耀民望. 況玢曾有大功, 竊希聖澤. 伏望, 中書省詳照, 敷奏天聽:追加].[84]

二月庚寅朔小盡,癸卯,[85] 己亥10日, 世子諶至自元,[86]

○帝遣斷事官不花·馬絳~~馬璘~~等, 偕來.[87]

---

83) 이 기사는 몽골제국에서 이루어진 사실을 동일한 날짜[日辰]에 그대로 전재한 것이기에 적절하지 않다. 『고려사』의 서술에서 中原에서 고려와 관련되어 일어난 사건을 직접 敍述할 때는 月末에 日辰을 붙여(是月某日), 年末에 月次를 붙여(是歲某月) 添書하는 것이 일반적이었다. 그렇지만 이 시기 이후 大元蒙古國의 支配秩序下에 編入되면서 고려의 國王이 燕京[中都]에 滯在하고 있을 때, 그곳에서 일어난 일을 그대로 收錄한 것은 問題가 없을 것이다[校正事由].

· 『원사』 권7, 본기7, 세조4, 至元 9년 1월, "辛巳, 移鳳州屯田於鹽·白二州".

84) 이 기사는 『원고려기사』本文, 世祖, 지원 9년 1월에 의거하였는데, 添字는 필요에 의해 추가하였다.

85) 延世大學本과 東亞大學本에는 三月로 되어 있으나 二月의 잘못이다(東亞大學 2008년 7책 299面).

86) 世子 諶은 前年(至元8) 9월 2일(癸亥) 歸國이 許諾되었다고 하는데, 이때 고려에 도착하였다면 매우 늦게 온 셈이다.

· 『원사』 권7, 본기7, 세조4, 至元 8년 9월, "癸亥, 高麗世子王愖~~諶~~辭歸, 賜國王王禃西錦, 優詔諭之".

· 『원사』 권208, 열전95, 外夷1, 高麗, "至元八年九月帝遣愖~~諶~~還國".

· 『원고려기사』本文, 世祖, 지원 8년 10월, "是月, 遣愖~~諶~~還國".

87) 不花·馬絳(馬璘)은 1월 7일(丙寅) 몽골제국에서 派遣이 결정되었다.

○中書省牒曰,"據世子諶云, 吾父子相繼朝覲, 特蒙恩宥, 小邦人民, 得保遺噍, 感戴之誠, 言不可旣. 諶連年入覲, 每荷皇恩, 區區之忠, 益切致効. 惟彼日本, 未蒙聖化, 故發詔使, 繼耀軍容, 戰艦兵糧, 方在所須. 儻以此事委臣, 庶幾勉盡心力, 小助王師. 都省奏奉聖旨, 教世子, 親自去者, 教尙書省馬郎中, 做伴當去者".

○時世子久留燕京, 從者皆愁思東歸, 勸世子, 以東征事, 請帝而還. 薛仁儉·金愭等, 不可曰, 世子在此, 將以衛社稷也, 今請此事以還, 則如本國何, 世子寢之. 會林惟幹聞之, 欲假此, 先請東還, 復收所沒田民·財寶. 世子知之, 不得已請于帝.

[→世子知之, 不得已遂告都省, 以請于帝曰,"惟日本未蒙聖化, 戰艦兵糧, 方在所須, 儻以此事委臣, 庶幾勉盡心力, 小助王師. 帝遣斷事官不花·郎中馬絳[馬璘], 護世子還國. 中書省移文, 令具舟糧, 助征":節要轉載].

○國人見世子辮髮·胡服, 皆歎息, 至有泣者.

壬寅[13日], 宴不花·馬絳[馬璘].

[○日珥:天文1轉載].

[□□[是廿], 王致書於日本, 使通好于上朝:追加].[88]

[某日, 杖庾超. 超, 嘗隨李藏用如元, 因留不還. 欲媚於帝, 因訴曰,"高麗[承宣]許珙·[上將軍]康允紹·孔愉, 同謀欲叛上朝". 帝命不花等, 逮珙等對辨, 超, 服其誣, 故杖之:節要轉載].

· 『원사』 권7, 본기7, 세조4, 至元 9년 1월, "丙寅, 詔遣不花·馬璘諭高麗, 具舟糧, 助征耽羅".
· 『원사』 권208, 열전95, 外夷1, 高麗, "[至元九年正月], 遣郎中不花·馬璘使高麗, 諭以供戰船輸軍糧事".
· 『원고려기사』本文, 世祖, 지원 9년 2월, "是月, 遣郎中不花·馬璘等, 使高麗, 諭以供輸戰艦·軍糧事". 여기에서 2월은 燕京[大都]에서의 파견이 아니라 開京에의 도착이다.

88) 이는 다음의 자료에 의거하였는데, 蒙古使 張鐸과 日本人[日本使] 彌四郞 4월 3일 고려에 도착하였던 것 같다.
· 『원사』 권208, 열전95, 外夷1, 高麗, "[至元九年]二月, 禃致書日本, 使通好于朝[天朝?]".
· 『원사』 권208, 열전95, 外夷1, 日本, "[至元]九年二月, 樞密院臣言. 奉使日本趙良弼遣書狀官張鐸來言, 去歲九月, 餘日本國人彌四郞等至太宰府西守護所. 守者云, 曩爲高麗所紿, 屢言上國來伐. 豈期皇帝好生惡殺, 先遣行人下示璽書, 然王京去此尙遠, 願先遣人從奉使回報. 良弼乃遣鐸同其使二十六人至京師求見. 帝疑其國主使之來, 云守護所者詐也. 詔翰林承旨和禮霍孫以問姚樞·許衡等, 皆對曰, '誠如聖算. 彼懼我加兵, 故發此輩伺吾强弱耳. 宜示之寬仁, 且不宜聽其入見'. 從之. 是月, 高麗王禃致書日本".
· 『원고려기사』本文, 世祖, 지원 9년, "二月十三日, 植致書於日本國王, 使通好天朝".
· 『국조문류』 권41, 經世大典, 政典, 征伐, 日本[注, 至元九年五月[二月], 命高麗王植致書日本, 諭使通好. 始遣彌四郞者入朝, 上宴勞之. 旣又逼使者徒歸. 竟不報聘]. 여기에서 添字와 같이 고쳐야 옳게 될 것이다.

[→有庾超者，承宣弘之子也，嘗爲僧，歸俗娶李藏用孫女．隨藏用如元，欲媚於帝，因訴曰，“高麗承宣許珙·上將軍康允紹·將軍孔愉同謀，欲叛上朝”．帝命不花，逮珙等，與超對辨，超服其誣，遂杖之:列傳18許珙轉載]．

癸卯14日，燃燈，王如奉恩寺．

○大風，環餠洞里百餘戶火．[89]

甲辰15日，置戰艦兵糧都監．又置鈿函造成都監，以皇后欲盛藏經，而求之也．[90]

[乙巳16日，虹抱日:天文1轉載]．

壬子23日，以洪文系爲樞密院副使．[91]

戊午29日晦，[淸明]．元遣使于塩·白州，相移屯之地．

[是月壬辰3日，元改中都爲大都:追加]．[92]

三月己未朔小盡,甲辰，丁卯9日，以琴熏爲濟州逆賊招諭使．

庚午12日，元中書省遣嶽山·李珪與李樞來，索大木．

[→元中書省遣李樞來，索大木三五十株．樞因侵擾不已，國家欲悅其意，拜爲將軍．樞伐大木，載以十艘，幷載其奴婢·貨財而去:節要轉載]．[93]

癸酉15日，[穀雨]．分遣指揮使于諸道．

---

89) 이와 같은 기사가 지7, 五行1, 火, 火災에도 수록되어 있다. 環餠洞里가 五部의 어느 坊里인지는 알 수 없으나 環餠이 위구르인[回回, 畏吾兒]이 즐겨먹는 기름에 튀긴["一圈圈放入油中, 炸制而成"] 月餠과 같은 것을 감안하면 外來人의 居住와 어떤 관련이 있는 聚落인 것 같다. 또 고려 말에 月餠과 油餠이 만들어 지고 있었던 같다.

- 『齊民要術』 권9, 餠法第82, 細環餠·截餠[注, 環餠, 一名寒具, 截餠, 一名蝎子], "皆須以蜜調水溲麪, 若無蜜, 煮棗取汁, 牛羊脂膏亦得. 用牛羊乳亦好, 令餠美脆. 截餠, 純用乳溲者".
- 『鷄肋編』卷上, "食物中有饊子, 又名環餠. 或曰卽古之寒具也. 京師凡賣熟食者, 必爲詭異, 標表語言, 然後所售益廣. 嘗有貨環餠者, 不言何物, 但長歎曰, 虧便虧我也. 爲價廉不稱耳".
- 『목은시고』 권35, 庚午恭讓2年正月七日, 赤城兪判事, 以酒一瓶·月餠·油餠同一器, 生鮮一首送至, ~~於長湍李穡貶所~~. 여기에서 ~~添字~~는 필자가 추가한 것이다.

90) 이와 관련된 기사로 다음이 있다.

- 지31, 百官2, 戰艦兵糧都監, "元宗十三年, 置".
- 지35, 兵1, 五軍, "元宗十三年二月, 置戰艦兵粮都監".
- 지31, 百官2, 鈿函造成都監, "元宗十三年, 置".

91) 이때 洪文系는 銀靑光祿大夫·樞密院□□副使·以下脫落에 임명되었다고 한다(洪奎墓誌銘).

92) 이는 『원사』 권7, 본기7, 세조5, 지원 9년 2월 壬辰에 의거하였다.

93) 이 기사는 열전43, 趙彝, 李樞에도 수록되어 있는데, 國家가 王으로 달리 표기되어 있다(盧明鎬 等編 2016년 496面).

○三別抄餘黨寇會寧郡, 掠漕船四艘.

戊寅[20日], 地震.

丙戌[28日], 大廟[太廟]成, 奉安九室主.

[○暴風雷雨, 以雹:五行3轉載].

[某日, 令諸王及大小臣民, 出豆有差, 以助元軍屯田牛料:食貨2科斂轉載].[94)]

[是月乙丑[7日], 帝諭旨中書省, 日本使人速議遣還. 右丞相安童言, "趙良弼請移金州戍兵, 勿使日本妄生疑懼. 臣等以爲金州戍兵, 彼國所知, 約復移戍, 恐非所宜. 但開諭來使, 此戍乃爲耽羅暫設, 爾等不須疑畏也". 帝稱善:追加].[95)]

[□□[是月],[96)] 鐵匠高樓等上黑山·耽羅等海道圖本, 就中書省圓看過議定. 省院臺等同奏,[97)] "黑山·耽羅公事, 臣等議得, 宜先取耽羅, 若先取黑山, 賊兵橫截而入, 恐我軍失利. 高麗王亦稱, '乞上司添力, 併除耽羅', 前者已有表聞, 今鴉鶻劉往黑山, 一節不須及, 止議高麗王所說, 若取耽羅, 彼有船隻氣力多少, 我軍合用幾何. 鴉鶻劉不必與名位, 且令作使, 俟回還征進時, 與名位, 又察忽[洪茶丘]弟兄,[98)] 皆在彼處, 人深知彼中事勢, 察忽見在金州, 宜令來王京, 與其弟兄及共事之人, 商議所知事務, 悉令上奏, 並奉聖旨", 從之:追加].[99)]

夏四月[戊子朔大盡,乙巳], 己丑[2日], 雨雹.[100)]

庚寅[3日], 日本使[彌四郎]還自元. 張鐸伴來, 宣帝命曰, "譯語·別將徐偁·校尉金貯, 使日本有功, 宜加大職". 於是, 拜偁爲將軍, 貯爲郎將.

甲午[7日], 遣□□[監察]御史康之邵, 護日本使, 還其國.

---

94) 이와 관련된 기사로 다음이 있는데, 몽골제국이 高麗에 屯田을 設置한 것은 前年(원종12) 1월 12일(丙子) 以後이므로 高宗은 元宗의 오류임을 알 수 있다.
 · 지33, 食貨2, 科斂, "高宗[元宗]十三年三月, 令諸王及大小臣民, 出豆有差, 以助元軍屯田牛料".

95) 이는 다음의 자료에 의거하였다.
 · 『원사』 권7, 본기7, 세조4, 至元 9년 3월, "乙丑, 諭旨中書省, 日本使人速議遣還. 安童言, '良弼請移金州戍兵, 勿使日本妄生疑懼. 臣等以爲金州戍兵, 彼國所知, 約復移戍, 恐非所宜. 但開諭來使, 此戍乃爲耽 羅暫設, 爾等不須疑畏也'. 帝稱善".

96) 原文의 '[至元]九年三月'을 筆者가 是月로 改書하였다.

97) 여기에서 省院臺는 몽골제국 중앙정부의 핵심이었던 中書省(尙書省), 樞密院, 御史臺를 가리키고, 그 다음의 官署로 大宗正府, 翰林兼國史院, 宣政院, 宣徽院 등이 있었다.

98) 여기에서 察忽[Chaqu]은 洪茶丘(俊奇)의 다른 표기이다(→원종 15년 1월 6일의 脚注).

99) 이는 『원고려기사』, 耽羅, 지월 9년 3월을 轉載한 것이다.

100) 이와 같은 기사가 지7, 五行1, 水, 雨雹에도 수록되어 있다.

戊戌[11日], 殞霜[隕霜].[101)]

癸卯[16日], 元遣李益爲達魯花赤, 王迎于城外.[102)]

庚戌[23日], 設消災道場于本闕.

甲寅[27日], 太白□□[晝見], 經天, [與月同舍:天文2轉載].

丙辰[29日], 以旱雩.

丁巳[30日], 遣諫議大夫郭汝弼如元, 請減軍料, 表曰, "近承省旨, 據塩·白州等軍奏請, 令每軍一名, 添支粮一斗, 每月通支四斗. 小邦元來百姓凋殘, 不得力農, 自家朝夕, 猶且難給, 况出水以來, 軍馬粮料, 急於中外, 收斂[歛]甚艱. 而前年四月, 斷事官沈渾, 至, 聽憸言, 苛責甚厲, 謂須無致闕乏, 而令表奏云, 限以力盡, 不令受飢. 不敢違忤, 復於中外, 徵索到底, 用以供給. 然此亦約限年前, 接秋而止耳, 謂當冬月, 必蒙蠲省. 又令自十月, 至今年接秋供餉, 艱窘滋甚. 其庚午年[元宗11年], 至今年四月晦, 已曾應副軍粮十萬九千一百九十九碩六斗, 馬牛料四十三萬二千五碩六斗, 王京館供對使臣米, 一萬七千一百五十一碩, 種子一萬五千碩, 其糧料斗碩, 委細數目, 具在別錄, 呈俵都表. 百姓早已飢困, 惟是前數, 恐不能接秋, 况復添乎, 且一月三斗, 不爲不足, 但以珍島既破後, 多獲人物, 爲其畜養, 有是請耳. 嘗蒙聖慈, 令輸東眞料米七千碩, 添助粮料, 感荷殊深, 遣人往審, 輸來道塗, 邈遠險阻, 空曠無人, 海陸俱爲未便, 加以小邦, 馬牛寡少, 凡所輸中外粮餉, 人自負戴, 則其往東眞, 輸致甚難. 今此困窮情狀, 不得預奏, 而設有後責, 何辭以對. 四海既爲一家, 則上朝軍馬, 洎玆土百姓, 皆一皇帝之人民, 安有逋逖耶. 伏望, 念可哀之狀, 推同視之仁, 許從便近以轉粮. 倘紓民困, 當與孑遺而延喘, 永沐聖恩".

五月戊午朔[小盡,丙午], 以大將軍曹子一爲慶尙道安撫□[使], 代朱悅.[103)]

庚申[3日], 雨.

辛酉[4日], 全羅道按察使報, 三別抄寇大浦, 掠漕船十三艘.[104)]

---

101) 여러 판본의 『고려사』에서 殞霜으로 되어 있으나 隕霜의 오자일 것이다. 지7, 五行1, 水, 霜에는 옳게 되어 있다.

102) 高麗達魯花赤 李益의 赴任은 중국 측의 자료에서도 확인된다.
· 『원고려기사』本文, 世祖, 지원 9년, "四月, 達魯花赤李益至高麗".

103) 安撫는 按撫使에서 使가 탈락되었는데, 『고려사절요』 권19에는 옳게 되어 있다. 按撫使는 1247년(고종34) 봄철[春] 이래 몽골군의 침입을 방어하고 농민을 宣撫하기 위해 3品 以上官이 下三道에 파견된 것이다(→고종 34년 春以來).

乙丑[8日]，設金經道場于本闕，以禳星變.

○慶尙道按察使執送耽羅賊諜二人.[105]

丙寅[9日]，濟州逆賊招諭使琴熏還自濟州．熏，初過楸子島，賊徒殺熏從者．又拘留電吏，濟州賊奪熏大船，給小船遣還，殊無降意.

庚午[13日]，世子遣使諸道各三人，巡視兵糧所出田疇.[106]

甲戌[17日]，[夏至]．設消災道場于本闕.

丁丑[20日]，三別抄焚掠耽津縣.

甲申[27日]，遣閤門副使~~閤門副使~~琴熏如元，上表曰，"至仁釋罪，幸開宥於自新，逋賊執迷，猶肆驕而不服．前次，承都省奏奉聖旨降宣，差遣濟州，招諭使·閤門副使~~閤門副使~~琴熏·散員李貞，以四月十五日，登船發去，値逆風，退泊甫麻島，逆賊金希就·吳仁鳳·田祐等船四隻來，奪其船，盡執人物，移載于爾船，收擘招諭文字，往告于濟州金通精．而希就等，將琴熏等，遂至楸子島，留著看守．旣得迴報，希就等，與琴熏等，嫚罵曰，爾等嘗遣人珍島，誘我殺其心，引大軍攻破．惟是父母·妻子，人情最愛重，悉已驅掠而去，玆乃我輩，怨入骨髓者也．今又欲盡滅吾屬．而來誘，則爾等固當殄戮無遺，然若爾則今此事意，誰當往告者，玆用放爾．因給朽毁小舠一隻，老水手一名，幷招諭文字送還．其一行內，記官·電吏·梢工·引海等四人，皆殺之，餘外水手十人，亦欲殺之而牽去．琴熏等盤桓島中，而得水手之脫害者三人，以前月二十九日還來．卽令上朝，陣奏向件事由．伏望，俯收採聽，優賜矜從，分委戎兵，倘借赫威而致罰，克淸頑種，庶令遺噍以聊生".

[是月庚午[13日]，帝世祖詔議取耽羅及濟州:追加].[107]

[○元又以書往於日本，令必通好大朝，皆不報:追加].[108]

---

104) 大浦는 保安縣 安興倉에 인접한 古阜郡(現 全羅北道 井邑市 古阜面)에 위치한 것으로 추정되고 있다(韓禎訓 2010년；文敬鎬 2014년 147面).

· 『신증동국여지승람』 권33, 전라도 古阜郡, 山川, "訥堤川，源出興德縣半登山，至郡西十里爲訥堤川，北流扶安之東，與茅川合爲東津，入于海．○大浦，在郡西十里，訥堤川下流，潮水往來".

105) 이때의 慶尙道按察使는 盧某이다(『慶尙道營主題名記』).

106) 이 기사는 지36，兵2，屯田에도 수록되어 있다.

107) 이는 다음의 자료에 의거하였다.

· 『원사』 권7，본기7，세조4，至元 9년 5월 庚午，"詔議取耽羅及濟州".

108) 이는 다음의 자료에 의거하였다.

· 『원사』 권208，열전95，外夷1，日本，"至元九年五月，又以書往，令必通好大朝，皆不報".

六月丁亥朔大盡,丁未, 戊子2日, 王如奉恩寺.

○全羅道指揮使報, 三別抄賊船六艘, 過安行梁而上. 京城洶懼.[109)]

[某日, 置東·西學堂, 以判秘書省事金軌·尙書左丞宣文烈, 爲別監:節要轉載].

[丙申10日, 月犯房星:天文2轉載].

辛丑15日, 王微行, 受菩薩戒.

壬子26日, 遣郎將李有庇如元, 上表曰, “力微除害, 實慚奉職之無能, 仁篤救危, 唯恃銜恩之有自. 玆忘嫌於煩黷, 敢貢懇以籲呼. 伏念蚤幸觀光, 方叨賜履, 但有濟州逆賊, 是年, 三月四月, 侵掠于會寧·海際·海南等三縣之浦溆, 奪諸州縣漕船. 又於五月, 會寧·耽津兩縣, 大肆驅掠而去. 凡前後所攘奪, 船二十隻, 穀米三千二百餘碩, 殺害十二人, 驅去二十四人. 今有盧孝悌者, 嘗附于逆賊, 是月十四日, 逃出來告云, 逆賊以船十一隻, 分載兵三百九十人, 謀取慶尙·全羅道漕船, 且欲攻破沿海州縣. 以故沿海州縣, 騷動難安, 如向表奏, 慮將侵擾全羅州道戰艦造成役, 乞令金州住在上朝軍馬, 分遣防禦. 抑小邦兵卒, 弓箭甲牟, 悉曾見收, 士多徒手裸身裸身,[110)] 深爲未便. 伏望, 威先攻昧, 德尙固存, 減慶尙道之官軍二千, 分全羅州, 以騎士數百, 不止衛乎造舟之地, 抑令防諸沿海之方. 亟頒堅銳於我師, 終許盪淸於爾寇”.[111)]

○別楮云, “臣兢惶隕越, 謹重奏言. 臣竊有開啓事叚段, 具呈于後, 伏望聖慈, 咸賜兪允.

一. 東寧府, 前次經略司, 分遣不多軍馬, 而支應粮料, 始自今年正月, 至于三月十七日而止, 曾禀聖旨, 諭以一体供億, 故留在鳳州軍五百餘人粮料, 乞令東寧府應副, 而未蒙憐察, 反使王京供億, 其得能辦, 甚爲未便. 乞依聖旨, 卒令東寧府添助.

一. 塩州·海州等處種田軍, 年前, 旣入處百姓家戶而經冬, 春月, 並當出歸農所, 而便不離家戶者, 多矣, 實百姓所悶望. 乞令皆就農所, 造家出住, 毋甚煩擾.

---

109) 安行梁은 洪州 蘇大縣 安興亭 부근에 있던 安興梁(現 忠淸南道 泰安郡 近興面 程竹里 一帶)으로 추측된다(東亞大學 2008년 205面).

110) 여러 판본의 『고려사』에서 祼身으로 되어 있으나 裸身으로 해야 옳게 된다(東亞大學 2008년 7책 302面).

111) 이러한 元宗의 三別抄餘黨의 討伐要請은 중국 측의 자료에 壓縮되어 있다. 이에서 『고려사』보다 『원사』가 1일 먼저 기록되어 있는 것처럼 같은 시기에 편성되어 있는 것은 『經世大典』을 편찬할 때 고려 측이 제공한 자료가 底本이 되었기 때문이다.
· 『원사』 권7, 본기7, 세조4, 至元 9년 6월, “辛亥25日, 高麗國王王禃請討耽羅餘寇”.

一. 有自濟州出來者高允大等六人, 年前九月初, 到于追討使金方慶戲下~~麾下~~,[112] 而欣篤~~忻都~~官人,[113] 累度傳諭, 令發遣屯所. 然, 時方招諭濟州人, 而順命出來者, 輒見縶於軍中, 則彼人聞知, 其謂如何. 乞令禁約.

一. 曾稟聖旨, 官軍供給, 限以接秋, 而農牛·農器·種子等事, 早悉庀了, 分付種田司, 趂時耕播. 今則大小麥已收, 而禾穀向熟, 穫者不過八月, 其接秋粮餉, 當限何月, 乞降綸音".

乙卯29日, 遣將軍羅裕, 將募兵一千五百五十餘人, 討三別抄于全羅道. ○時賊旣入濟州~~耽羅~~, 築內·外城, 恃其險固, 日益猖蹶, 常出擄掠, 濱海蕭然.[114]

[→賊旣入耽羅, 築內·外城, 時出剽竊, 橫行州郡, 殺守宰, 濱海蕭然:列傳43裴仲孫轉載].

[是月, 旱:追加].[115]

[是月壬辰6日, 元遣西京屬城諸達魯花赤及質子金鎰等歸國:追加].[116]

[甲午8日, 元以高麗告饑, 轉東京米二萬石, 賑之:追加].[117]

---

112) 戲下는 麾下와 같은 單語로서 將帥의 旌麾 아래를 의미한다.
- 『史記』 권92, 열전32, 淮陰侯, "及項梁渡淮, 信杖劒從之, 居戲下, 無所知名. 裴駰集解引, 徐廣曰, 戲一作麾".

113) 欣篤은 忻都의 다른 표기인데, 『고려사』에서 忻都[Qindu, Hindu]를 欣篤[Hindu]·忽敦[Hodon] 등으로 달리 표기하여 一貫性을 잃었다. 또 그는 欣篤(『동안거사집』)·忻篤(『익재난고』)·忻豆(『역옹패설』) 등으로 달리 표기되기도 하였다. 그런데 당시의 忽敦과 忻都는 別個의 인물인데, 고려 측의 자료에서 同一人과 같이 표기한 이유를 알 수 없다.

114) ~~添字~~는 『고려사절요』 권19에 의거한 것인데, 그렇게 고쳐야 옳게 된다(盧明鎬 等編 2016년 497面). 또 삼별초에 관한 기사는 열전17, 金方慶에도 수록되어 있는데, 역시 ~~添字~~로 되어 있다.

115) 이는 다음의 자료에 의거하였다. 또 일본의 교토[京都]에서도 이달에 旱魃과 더위가 있었던 것 같다.
- 『원사』 권50, 지3상, 오행1, 金, "至元九年六月, 高麗旱".
- 『續史愚抄』 3, 文永 9년 7월, "一日丁巳, 依炎旱, 被始神泉苑御讀經, 阿闍梨·東寺長者·前大僧正道融".

116) 이는 다음의 자료에 의거하였다. 이에서 質子 金鎰은 누구의 아들인지는 알 수 없으나, 明年(원종14) 10월 5일(癸丑) 大都[다이두]에 滯在하고 있던 世子 諶의 生活費인 盤纏銀 250斤을 가지고 元에 들어간 別將 金鎰일 것이다.
- 『원사』 권7, 본기7, 세조4, 至元 9년 6월, "壬辰, 遣西京屬城諸達魯花赤及質子金鎰等歸國".
- 『원사』 권208, 열전95, 外夷1, 高麗, "至元九年六月, 遣西京屬城諸達魯花赤及質子金鎰等歸國".

117) 이는 다음의 자료에 의거하였다.
- 『원사』 권7, 본기7, 세조4, 至元 9년 6월, "甲午, 高麗告饑, 轉東京米二萬石, 賑之".

秋七月丁巳朔小盡,戊申，甲子8日，倭船到金州，慶尙道按撫使曹子一,[118] 恐交通事覺，獲譴于元，密令還國．高麗軍民總管洪茶丘聞之，嚴鞫子一，[鍛鍊其辭:節要轉載]，馳聞于帝．

[→明年，倭船泊金州，慶尙道安撫使曹子一，恐元責交通，密令還去．洪茶丘聞之，嚴鞫子一，鍛鍊以奏曰，“高麗與倭相通”．王遣張暐，請釋子一囚:列傳43洪福源轉載].[119]

己卯23日，遣大將軍金伯鈞金伯均如元，賀節日.[120]

[某日，以崔有浮崔有渰爲慶尙道按察使:慶尙道營主題名記].[121]

八月丙戌朔大盡,己酉，日食.[122]

○元遣侍衛親軍千戶王岑與茶丘，議征取耽羅之策．茶丘表陳，“金通精之黨，多在王京，可使招之，招而不從，擊之未晚”，帝從之．茶丘乃遣通精之姪郞將金贊·李邵，賊將吳仁節族桓文伯等五人，使往諭之．通精等不從，留金贊，餘皆殺之.[123]

---

118) 按撫使는 『고려사절요』 권19에는 安撫使로 되어 있는데, 中原의 典籍에서도 兩者가 竝用되었다(盧明鎬 等編 2016년 497面→예종 2년 2월 29일의 脚注).

119) 張暐는 洪茶丘의 姑母夫이다. 이 시기 이후에 日本海船[倭船]의 高麗出入이 禁止되어 韓·日間의 制限된 貿易조차 단절되고 말았던 것 같다. 이는 九州地域에서 10~11世紀부터 出土되던 大型壺를 위시한 각종 高麗陶器가 12세기에 가장 많은 사례를 보였지만, 13세기가 되면서 以前보다 出土量이 감소되는 것과 어떤 연관이 있는 것 같다(主稅英德 2018年).

120) 金伯鈞은 1277년(충렬왕3) 10월 3일(戊午) 이후부터는 金伯均으로 표기되었다가 다시 金伯鈞으로 표기되기도 하였으므로 兩者 中의 하나가 오자일 것이다.

121) 이 기사에서 崔有浮는 崔有渰일 가능성이 있다.

122) 이날 宋·蒙古·日本에서도 일식이 있었다(『송사』 권52, 지5, 천문5, 日食 ; 『원사』 권7, 본기7, 세조4, 至元 9년 8월 丙戌). 이날은 율리우스曆의 1272년 8월 25일이고, 開京에서 일식 현상이 심했던 시간은 7시 49분, 食分은 0.49이었다(渡邊敏夫 1979年 310面).

· 『續史愚抄』3, 文永 9년 8월, “一日丙戌, 日蝕正見. 蝕御祈, 僧正𠫤助奉仕”.

123) 이 내용은 洪茶丘의 열전에도 수록되어 있는데, 여기에서 七月이 탈락되었을 것이다.

· 『원사』 권154, 열전41, 洪福源, 俊奇, “至元八年□□七月, 帝遣侍衛軍千戶王岑, 與茶丘議征取之策, 茶丘表陳, 通精之黨, 多在王京, 可使招之, 招而不從, 擊之未晚, 從之. 俄奉旨往羅州道監造戰船, 且招降耽羅, 茶丘得通精之姪金永等七人, 俾招之, 通精不從, 留金永, 餘盡殺之”.

· 『원고려기사』, “至元十年四月二十八日, 經略使忻都同洪茶丘領兵入海, 攻拔耽羅賊城, … 茶丘因陳, ‘高麗王京, 多有通精親戚, 可遣招誘. 若不從命, 則以軍力擊之不晚’. 事聞奉旨, 命茶丘於全羅道訪得通精姪金永等七人使招通精, 通精與本國星主等不從, 盡殺使命, 惟留永”. 이상에서 金永은 金贊의 誤字일 것이다.

· 열전43, 裴仲孫, “王遣金通精姪金贊及吳仁節族桓文伯等六人, 招諭之, 通精留贊, 餘皆殺之”.

壬申[某日], 三別抄掠奪全羅道貢米八百石.[124]

丁酉[12日], 義州副使金孝巨[~~金孝臣~~]等二十二人還自元. 帝[世祖]以我出陸, 皆放之.[125]

辛丑[16日], 設消災道場于本闕.

庚戌[25日], 大府注簿[~~太府主簿~~]姜渭贊·文習圭等, 以大府[~~太府~~]虛竭, 不堪徵責, 祝髮而逃.

[→大府注簿[~~太府主簿~~]姜渭贊·文習圭等, 祝髮而逃. 時大府[~~太府~~]虛竭, 官吏雖殫私財, 以供御, 亦不免徵責. 渭贊等不堪其苦辭職, 不許, 故逃去:節要轉載].

[是月壬辰[7日], 元調兵增戍全·羅州:追加].[126]

九月[丙辰朔大盡,庚戌], 甲子[9日], 宴達魯花赤李益及馬絳.

丙寅[11日], [達魯花赤]李益托遊禪源社, 入江華, 覘虛實.

戊辰[13日], 中道[忠淸道]按察使報, 三別抄寇孤瀾島,[127] 焚戰艦六艘, 殺船匠, 執造船官·洪州副使李行儉及結城·藍浦監務而去.[128]

[→[尙書都事李行儉]出知洪州事. 陷於三別抄之亂, 賊使掌選法:列傳19李行儉轉載].

---

124) 壬申은 이달에 없고, 다음의 기사가 丁酉(12일)이므로 壬申은 壬辰(7일) 또는 丙申(11일)의 오자일 것이다.

125) 金孝臣 등은 1269년(원종10) 10월 5일 西北面兵馬使營의 記官 崔坦 등이 반란을 일으킬 때 大府城(鴨綠江 下流의 沙洲에 위치, 大富城)에 있던 몽골 사신 脫朶兒[Todor]에게 連行된 官僚들이다(→원종 10년 10월 3일). 또 金孝巨는 『고려사절요』 권19에 金孝臣으로 되어 있는데, 後者가 옳을 것이다(盧明鎬 等編 2016년 497面→원종 10년 10월 28일의 脚注).

126) 이는 다음의 자료에 의거하였다.
- 『원사』 권7, 본기7, 세조4, 至元 9년 8월 壬辰, "調兵增戍全·羅州".

127) 洪州管內의 保寧縣 孤瀾島(현 忠淸南道 保寧市 鰲川面으로 編制된 元山島)는 高鸞島, 高瀾島(『고려사』), 高巒島(고만도, 『조선왕조실록』, 『신증동국여지승람』)로도 표기되었던 것 같다.

128) 中道按察使는 忠淸道按察使의 別稱으로 추측되는데, 그가 報告한 洪州[洪城]·結城·藍浦 등이 忠淸道의 管轄이다. 또 이는 高宗代에 中道按察使에 임명된 兪升旦[文安公]이 洪州管內의 槥城郡[槥城]·保寧縣 等地를 巡歷하다가 壁上의 詩文에 次韻하였다는 기록을 통해 알 수 있다. 그리고 같은 달 己巳(14일) 中道의 경우에도 마찬가지인데, 中道는 中原道(혹은 忠原道)에서 由來했을 가능성도 있다.
- 『補閑集』권중, "文安公, 以文行爲人龜鑑, … 爲中道按廉□[使], 巡歷槥城, 和壁上題云, …".
- 지10, 지리1, 楊廣道, "… 本高句麗·百濟之地, 成宗十四年分境內, 爲十道. 楊州·廣州等州縣, 屬關內道, 忠州·淸州等州縣, 爲忠原道, 公州·運州等州縣, 爲河南道. 睿宗元年合爲楊廣忠淸州道. 明宗元年分爲二道. 忠肅王元年定爲楊廣道. 恭愍王五年爲忠淸道".
- 지10, 지리1, 忠州牧, "… 太祖二十三年又改爲忠州. 成宗二年初置十二牧, 州其一也. 十四年置十二州節度使, 號昌化軍, 稱中原道. 顯宗三年廢爲安撫使. 九年定爲牧, 爲八牧之".
- 지10, 지리1, 淸州牧, "… 太祖二十三年改爲淸州. 成宗二年初置十二牧, 州其一也. 十四年置十二州節度使, 號全節軍, 屬中原道. 顯宗三年廢爲安撫使. 九年定爲牧, 爲八牧之一".

己巳14日, 幸王輪寺.
○遣近仗將校于中道忠淸道, 探候賊變.
[甲戌19日, 參知政事·判禮部事朴李溫卒:追加].[129)]
庚辰25日, 賜金滉等及第.[130)]
[某日, 以郞將鄭仁卿爲中軍神騎都領:追加].[131)]

冬十月丙戌朔小盡,辛亥, 癸巳8日, 樞密院副使洪文系辭職, 以邊胤代之.
[→陞樞密院副使, 又辭不就, 時年未四十:列傳19洪奎轉載].
甲午9日, 移御堤上宮, 設百座道場.
乙未10日, 地震.
[丁酉12日, 鎭星入大微太微右執法. 熒惑入大微太微, 與鎭相犯:天文2轉載].
己亥14日, 洪茶丘殺慶尙道按撫使曹子一.[132)]
[辛丑16日, 雨雹而雷:五行1雨雹轉載].
庚戌25日, 幸堤上宮, 設金經道場.
辛亥26日, 盜竊典牧庫銀十八斤.
[甲寅29日晦, 虹見西方:五行1虹霓轉載].[133)]

十一月乙卯朔大盡,壬子, 己巳15日, 三別抄寇安南都護府富平, 執府使副使孔愉及其妻, 以去.[134)]
○多者大王使者來.[135)]

---

129) 이는 「朴李溫墓誌銘」에 의거하였는데, 이날은 율리우스曆으로 1272년 10월 12일(그레고리曆 10월 19일)에 해당한다(金龍善 2016년 169面).
130) 이와 관련된 기사로 다음이 있다. 이때 金滉·鄭瑎(『東賢史略』) 등이 급제하였다(『登科錄』, 朴龍雲 1990년 ; 許興植 2005년).
· 지27, 선거1, 科目1, 選場, "元宗十三年九月, 元傅知貢擧, 右承宣許珙同知貢擧, □□□取進士, □□庚辰, 賜金滉等三十三人·恩賜七人·明經一人及第".
131) 이는 「鄭仁卿政案」에 의거하였다.
132) 이날은 율리우스曆으로 1272년 11월 6일(그레고리曆 11월 13일)에 해당한다.
133) 이날 일본의 京都에서는 비가 내렸다고 한다(『吉續記』, 文永 9년 10월, "廿九日, 雨下").
134) 이 시기에 安南都護府는 富平(현 仁川廣域市 富平區 地域)에 있었고(尹龍爀 1994년), 그 長官인 府使는 正使[府使]가 아닌 副使로 充員되어 있었던 것 같다(→明年 6월 3일, 安南都護副使 孔愉의 歸還).
135) 多者大王은 누구인지는 알 수 없다.

乙亥[21日], 王宴使者, 贈白銀·苧布.

○三別抄又寇合浦, 焚戰艦二十艘, 執蒙古烽卒四人而去.

戊寅[24日], 遣中書舍人權呾如元, 賀正.

○三別抄寇巨濟縣, 焚戰艦三艘, 執縣令而去.

○賊船又來泊[仁州]靈興島,[136] 横行近境, 王請五十騎于元帥忻都, 宿衛宮禁.

[是月乙卯朔, 帝賜至元十年曆:追加].[137]

[己巳[15日], 元中書省奏, 先奉旨, 議耽羅·日本事, 臣等同樞密院官詢問, 有自南國經由日本來者, 耽羅人三名, 畫到圖本, 稱日本太宰府等處下船之地, 俱可下岸, 約用軍二三萬. 臣等謂. 若先事日本. 未見本國順逆之情, 恐有後詞. 可先平訖耽羅賊寇, 然後若日本國. 果不放趙良弼等返國, 徐當再議, 似無後患. 又兼耽羅國王曾來朝, 見今叛賊逐其主, 占據城郭, 義當先平. 上曰, '察忽先令人入耽羅, 今回未. 臣僚奏, '未回'. 上曰, '其人回日, 若耽羅歸順, 夫復何言'. 又奏, '其人回而不歸順, 竊恐遲誤軍事'. 上曰, '行之. 至如耽羅歸順, 不用兵, 別亦有調用之處, 卿等議合用多少[朴]兵力'. 回奏, '臣等約量本處屯田軍, 可摘二千, 復於漢軍內選三二千人, 船中載馬費力, 蒙古軍可少, 差高麗國合僉五六千, 共一萬餘軍可矣'. 上曰, '武衛軍差二千, 卿等更議餘者':追加].[138]

十二月[乙酉朔大盡,癸丑], 壬辰[8日], [小寒]. 元遣李樞與蒙古二人來, 索宮室材木[139].

甲午[10日], 設消災道場于內殿.

---

136) 고려시대의 靈興島(현재의 仁川市 甕津郡 永興面)는 大部島와 함께 仁州의 管轄下에 있었던 것 같다.

· 『세종실록』 권148, 지리지, 南陽都護府, "大部島[在花之島西二里, 長三十里, 廣十五里. 有左道船軍營田百餘結, 放國馬四百十八匹, 鹽夫四戶入居看養]. … 靈興島[在小牛島西七里, 長二十五里, 廣十五里, 有鹽夫五戶]. 召忽島[在靈興島西三十里, 古稱召物島, 周回二十里, 無田地居人]. 德積島[在召忽島南六十里, 古稱仁物島, 周回十五里, 放國馬二百五十七匹]".

· 『신증동국여지승람』 권9, 南陽都護府, 山川, "大部島. 在府西五十三里, 有牧場. 靈興島, 在大部島西, 有牧場. 召忽島, 成宗十七年, 移屬安山郡[新增] 今上[中宗]十四年, 自安山還屬于府. 德積島, 成宗十七年, 移屬仁川府".

137) 이는 다음의 자료에 의거하였다.

· 『원사』 권7, 본기7, 세조4, 至元 9년 11월, "乙卯朔, 詔以至元十年曆賜高麗".

138) 이는 『원고려기사』本文, 耽羅, 世祖, 至元 9년 11월 15일에 의거하였는데, 冒頭에 "十一月十五日, 中書省奏, …"로 되어 있다.

139) 이 기사는 열전43, 趙彛, 李樞에도 수록되어 있다("未幾, 元遣樞□[來], 又索材木").

乙未11日, 元以攻討濟州, 詔王, 簽軍六千·水手三千.[140]

己亥15日, 分遣抄軍別監于諸道.

庚子16日, 洪茶丘自南道來, 遂如元, 王慰遣之.[141]

辛丑17日, 命樞密院副使宋松禮·上將軍徐裕, 點兵.

[癸卯19日, 日珥:天文1轉載].

[某日, 令百官, 出戰馬料有差:節要轉載].

[→又斂馬料于各品, 三品六石, 四品五石, 以至微官, 收斂有差:食貨2科斂轉載].

丁未23日, [大寒]. 世子諶如元.[142]

[→是月, 世子諶如元, 出大府黃金三斤七兩, 長興庫白金四百三十斤七兩, 興王寺一百五十斤, 安和寺一百斤, 普濟寺七十斤. 又令宰樞·承宣以上, 各出一斤, 以充行纏:食貨2科斂轉載].

庚戌26日, 以樞密院副使宋松禮爲忠淸道指揮使.

○元復遣趙良弼如日本, 招諭.

[甲寅30日, 頒政:追加].[143]

[是月辛丑17日, 元諸王忽剌出拘括逃民高麗界中, 高麗達魯花赤上其事. 詔高麗之民, 猶未安集, 禁罷之:追加].[144]

[是年, 以太僕卿許珙爲銀靑光祿大夫·簽書樞密院事·翰林學士承旨:追加].[145]

---

140) 이 詔勅은 몽골제국에서 11월 15일(己巳) 發給되었다. 또 上記 記事의 濟州는 『고려사절요』 권19에는 三別抄로 되어 있으나 세조 쿠빌라이의 敕書에는 耽羅로 되어 있었던 것 같다(盧明鎬 等編 2016년 497面).

- 『원사』 권7, 본기7, 세조4, 至元 9년 11월, "己巳, 敕發屯田軍二千·漢軍二千·高麗軍六千, 仍益武衛軍二千, 征耽羅".

141) 열전43, 洪福源, 茶丘에는 "一日, 茶丘遽還元, 人莫知其故, 王慰諭之"로 되어 있다. 또 이 열전에는 明年(원종14)에 이루어졌던 홍다구가 濟州島[耽羅]의 三別抄를 토벌했던 사실은 전혀 기술하지 않았다.

142) 世子 諶은 明年 正旦에 世祖를 알현하고 하례를 올렸다.

- 『원사』 권8, 본기8, 세조5, 지원 10년 1월, "乙卯朔, 高麗國王王禃遣其世子愖來朝".
- 『원사』 권208, 열전95, 外夷1, 高麗, "至元十年正月, 禃遣其世子愖入朝".

143) 이는 다음의 자료에 의거하였다.

- 『동안거사집』 권4, 賓王錄, "是年正旦前一日, 頒政, 無功者超拜, 而三官當遷, 皆不得除".

144) 이는 다음의 자료에 의거하였다.

- 『원사』 권7, 본기7, 세조4, 至元 9년 12월, "辛丑, 諸王忽剌出拘括逃民高麗界中, 高麗達魯花赤上其事. 詔高麗之民, 猶未安集, 禁罷之".

[○以右正言崔瑞爲禮部員外郞·甫州副使:追加].[146)]

[○以河丁汁爲永州副使:追加].[147)]

[○以秦廷爲碩州副使:追加].[148)]

[○元中書省臣及樞密院臣議曰, "若先有事日本, 未見其逆順之情. 恐有後辭, 可先平耽羅, 然後觀日本從否, 徐議其事. 且耽羅國王嘗來朝覲, 今叛賊逐其主, 據其城以亂, 擧兵討之, 義所先也":追加].[149)]

[○元以劉復亨爲昭勇大將軍·鳳州等處經略使:追加].[150)]

[是年頃, 式目都監錄事李承休閱文書, 得金國詔書二通, 見其序皆云, 大金國皇帝寄書于高麗國皇帝云云:追加].[151)]

癸酉[元宗]十四年, 元 至元十年, [南宋咸淳九年], [西曆1273年]

1273년 1월 21일(Gre1월 28일)에서 1274년 2월 8일(Gre2월 15일)까지, 13개월 384일

春正月 [乙卯朔小盡,甲寅, 日珥:天文1轉載].[152)]

[○東方, 有黃紫氣, 中有直竪衝天者, 如塔:五行3轉載].

---

145) 이는 「許珙墓誌銘」에 의거하였다.

146) 이는 「崔瑞墓誌銘」에 의거하였다.

147) 이는 『영천선생안』에 의거하였다.

148) 이는 『연안부지』에 의거하였다.

149) 이는 다음의 자료에 의거하였다.
- 『원사』 권208, 열전95, 外夷1, 耽羅, "至元九年, 中書省臣及樞密院臣議曰, 若先有事日本, 未見其逆順之情. 恐有後辭, 可先平耽羅, 然後觀日本從否, 徐議其事. 且耽羅國王嘗來朝覲, 今叛賊逐其主, 據其城以亂, 擧兵討之, 義所先也".

150) 이는 다음의 자료에 의거하였다.
- 『원사』 권152, 열전39, 劉通, 復亨, "至元九年, 加昭勇大將軍·鳳州等處經略使".

151) 이는 다음의 자료에 의거하였다. 이에서 執事는 錄事의 오자이고, 李承休는 明年 閏6월 9일 前式目錄事·書狀官으로서 몽골에 파견되었다(→원종 12년 3월 25일).
- 『帝王韻紀』권상, "臣嘗爲式目執事錄事, 閱都監文書, 偶得金國詔書二通, 其序皆云, '大金國皇帝寄書于高麗國皇帝云云', 此結兄弟之訂也".

152) 이날 일본의 교토[京都]에서 일식이 예측되기도 하였던 것 같다.
- 『續史愚抄』 3, 文永 10년 1월, "一日乙卯, 日蝕云, 未詳".

己未5日, 遣使于慶尙道, 督造戰艦.

庚申6日, 以門下侍郞平章事金方慶△爲判追討事, 樞密□院副使邊胤爲使.

壬戌8日, [立春]. 元□遣使來, 王迎詔于宣義門. 其文, 用新制蒙古字, 人無識者. 使者云, 因林惟幹所奏, 求火熊皮也.

癸亥9日, 遣帶方侯澂·諫議大夫郭汝弼如元, 謝許世子婚.

甲子10日, 以元傅·張佶並爲中書侍郞平章事, 金鍊△爲知門下省事, 尹君正△爲守司空.[153]

丙子22日, 全羅道防護將軍文景秀報, 賊船十艘侵樂安郡.

壬午28日, 副達魯花赤馬絳與大將軍宋玢, 巡視近道戰艦.

○三別抄寇合浦, 焚戰艦三十二艘, 擒殺蒙古兵十餘人.

○彗星見于東方.[154]

[某日, 以中郞將鄭仁卿爲興威衛精勇借將軍:追加].[155]

[某日, 以呂□茉爲慶尙道按察使, 禹天錫爲西海道按察使:慶尙道營主題名記].[156]

[是月戊午4日, 元命忻都·鄭溫·洪茶丘征耽羅, 二月初至三月半:追加].[157]

---

153) 이때 尹君正은 左僕射로서 勳職인 守司空이 더해진 것 같다. 그는 1271년(원종12) 4월 左僕射였다(→원종 12년 4월 是月). 또 그는 증손자인 尹之彪, 후손인 尹斗壽의 묘지명에 의하면 海平尹氏로서 守司空·金紫光祿大夫·尙書左僕射·判工部事에 이르렀다고 한다(『簡易集』 권9, 尹斗壽神道碑銘).

154) 이때 일본의 교토에서 1월 16일(庚午, 高麗曆과 同一)부터 彗星이 관측되었다고 한다.

- 『師守記』, 康永 4년 7월, 文永以來天變年々幷御祈以下被行事, "同文永十年正月十六日戌時許, 彗星出現西方, 長丈餘, 其色白, 此後夜々出現. 同廿七日, 今曉寅時許, 白雲曳亘未申與丑寅間, 長丈餘, 如白布曳亘云々".
- 『一代要記』第2, 文永 10년, "正月十六日亥刻, 彗星見西方".
- 『續史愚抄』3, 文永 10년 1월, "十六日庚午, 有彗星, 見西, 夕見也".
- 『鎌倉年代記裏書』, "今年文永十, 正月十七日, 酉剋, 彗星長一尺餘, 及數日".

155) 이는 「鄭仁卿政案」에 의거하였다.

156) 禹天錫은 是年 3월 8일에 의거하였다.

157) 이는 다음의 자료에 의거하였다.

- 『원사』 권8, 본기8, 세조5, 至元 10년 1월, "戊午4日, 命忻都·鄭溫·洪茶丘征耽羅".
- 『원사』 권154, 열전41, 洪福源, 俊奇, "至元十年, 詔茶丘與欣都率兵渡海, 擊破耽羅, 獲通精, 殺之, 悉免其脅從者, 高麗始平".
- 『원사』 권208, 열전95, 外夷1, 耽羅, "至元十年正月, 命經略使忻都·史樞及洪茶丘等率兵船大小百有八艘, 討耽羅賊黨".
- 『원고려기사』本文, 耽羅, 世祖, 至元, "十年正月四日, 左丞相名缺忽都察兒奏, 臣等與察忽洪茶丘議, 二月初至三月半, 征耽羅爲宜, 奉聖旨, 從之. 上又曰, 可令察忽洪茶丘去. 張左丞張惠再奏, 臣等議征耽羅軍, 將爲長者忻都, 第二武衛軍鄭也可拔都兒鄭溫, 第三察忽洪茶丘, 亦奉旨準".

二月[甲申朔大盡,乙卯]，乙酉[2日]，黃·鳳州經略使差人，賫元詔來，令僧徒出迎．其詔云，“禁軍士搔擾僧舍，損毁經像，使之安心作法”．

丁亥[4日]，置寺院造成別監[寺院造成都監]．[158]

己丑[6日]，洪茶丘還自元，與達魯花赤李益及馬絳等，詣闕，議出軍．

壬辰[9日]，遣水路監船使，率戰艦南下．

[某日，歛[~~斂~~]百官酒及馬有差，以給軍士．又取民戶馬，以換戰馬之羸弱者:節要轉載]．

[→令六品以上，出酒有差，以餉軍士，六品以下，輸馬料于開城．又令諸王·宰樞·四品以上，各出馬一匹，五·六品二□[~~具~~]，幷出一匹，或奪民馬，以換軍士瘦馬:食貨2科斂·兵2馬政轉載]．[159]

丙申[13日]，忻都·劉統領·萬戶鄭溫·朴古大等來，自鹽州屯所，傳詔二通．[160]

一．以忻都等領軍，討耽羅．

一．禁官軍擅奪良家女爲婢．又聽自制兵仗，從王請也．

丁酉[14日]，燃燈，王如奉恩寺，以國家多故，除伎會，但於寺門外，設燈．

庚子[17日]，內莊宅告匱，闕御飯米一夕．

癸卯[20日]，中軍行營兵馬元帥金方慶率精騎八百，隨忻都等，討三別抄于耽羅，王授鉞遣之．

辛亥[28日]，[達魯花赤]李益禁左倉頒祿．王曰，“左倉陪臣俸祿所在，非官人所知，吾將奏于帝”．益乃止．

癸丑[30日]，以大將軍金伯鈞[~~金伯均~~]爲慶尙道水路防護使，判閣門事[~~判閤門事~~]李信孫爲忠淸道防護使．

○以簽書樞密院事許珙爲蔚陵島斫木使，伴李樞以行．

[→以大將軍姜渭輔爲蔚陵島斫木使，伴李樞以行．樞怒渭輔秩卑，乃以簽書樞密院事許珙代之:節要轉載]．

○王奏請罷蔚陵斫木，減洪茶丘麾下五百人衣服，平三別抄後，濟州[~~耽羅~~]人物，勿令出陸，依舊安業．帝皆從之．[161]

---

158) 寺院造成都監의 設置는 2일(乙酉) 전해진 世祖 쿠빌라이[忽必烈]의 詔書에 의거한 措處일 것이다(姜好鮮 2013년).

159) ~~添字~~는 지36, 兵2, 馬政에 의거하였다.

160) 劉統領은 1268년(원종9) 10월 13일(庚寅) 고려에 파견되어 온 副統領 劉傑일 가능성이 있다.

161) ~~添字~~는 『고려사절요』 권19에 의거한 것인데, 그렇게 고쳐야 옳게 된다.

[→在元叛人李樞, 欲入蔚陵島斫木, 王以大將軍姜渭輔爲伴行. 樞以三品秩卑, 言曰, "三品如狗耳, 吾不可與同行". 乃以簽書樞密□~~院~~事許珙代之. 王請于元, 遂罷之:列傳43李樞轉載].

三月[甲寅朔小盡,丙辰, 雨雹:五行1雨雹轉載].[162]

辛酉8日, 達魯花赤李益以西海道戰艦, 多敗沒, 囚按察使禹天錫.

庚午17日, 副達魯花赤馬絳還, 以大將軍宋玢, 伴行. 皇后嘗求見洛山寺觀音如意珠, 使玢獻之.

癸酉20日, 元帥金方慶報, "賊入耽羅縣~~耽津縣~~, 殺防守□~~軍~~散員鄭國甫等十五人, 擒郎將吳旦等十一人".[163]

○[元復遣:節要轉載]趙良弼如日本, 至大宰府, 不得入國都而還,[164]

乙亥22日, 王引見勞問, 贐白銀三斤·苧布十匹. 達魯花赤李益亦贈以物, 良弼曰, "此汝侵割高麗而得也", 不受而去.

己卯26日, 西海道戰艦二十艘~~二十七艘~~,[165] 至伽耶召島, 遇大風敗沒, 南京判官任恂·仁州副使李奭·錄事裴淑及蒿工~~篙工~~·水手等一百十五人溺死. 慶尙道戰艦二十七艘, 亦敗沒.[166]

壬午29日晦, 元□~~遣~~使來, 索御床材香樟木.

[是月, 尙州牧使李淑立造成大玉灯一箇, 懸于海印寺:追加].[167]

---

162) 이때 일본의 가마쿠라[鎌倉]에서 눈이 많이 내렸다고 한다.
- 『續史愚抄』3, 文永 10년 3월, "一日甲寅, … 鎌倉大雪".
- 『鎌倉年代記裏書』, "今年文永十, … 此春, 大雪越例年".

163) 三別抄는 1272년(원종12) 5월 이후 珍島에서 濟州로 據點을 옮겼으므로 耽羅縣은 耽津縣의 오류일 것이다(尹龍爀 1994년).

164) 이때 趙良弼은 재차 일본의 臣屬을 勸諭하였으나 南宋에서 파견되어 온 密使인 僧侶 瓊林에 의해 沮止되었던 것으로 추측된다(太田彌一郎 1995年). 또 瓊林은 南宋에서 虛舟普度의 門下에서 佛法을 배웠던 것 같다(榎本 涉 2014年).
- 『國朝名臣事略』 권11, 樞密趙文正公良弼, "… 會宋人使僧曰'瓊林者來渝平, 以故和事不成".
- 『虛舟普度禪師語錄』, 序, "瓊林, 昔年絶海遊宋, 往來吳越, 多侍. 先師於武林湖山間, 每聽火爐頭話, … 嘉元改元, 冬至日, 見山庵嗣法小師瓊林謹書".

165) 二十艘는 『고려사절요』 권19에는 二十七艘로 되어 있는데, 後者에서 脫字가 발생하였을 것이다(盧明鎬 等編 2016년 498面).

166) 여러 판본의 『고려사』에서 蒿工으로 되어 있으나 篙工으로 해야 옳게 된다(東亞大學 2008년 7책 305面).

167) 이는 海印寺 玉灯의 銘文에 의거하였다(許興植 1984년 1050面).

[是月壬申[19日], 趙平章~~東京行省平章政事趙璧~~等奏, "高麗王上言, 欽蒙聖慈, 令伐耽羅賊寇, 若賴上威靈, 平定其地. 伏望, 下令官軍, 必以殲殄逆種爲期, 濟州百姓, 乞禁其虜掠, 置諸生地". 奉旨, 依奏諭之:追加].[168)]

[春某月, 以禮部郎中·金州都護副使金晅爲閤門使:追加].[169)]

夏四月癸未朔[小盡,丁巳], 元帥金方慶奏曰, "忻都令曰, 征討軍糧, 必使足支三月. 如充此數, 須以全羅州祿轉, 補之. 王問計於宰樞, 皆曰, 出都以來, 諸道漕穀皆耗, 倉庫虛竭, 經略司及諸般供億, 尙不能支, 請以慶尙道庚午[元宗11年]·辛未[12年]兩年租稅, 輸助軍粮, 全羅州壬申年[13年]祿轉, 悉令上納", 從之.

戊子[6日], 隕霜.[170)]

[辛卯[9日]:追加], 忻都·茶丘等, 屯潘南縣, 將發, 諸道戰艦皆漂沒:節要轉載].

[→四月九日[辛卯], 經略使忻都·史樞及洪茶丘等, 率兵船大小計一百, 令八艘進發:追加].[171)]

甲午[12日], [立夏]. 親醮三界于本闕.

丙申[14日], 王以天文屢變, 設消災道場於本闕, 命放囚. [左承宣洪子藩奏, 釋輕囚可也, 如奴逆主, 子不孝者得免, 奈天意何, 此非修德, 乃招災也. 若欲修德, 莫如省大[太]府供御之費, 禁市肆侵割之害. 王默然:節要轉載].[172)]

戊戌[16日], 雨雹.[173)]

丙午[24日], 幸賢聖寺, 集五教·兩宗僧徒, 設道場於男山宮, 以祈平賊.

[○怪鳥鳴于闕內:五行1轉載].

庚戌[28日],[174)] 金方慶與忻都·茶丘等, 以全羅道一百六十艘·水陸兵一萬餘人, 至耽羅, 與賊戰, 殺獲甚衆, 賊衆大潰. 斬金元允等六人, 分處降者一千三百餘人于諸船, 其元住耽羅者, 按堵如故. 於是, 賊悉平, 使將軍宋甫演等, 留鎭而還.[175)]

---

168) 이는 『원고려기사』本文, 耽羅, 世祖, 至元 10년 3월 19일에 의거하였다.

169) 이는 「金晅墓誌銘」에 의거하였다.

170) 이와 같은 기사가 지7, 五行1, 水, 霜에도 수록되어 있다.

171) 이는 『원고려기사』本文, 耽羅, 世祖, 至元 10년 4월 9일에 의거하였다.

172) 이 기사는 열전18, 洪子藩에도 수록되어 있으나 字句에 出入이 있다.

173) 이와 같은 기사가 지7, 五行1, 水, 雨雹에도 수록되어 있다.

174) 이날은 율리우스曆으로 1273년 5월 16일(그레고리曆 5월 23일)에 해당한다.

[→金方慶與忻都等，以兵一萬，戰艦百六十艘，次楸子島候風．至耽羅，中軍入自咸德浦，賊伏兵巖石間，踊躍大呼以拒之．方慶厲聲叱咤，隊正高世和躍出，突入賊中，士卒乘勢爭進．將軍羅裕將先鋒繼至，殺獲甚衆．左軍戰艦三十艘，自飛楊島飛揚島，直擣賊壘，賊風靡，走入內城．官軍踰外城而入，火矢四發，煙焰漲天，賊衆大潰．金通精率其徒七十餘人，遁入山中，賊將李順恭·曹時適等，肉袒以降．方慶麾諸將入內城，婦女號哭．方慶曰，殲厥巨魁，脅從罔治，汝勿懼．只斬金元允等六人，分處降者一千三百餘人于諸船，其元住耽羅者，按堵如故．於是，忻都留蒙古軍五百，方慶亦使將軍宋甫演等，領軍一千，留鎭而還．至羅州，斬賊黨三十五人，餘悉勿問，大宴犒師，散諸州軍:節要轉載].[176]

[→方慶更鍊卒，幷水軍萬餘人，與忻都·茶丘，屯潘南縣．將發，諸道戰船~~三百餘艘~~,[177] 皆爲風簸蕩，獨以全羅道一百六十艘，次楸子島候風．夜半風急，不知所指，黎明已近耽羅，風濤洶湧，進退失據．方慶仰天太息曰，"社稷安危，在此一擧，今日之事，不在我乎"．俄而風浪止，中軍入自咸德浦，賊伏兵岩石閒，踴躍大呼以拒之．方慶厲聲趣諸船並進，隊正高世和，挺身突入賊陣．士卒乘勢爭赴，將軍羅裕，

---

175) 삼별초의 토벌에 대하여 중국 측의 자료에 다음과 같이 기록되어 있다.
- 『원사』 권147, 열전34, 史天兒, 樞, "至元七年，進樞昭勇大將軍·鳳州經略使．樞至，謂諸將曰，賊勢方張，未易力勝，況炎暑海氣蒸鬱，弓力弛弱，猝不可用．宜分軍爲三，多張旗幟以疑之．吾與諸君潛師擣其巢穴，破之必矣．與戰，大破之，其地悉平".
- 『원사』 권154, 열전41, 鄭溫, "至元九年，詔溫統蒙古漢人高麗諸部軍萬人，渡海征耽羅，平之".
- 『원사』 권208, 열전95, 外夷1, 高麗, "至元十年四月，經略使忻都同洪茶丘領兵入海，攻拔耽羅城，禽金通精等，奉詔誅之".
- 『원사』 권208, 열전95, 外夷1, 耽羅, "至元十年六月，平之，于其地立耽羅國招討司，屯鎭邊軍千七百人．其貢賦歲進毛施布百匹".
- 『원고려기사』本文，世祖，至元，"十年四月二十八日，經略使忻都，同洪茶丘，領兵入海，攻拔耽羅賊城，禽金通精等，奉旨誅之．初，承化公旣死，其黨金通精復叛，引軍突入耽羅拒守．時侍衛親軍千戶王岑，奉旨赴高麗，與國王及洪茶丘，同議取耽羅叛賊．茶丘因陳，高麗王京，多有通精親戚，可遣招誘．若不從命，則以軍力擊之，不晩．事聞奉旨．命茶丘．於全羅道訪得通精姪金永等七人，使招通精．通精與本國星主等不從，盡殺使命，惟留永．至是，忻都等奉聖旨攻拔，伏誅".
- 『국조문류』 권41, 잡저, 정벌, 고려[注, 至元十年四月，忻都·洪茶丘拔耽羅，禽金通精]. 여기에서 四庫全書本에는 忻都가 實都로, 洪茶丘(혹은 察忽)가 洪察球爾로 각각 改書되어 있다.

176) 飛楊島는 飛揚島의 오자일 것인데, 열전19, 金方慶과 『신증동국여지승람』 권38, 濟州牧에는 後者로 되어 있다. 또 三別抄軍의 陣營이었던 賊壘는 현재의 濟州市 涯月邑 古城里 1126번지의 缸坡頭里城을 指稱할 것이다(史蹟 第396號, 金虎俊 2012년 133面).

177) 이때 여러 道에서 징발된 戰艦은 三百餘艘로 추정되고 있는데, 이는 전라도의 전함이 160艘인 점을 고려한 것이다(村井章介 1988年 162面 ; 尹龍爀 2008년).

將銳兵繼至, 殺獲甚衆. 左軍戰艦三十艘, 自飛揚島, 直擣賊壘, 賊風靡, 走入子城[內城?].[178] 官軍踰外城入, 火矢四發, 烟焰漲天, 賊衆大亂. 有自賊中來投者曰, "賊已勢窮謀遁, 可急擊之, 旣而賊酋金通精, 率其徒七十餘人, 遁入山中". 賊將李順恭·曹時適等, 肉袒降. 方慶麾諸將, 入子城, 士女號哭. 方慶曰, "只誅巨魁耳, 汝等勿懼". 執其魁金允敍[金元允]等六人,[179] 斬于通街. 擒親黨三十五人, 分載降衆一千三百餘人而還, 其居民, 悉按堵如故. 於是, 忻都留蒙軍五百, 方慶亦使將軍宋甫演, 中郎將康社臣·尹衡, 領京軍八百·外別抄二百留鎭. 班師至羅州, 斬所擒親黨, 餘悉不問, 大犒師. 遣其子綏及祗候金瑊·別將兪甫等, 告捷:列傳17金方慶轉載].

[→是月二十八日[庚戌], 攻破耽羅, 賊黨悉平. 朝廷於其地, 立耽羅招討司, 屯鎭邊軍一千七百人, 其貢賦, 每歲進毛施布百匹. 後改爲軍民都達魯花赤總管府[~~至元二十一年改軍民摠管府~~], [~~大德五年~~]改爲軍民安撫司:追加].[180]

五月[壬子朔大盡,戊午], 戊午[7日], 親醮十一曜于本闕.

庚午[19日], 親設消災道場三日.

壬申[21日], 元册封皇后·太子, 遣使□[來], 頒詔.[181]

乙亥[24日], 金方慶遣其子綏及祗候金瑊·別將兪甫等來,[182] 告捷. [王拜綏爲大將軍, 瑊爲工部郞中, 甫爲中郞將, 以隊正高世和, 先登陷陣, 拜郞將, 其餘賞之有差:節要轉載].[183]

○群臣表賀平賊.

己卯[28日], [夏至]. 命判事朱悅, 伴元使, 採金于南方.

---

178) 子城은 大城에 붙어 있는 甕城과 같은 小城을 指稱하지만, 上記의 記事[節要轉載]에는 內城으로 표기되어 있다.

179) 金允敍는 上記의 두 記事에서는 金元允으로 달리 表記되어 있다(尹龍爀 1994년).

180) 이는 『원고려기사』本文, 耽羅, 世祖, 至元 10년 4월 28일에 의거하였는데, 耽羅軍民都達魯花赤總管府의 설치는 확인되지 않음으로 ~~添字~~로와 같이 고쳐야 좋을 것이다. 또 都達魯花赤, 達魯花赤는 官府가 아니라 관부에 설치된 官職이다.

181) 大元蒙古國이 皇后 弘吉剌(瓮吉剌, Onggirat, Qonggirad)氏와 皇太子 眞金[Jimkin]을 책봉한 것은 3월 13일(丙寅)이고, 18일(辛未) 詔書를 내려 이를 天下에 布告하였다(『원사』 권8, 본기 8, 세조5, 至元 10년 3월 ; 『동안거사집』, 行錄권4, 賓王錄). 또 『고려사절요』 권19에는 이 기사의 앞에 五月이 탈락되었다.

182) 이에서 金綏는 金方慶의 2子인 金忻의 初名인 것 같다(→충렬왕 즉위년 10월 3일 脚注).

183) 이 기사는 열전17, 金方慶에도 수록되어 있다.

庚辰[29日], 以光州無等山神, 陰助討賊, 命禮司, 加封爵號, 春秋致祭.

[→討三別抄于耽羅也, 無等山神有陰助之驗, 命春秋致祭:禮5雜祀轉載].[184)]

[某日, 令百官, 出銀有差, 以充世子嘉禮之費:食貨2科斂轉載].

六月壬午朔[小盡,己未], 遣大將軍金綬[金忻]如元, 告平耽羅賊, 表曰, "海寇方熾, 緜國病以彌留, 王師所臨, 仗天威而盡盪. 伏念, 專沐至仁, 出居舊壤, 顧因逆種, 嘗啚構亂以肆驕, 籲及嚴宸, 至許興亡而代罪. 雖巨魁, 敗散於珍島, 迺餘種逃奔於乇羅, 何期睿意之憐察, 更遣官軍而殄殲. 然萬里水程之險艱, 勢難輕涉, 故三軍木道之征進, 慮或何如. 五月二十四日, 金方慶牒報云, 四月二十八日, 大軍旣入濟州, 處置逆徒, 而一境底平. 則此盖仰賴皇靈, 奉承天祐. 戰艦得順風而前壓, 頑民如槁葉以掃除, 捷報亟傳, 輿情擧喜. 而臣克淸大憝, 感聖德之遐覃, 永保殘區, 洎遺黎而更活. 一心効職, 萬壽爲期".[185)]

癸未[2日], 王如奉恩寺.

甲申[3日], 安南副使[安南都護副使]孔愉·洪州副使李行儉, 自賊中還, 王引見慰諭.

[→及金方慶破賊, 以[前洪州副使李]行儉爲其父孝印門生, 活之:列傳19李行儉轉載].

丁酉[16日], 元帥金方慶凱還. 王慰諭甚渥, 手執紅鞓一腰, 賜之. 大宴將士.

[→及方慶凱還, 王欲使廣平公譓郊勞, 遣承宣朴恒, 諭以明日入京, 方慶卽趣行入謁. 王慰諭甚厚, 特賜紅鞓, 大宴將士:列傳17金方慶轉載].

戊戌[17日], 忻都將入京, 王使大將軍朴成大, 迎勞于郊. 忻都怒酒薄, 困辱成大, 不入京, 遂還元.

[是月, 元使趙良弼復使日本, 至太宰府而還:追加].[186)]

閏[六]月[辛亥朔小盡,己未], 丙辰[6日], 耽羅留鎭將軍宋甫演, 得賊魁金通精屍, 以聞, 又

---

184) 이 기사의 冒頭에 '元宗十四年'이 있지만, 이의 다음에 五月庚辰은 탈락되었다.
- 『세종실록』 권151, 지리지, 全羅道, "… 無等山[注, 一云武珍岳. 一云瑞石山], 在武珍, 豊厚高大. 新羅爲小祀, 高麗致國祭, 本朝令州官行祭".

185) 이에 대해 중국 측의 자료에 다음과 같이 기록되어 있다.
- 『원사』 권208, 열전95, 外夷1, 高麗, "[至元十年]六月, 禃遣其大將軍金忻表奏攻破濟州".
- 『원고려기사』本文, 世祖, 지원 10년, "六月, 植遣其大將軍金忻表奏攻破濟州".

186) 이는 다음의 자료에 의거하였다.
- 『원사』 권208, 열전95, 外夷1, 日本, "[至元]十年六月, 趙良弼復使日本, 至太宰府而還".

搜捕賊將金革正·李奇等七十餘人，送于茶丘，皆殺之.[187)]

[→前將軍金通精率七十餘人，遁入山中，縊死，耽羅遂平:列傳43裴仲孫轉載].

○元置達魯花赤于耽羅.

己未9日，遣順安侯悰·同知樞密院事宋松禮如元，賀册封.[188)]

[→前都兵馬錄事李承休後以非罪見罷，將歸老于鄕. 會王遣順安公悰如元，賀册皇后·太子，兩府薦承休爲書狀官. 辭以老，王曰，歲庚午元宗11年，書汝姓名于硯匣，今猶在案上，汝其勉哉. 仍賜白金三斤遣之:列傳19李承休轉載].

庚申10日，大雨，傷稼.[189)]

癸亥13日，王下旨下詔都兵馬使及省臺曰，[190)] 中軍元帥金方慶·兵馬使邊胤，能誅除兇渠，功烈殊異，褒賞之典，速議以聞，其他將士軍卒，科賞條件，亦以論啓，是日，以金方慶爲侍中，[191)] 邊胤△判樞密□□院事，[192)] 金錫爲上將軍·知御史臺事，[193)] 羅裕·

---

187) 이날(丙辰)은 율리우스曆으로 1273년 7월 21일(그레고리曆 7월 28일)에 해당한다.

188) 이날은 사신단이 출발한 날이며[登途]，이때 파견된 인물은 愛子(臨時方便으로 王子라고 稱함) 順安侯 琮悰，同知樞密院事·御史大夫·上將軍 宋松禮，尙書左丞 李汾成(李槢)，精勇將軍 鄭仁卿，內侍·戶部員外郎 康承益，(前式目錄事)書狀官 李承休，內侍·保勝別將 金義光，譯語行首·郎將 金富允，指諭·別將 趙瑊，精勇散員 池瑄，伴行使·上朝元千戶·中郎將 金甫成 등이었고，이들은 國銜·表·箋·狀·盤纏·什物 등을 가져갔다(『動安居士集』行錄권4，賓王錄幷序 ; 열전4，종실2，元宗王子，順安公琮悰).

그중 賓王錄에는 同知樞密院事가 知樞密院事로 되어 있으나 同字가 탈락되었을 것이고，이들의 行程은 賓王錄에 의하면 다음과 같다(森平雅彦 2004年 ; 陳得芝 2013年).

· 閏6월 11일(辛酉)，使臣團이 浿江에 이르고，12일 金岩에 이르렀다.

· 29일(己卯)，順安公 悰 一行이 東京(遼陽)에 到着하여 大雨로 8일간 머물렀다.

189) 이때 일본에서는 윤5월(高麗曆의 6월) 12일부터 7월(高麗曆의 윤6월) 17일까지 京都에서 旱魃이 있었다고 한다(中央氣象臺 1941年 2册 532面).

· 『歷代皇紀』，文永 10년，"今年，自閏五月十二日，至七月十七日，旱魃"(筆者 未確認).

· 『續史愚抄』3，文永 10년 6월，"十日庚申，依炎旱，被發遣祈雨奉幣使，又被掃除神泉苑，藏人兼任參向".

190) 下旨는 원래 下詔，下制，下宣旨 등으로 되어 있었을 것인데 『고려사』의 改修過程에서 還元되지 못했던 글자일 것이다.

191) 이때 金方慶은 開府儀同三司·守太師·門下侍中·上柱國·判御史臺事에 임명되었다고 한다(金方慶墓誌銘).

192) 判樞密은 『고려사절요』 권19에는 判樞密院事로 되어 있음을 보아 院事가 脫落 혹은 省略되었음이 분명하다.

193) 金錫은 김방경의 휘하에서 大將軍으로 珍島를 공격하였고(열전17，金方慶)，尙書로서 知兵馬事가 되어 耽羅에서 三別抄의 攻破에 공을 세워 이 직위에 임명되었던 것 같다(『圓鑑國師語錄』，寄知兵馬金尙書碩錫，公時方討賊於耽人耽羅，이에서 金碩은 金錫의 다른 표기이고，耽人은 耽羅의 오자일 것이다).

宋甫演<u>各</u>[並]爲大將軍.[194)]

[→<u>敎</u>[詔]都兵馬使及省臺曰, "濟州逆賊, 實爲難制, 至請師上朝討之. 若兵久淹滯, 則飛輓之費不貲, 經涉大洋, 不測之變, 又可慮也. 宗社安危, 在此一擧. 中軍元帥金方慶, 自珍島之役, 至伐耽羅, 盡心竭力, 不避艱險, 措置得宜. 戰艦·兵器·糧餉, 無不周備, 督率大軍, 誅除兇渠, 疲瘵復蘇, 功業之重, 帶礪難忘. 兵馬使邊胤, 先往南方, 具辦諸事, 與方慶同心協力, 功烈殊異, 褒賞之典, 速議以聞. 其他領兵管船將士及將校典軍, 至於外別抄, 科賞條件, 並宜擧行". ○遂以方慶爲侍中:列傳17金方慶轉載].

戊辰[18日], 茶丘自南道還.

秋七月[庚辰朔大盡,庚申], 乙未[16日], [白露]. 侍中金方慶被召如元. □□[~~六月~~], 帝[世祖]賜金鞍·綵服·金銀.

[→秋, 被詔如元, □□□□[~~六月丁丑28日~~], 帝勑閤者趣入, 使坐丞相之次, 輟御饌與之. 仍賜金鞍·綵服·金銀, 寵眷無比:列傳17金方慶轉載].

庚子[21日], 遣上將軍<u>金侁</u>如元, 賀節日.[195)]

[某日, 以嚴□[某]爲慶尙道按察使:慶尙道營主題名記].

[增補].[196)]

八月[庚戌朔大盡,辛酉], 甲子[15日], 副達魯花赤焦天翼, 以秩滿將還, 享王于堤上宮.

[戊辰[19日], 流星出織女, 入天市垣:天文2轉載].

[癸酉[24日], 流星出河鼓, 入天市垣:天文2轉載].

---

194) 『고려사』의 관직 임명에서 2인 이상의 경우 일반적으로 並爲로 표기하는데, 이곳에서 各爲로 한 것이 特異하다. 『고려사절요』 권19에는 並으로 되어 있음을 보아 오자일 것이다.

195) 金侁은 중국 측의 자료에는 金詵으로 표기되었으나 오자일 것이다. 그는 8월 28일(丁丑) 세조 쿠빌라이의 誕日[聖誕節]에 대해 賀禮를 드렸다.

· 『원사』 권8, 본기8, 세조5, 至元 10년 8월, "丁丑, 聖誕節, 高麗王<u>王禃</u>遣其上將軍<u>金詵</u>[金侁]來賀".

196) 윤6월 9일 몽골제국에 파견된 고려 사신단의 7월의 일정은 다음과 같다.

· 9일(戊子), 瀋州에 到着하였으나 大水로 數日間 머물렀다.

· 16일(乙未), 崖頭站[渥頭站]에 到着하였다. 原文에는 渥頭站으로 되어 있으나 崖頭站, 涯頭驛(現 遼寧省 瀋陽市 서쪽 180km에 위치)의 다른 表記일 것이다(陳得芝 2013年 95面).

· 29일(戊申), 神山縣(현 河北省 平泉縣 남쪽이 會州古城)에 도착하였다.

· 30일(己酉), 屛風山을 거쳐 黃崖峯(神山縣의 隣近地域)에 올랐다.

[甲戌[25日], 熒惑犯南斗:天文2轉載].[197)]

丙子[27日], 幸賢聖寺.

丁丑[28日], [王率羣臣, 賀聖節, 達魯花赤率其屬, 立於右. 上將軍康允紹亦率其黨, 胡服直入, 自比客使, 見王不拜. 王怒而不能制:節要轉載].[198)]

○元命收別庫田租, 以充兵糧, 王遣使諸道, 收之.

[增補].[199)]

---

197) 이때 일본의 교토에서 8월 3일(壬子) 熒惑이 銀河水[天江, 天河]를 犯하였다고 한다.

· 『師守記』, 康永 4년 7월, 文永以來天變年々幷御祈以下被行事, "文永十年八月三日, 今夜亥剋許, 熒惑犯天江云々".

198) 『고려사절요』 권19에는 日辰이 없으나 世祖 쿠빌라이[忽必烈]의 誕日은 8월 28일이다. 前日(27일) 元宗이 賢聖寺에 행차한 것은 世祖의 祝壽齋에 참석하였기 때문일 것이다. 또 이와 같은 기사로 다음이 있다.

· 열전19, 金坵, "… 王嘗賀聖節, 達魯花赤率其屬, 立於右, 內豎·上將軍康允紹, 阿附達魯花赤, 亦率其黨, 胡服直入. 自比客使, 見王不拜, 及王拜, 一時作胡拜. 王怒, 不能制, 有司亦莫敢詰, 政堂文學·吏部尙書金坵劾之甚力. 達魯花赤怒曰, '允紹先開剃, 遵上國之禮, 而反劾耶? 將危之'. 或以告, 坵曰, 吾寧獲譴, 豈可不劾此奴耶?".

· 열전36, 嬖幸1, 康允紹, "康允紹, 開剃而還, 自比客使, 見王不拜. 王怒不能制, 有司莫敢詰. 其在元也, 附洪茶丘, 妄言本國多畜軍粮. 茶丘以告中書省, 於是, 遣使來, 督軍粮".

199) 윤6월 9일 몽골제국에 파견된 고려 사신단의 8월의 일정은 다음과 같다.

· 4일(癸丑), 燕京 中都城(옛 金의 首都)에 들어가려 하자 5里 밖에 中書省의 宣使·總管이 歡迎 나와 館所로 案內하여, 이에서 館伴 翰林學士 侯祐賢을 만났다(原文에는 侯友賢·顯忠으로 되어 있는데, 陳得芝教授에 의하면 字가 顯忠인 侯祐賢의 다른 表記인 것 같다고 한다). 이보다 1년 전에 金의 中都는 大蒙古帝國의 首都인 大都로 승격되었다(→원종 13년 2월 是月壬辰條, 陳得芝 2013年 94, 100面).

· 9일(戊午, 5일 후), 皇后가 奉御 馬瑙에게 命하여 勅書를 내려 世祖가 行宮에서 還御하지 않았다고 하면서 自身부터 만날 것을 전하였다.

· 10일(己未), 大都城 萬壽山(金章宗이 築造한 것인데, 元이 新城을 築造함) 東便殿에서 皇后를 謁見하고, 書狀官 李承休가 表箋을 올리고 員外郎 廉承益이 舞蹈의 禮를 올렸다. 이후 殿閣에 올라 賜宴을 받았다.

· 16일(乙丑), 薦福寺를 遊覽하러 갔다.

· 21일(庚午), 瀘江 石橋에 유람하러 갔다.

· 24일(癸酉), 世祖가 開平府에서 燕京으로 돌아왔다(『원사』本紀篇에서 世祖가 9월 27일 '車駕至自上都'로 되어 있지만, 이 자료로 인해 오류임이 확인되었다. 陳得芝 2013年 101面).

· 25일(甲戌), 順安公 悰·宋松禮가 皇后·皇太子의 册命禮를 하례하였다(元史8). 世祖를 萬壽山 廣寒宮에서 알현하고 順安侯 琮[悰]이 表를 올려 陳謝하자 宣徽使[宣美使] 甫羅達이 번역하여 上奏하였다. 世祖가 사실을 잘 알았다고 하며 漢文의 格式이 어떠한가를 묻자 諸令史들이 문장의 격식이 적절하다고 아뢰었다. 이때의 禮式은 皇后를 알현할 때와 같았고, 몽골제국에 滯在 중인 世子[令殿]도 참석하였다. 이후 宣使(晋州出身) 康守衡(康和尙)이 順安公 悰에게 와서 고려가 臣事한 이래 이처럼 성대한 일이 없었다고 보고하였다. 이때 李承休가

九月庚辰朔小盡,壬戌，辛巳2日，[霜降]．副達魯花赤焦天翼還元，王餞于迎賓館.200)

○中書侍郎平章事張佶卒.201)

[辛丑22日，月犯軒轅左角:天文2轉載].

[戊申29日晦，歲星與熒惑，相犯:天文2轉載].

[是月，翰林侍讀學士任翊，□□□□□掌國子監試，取詩賦文貫之等十九人，十韻詩梁均等三十九人，明經一人:選擧2國子試額轉載].

[增補].202)

올린 表의 詞語가 偉麗하여 元人[華人]도 그 表를 구해 보고자 하였고, 館伴 翰林學士 侯祐賢[侯友賢]도 表狀에 대해 3省의 郎吏들이 모두 칭찬하였다고 하며 이후 李承休와 詩文을 창화하며 교유하였다. 宋松禮도 '文章으로 中華國을 감동시킨다는 말은 그대를 두고 하는 말인 것 같소'라고 하며 칭찬하였다(이와 관련된 기사가 열전19, 李承休에도 수록되어 있다).

- 26일(乙亥), 順安公 悰이 表를 올려 謝恩하였다.
- 27일(丙子), 諸侯를 불러 모아 萬壽山의 長朝殿의 落成式을 擧行하였다. 諸大王·諸大官人을 위시하여 百僚가 拜位에 위치하였는데, 世子·順安公 悰을 위시한 고려의 官人은 中心의 아래쪽에 위치하였고 기타 諸國의 使臣은 가장 末尾에 위치하였다. 禮式이 끝나고 殿上에 오를 때 座位는 皇太子→大王 6人(→高麗世子→大王 7人→順安公 悰→右丞相 安童(Antung)·董文炳 등 10餘人→高麗 使臣團 등의 순서였다).
- 28일(丁丑), 世祖가 長朝殿에서 生日[聖節] 하례를 받았다. 이때 고려국왕 王禃이 奉表使·上將軍 金詵, 書狀官·兼直史館 李仁挺을 보내와 하례하였다. 이날 順安公 悰이 表를 올려 謝恩하려 하였으나 하지 못하고 29일(丙寅) 새벽에 행하였다.
- 29일(戊寅), 大都城 서쪽 鎭國寺 북쪽 高梁의 氈幕[斡魯朶, ordu]에서 皇太子에게 賀禮하였는데, 世子도 參席하였다. 禮式이 끝난 후 氈幕 안의 宴會에 世子·順安公 悰·宰臣 宋某(同知樞密院事 宋松禮) 등이 참석하였다. 이날 고려 사신단이 昊天寺를 유람하였는데, (世子의 隨從臣으로 推定되는) 尙書 宋份·郎將 尹福均도 참석하였다. 이때 세조 쿠빌라이가 順安侯 悰을 元宗이 아끼는 아들[愛子]이라고 하여 白銀 5百斤, 苧布 8百匹과 여타의 물건[他物]을 하사하였는데, 世子의 행차[世子行] 보다 더 많았다고 한다(열전4, 元宗王子, 順安公琮).

200) 焦天翼은 9월에 몽골제국에 귀환하였던 것 같은데, 이는 고려에서의 출발을 바탕으로 정리되었을 것이다.

- 『원사』 권208, 열전95, 外夷1, 高麗, "至元十年九月, 達魯花赤焦天翼還朝".
- 『원고려기사』, 至元 10년, "九月三日, 副達魯花赤焦天翼政滿, 還朝".

201) 이 기사는 지18, 禮6, 諸臣喪에도 수록되어 있는데, 그의 葬事는 11월 22일에 행해졌고 그날 帝王이 政務를 論議하는 것[臨朝聽政]을 停止하는 輟朝가 실시되었다. 이날은 율리우스曆으로 1273년 10월 14일(그레고리曆 10월 21일)에 해당한다.

202) 燕都에서 이루어진 고려 사신단의 9월의 일정은 다음과 같다.

- 7일(丙戌), 中書省이 世祖의 命을 받아 고려 사신단의 귀국을 전하였다. 李承休가 酒宴에서 館伴 侯友賢에게 作別의 詩를 전하였다.
- 8일(丁亥), 順安公 悰이 謝衣襨表를 館伴 學士 侯友賢을 통해 上奏하도록 하고 귀국을 위해 출발하였다. 사신단의 행차가 蘇門의 동쪽으로 나오니 世子·館伴 侯友賢·宣使 姜某·任某가 宴會를 베풀고 餞別하였다.

冬十月[己酉朔大盡,癸亥, 流星出上台, 入下台:天文2轉載].

[辛亥3日, 小雪. 順安侯悰·同知樞密院事宋松禮還自元. 以順安侯悰爲特進·守太師·開府儀同三司·上柱國·順安公, 書狀官李承休爲雜織署令兼都兵馬錄事:追加].203)

[→及書狀官李承休還, 王大喜, 賜米三十石, 徵覽所著詩文, 嘉嘆之:列傳19李承休轉載].

癸丑5日, 遣別將金鎰, 賚世子盤纏銀二百五十斤, 如元.

○太白晝見.

[甲寅6日, 牛星與熒惑·歲星, 同舍:天文2轉載].

[甲寅命參知政事金坵知貢擧, 右承宣李顗同知貢擧, 取進士. 舊制, 二府, 知貢擧, 卿·監, 同知貢擧. 試日未明, 知貢擧坐北牀南向, 同知貢擧坐西牀東向, 監察及奉命別監, 坐南少西, 東上北向. 將校執旗, 分立階下. 擧子旣集, 卽鎖門, 貢院吏, 名呼擧子, 分處東·西兩廡, 各立木懸板, 書所試題, 分掛于其上. 日至禺中, 承宣奉金印至, 同知貢擧迎之庭中, 相揖而進, 知貢擧避于北壁之後. 承宣與同知貢擧升堂, 再拜叙寒溫, 又再拜. 知貢擧, 出坐北牀下席上, 承宣北向再拜, 知貢擧亦再拜. 承宣進伏叙寒溫, 知貢擧卽其座答之. 承宣退又再拜, 知貢擧亦再拜, 然後, 相揖而坐, 承宣坐東牀西向, 與同知貢擧相對. 吏抱擧子卷子以進, 承宣開金印印之, 內侍齎進宣醞, 知貢擧·同知貢擧, 與承宣拜賜, 就牀飮畢, 又拜謝. 承宣迴, 同知貢擧揖送于庭, 三場皆如之. 知貢擧, 各於入格卷子背上望科次, 貼黃標函封. 平明詣闕, 王坐便殿, 承宣二員, 至門內. 知貢擧奉函授之, 傳奉至王前坼封. 文儒承宣, 讀過其科次上下, 並依貢院之望, 放牓:禮10東堂監試放牓儀轉載].

[□□是時, 參知政事金坵知貢擧. 舊制, 二府知貢擧, 卿監同知貢擧. 其赴試諸生, 卷首寫姓名·本貫及四祖, 糊封, 試前數日, 呈試院. 試前日午後, 貢擧具三場題脚於狀, 詣闕, 實封進呈. 王親自拆封, 各於題上落點, 封押而出. 貢擧賚奉, 到試院, 試日未明, 放題. 承宣奉金印至, 同知貢擧庭迎, 知貢擧避位, 待之, 詳在禮志. 越一日, 承宣又往, 拆名而後放榜, 第二場, 亦如之. 至第三場, 貢擧各於入格卷子背上, 望科次以啓, 並依貢院之望, 而放榜焉. 至是, 初場日, □左承宣洪子藩至貢院, 詰曰, "予承命而來, 知貢擧必庭迎". 金坵不得已下階:選擧2試官轉載].

[→舊制, 承宣奉御寶至試院, 同知貢擧庭迎, 知貢擧面北, 立堂上. 金坵爲知貢

203) 이는『동안거사집』권4, 賓王錄에 의거하였는데, 열전4, 元宗王子, 順安公琮에는 '後進封爲公'으로 기록되었다. 이들 고려 사신단은 2일(庚戌) 牛峰縣 興義驛에 도착하였고, 3일(辛亥) 開京에 도착하여 復命하였다.

擧, 子藩奉御寶將往, 奏曰, "承宣奉御寶至貢院, 知貢擧或下階以迎或否, 今從何禮?". 王曰, "有寶, 宜下階". 子藩至貢院, 詰坵曰, "予承命奉御寶來, 知貢擧不庭迎, 予不敢入". 坵曰, "承宣詣宰相, 宰相坐而待之. 今乃起避, 尙過禮, 況庭迎乎?". 子藩曰, "有旨". 日將晩, 坵不得已下階, 未盡一級, 子藩乃入. 或謂, 子藩不恭. 坵起避可也, 遽爾下階, 亦失大臣體:列傳18洪子藩轉載].

己未11日, 賜鄭賢佐等及第.[204)]

甲子16日, 設消災道場于內殿.

[庚午22日, 月掩軒轅大星:天文2轉載].

辛未23日, 傳旨曰,[205)] "向者, 討耽羅, 京外別抄, 亡命者甚多, 不可不懲, 故曾以罪狀輕重, 徵銀, 收其田丁. 今國家多難, 天文屢變, 欲修德弭災, 其已徵白銀外, 其所收田丁, 悉令還之".

[甲戌26日, 月與太白, 同舍于氐:天文2轉載].

戊寅30日, 以前政堂文學兪千遇爲中書侍郞平章事.

[是月頃, 門下侍中金方慶還自元, 以金方慶爲開府儀同三司, 餘如故:轉載].[206)]

十一月己卯朔大盡,甲子, 元中書省移文達魯花赤李益, 殺于琔.

[→後, 于琔東還, 娶惟梱妻蔡氏, 中書省以爲, "朝廷嘗督取林衍·惟梱家屬赴京, 蔡氏不遵朝命, 漏網獨留, 而琔娶之, 罪莫大焉". 遂移文達魯花赤, 誅琔·蔡氏, 父樞密使仁揆亦坐, 流靈興島. 琔兄弟三人登科, 其母例當受廩, 有司議曰, "凡祿三子登第者母, 爲其生文章輔弼也. 今琔母雖有登第三子, 一爲逆臣, 不宜與祿". 遂止:列傳43于琔轉載].[207)]

---

204) 이와 관련된 기사로 다음이 있다. 이 기사에서 李顗(이의, 李子淵의 4子, 文宗代의 官僚)는 李穎의 오자인데(열전19, 李穎), 이는 『동문선』 권44, 金坵의 表箋 다음에 이어진 讓同知貢擧表(李穎 撰)를 통해 알 수 있다.
· 지27, 선거1, 科目1, 選場, "元宗十四年十月, 參知政事金坵知貢擧, 右承宣李顗李穎同知貢擧, 取進士, □□己未, 賜鄭賢佐等二十九人·明經一人及第".
· 열전21, 鄭僐, "初名賢佐, 草溪人, 弘文公倍傑七世孫也. 元宗末, 擢魁科".

205) 傳旨曰은 『고려사절요』 권19에는 敎曰로 되어 있는데, 모두 下制曰의 잘못일 것이다. 이해의 12월 12일(庚申)에는 옳게 되어 있다.

206) 이는 열전17, 金方慶, "及還, 加開府儀同三司"를 적절히 變改하였는데, 임명된 날짜는 30일(戊寅)일 가능성이 있다.

207) 于琔은 그의 열전에서 鎭州人으로 되어 있으나 진주[鎭川縣]의 토성에서 于氏가 없고, 이웃인 木州[木川縣]의 토성에 牛氏에서 改稱된 于氏가 찾아진다. 于琔의 本貫은 鎭州이 아니라

甲申6日, 醮十一曜于內殿.
[乙酉7日, 日東西北, 有暈如虹:天文1轉載].
[庚寅12日, 月犯畢星:天文2轉載].
[壬辰14日, □月入東井:天文2轉載].
[丁酉19日, 小寒. □月犯大微太微西藩上將:天文2轉載].
己亥21日, 遣小府少監李義孫·郎將呂文就如元, 賀正.208)
[庚子22日, 以中書平章事張佶卒葬事, 輟朝三日:禮6諸臣喪轉載].209)
[壬寅24日, 月犯氐星:天文2轉載].

十二月己酉朔大盡,乙丑, 壬子4日, [大寒]. 醮三清于內殿.
[甲寅6日, 流星出房, 犯天市垣西藩:天文2轉載].
乙卯7日, 設金經道場于內殿.
[○熒惑犯羽林:天文2轉載].
庚申12日, 下制曰, "今屬兵糧之田, 元是諸宮·寺院所屬及兩班·軍·閑人之世傳, 而爲權臣所取者也, 己巳年元宗10年□□田民辨正都監, 推辨不究, 或有給非其主, 由是, 怨者頗多. 其兵粮都監, 詳考兩造文案, 公正以決".
辛酉13日, 元遣搏虎人九名, 牽犬一百來, 驅群犬逐虎, 犬多被害, 終不獲曰, "高麗之虎, 不可用犬", 乃還.
[癸亥15日, 月食:天文2轉載].210)
甲子16日, 遣使諸道, 與元使, 審檢兵糧.
乙丑17日, 以國家多故, 除明年燃燈.

木州일 가능성이 높다(『신증동국여지승람』 권16, 木川縣, 鎭川縣 土姓).

208) 李義孫은 明年 正旦에 賀禮를 올렸던 것 같다.
- 『원사』 권8, 본기8, 세조5, 지원 11년 1월, "己卯朔, 宮闕告成, 帝始御正殿, 受皇太子·諸王·百官朝賀. 高麗國王王禃遣其少卿李義孫等入".
- 『원사』 권208, 열전95, 外夷1, 高麗, 至元 11년 1월, "十一年正月己卯朔, 宮闕告成, 帝始御正殿, 受皇太子·諸王·百官朝賀. 禃遣其少卿李義孫等來賀, 兼奉歲貢".

209) 張佶은 是年 9월 2일에 逝去하였으므로 이날은 葬禮日[葬事]일 것이다. 그래서 卒은 葬事로 고쳐야 옳게 될 것이다.

210) 宋에서는 하루 전인 壬戌(14일)에 월식이 있었던 것 같다(『송사』 권52, 지5, 천문5, 月食). 또 이날(15일)은 율리우스력의 1274년 1월 24일이고, 월식 현상이 심했던 때인 14일(壬戌)의 世界時는 23시 0분, 食分은 0.77이었다(渡邊敏夫 1979年 481面).
- 『續史愚抄』3, 文永 10년 12월, "十五日癸亥, 月蝕, 陰雲不見. 御祈僧正道寶勤仕".

[○月入大微[太微]:天文2轉載].

[○赤氣見于西方:五行1轉載].

[丙寅[18日], 白氣竟天:五行2轉載].

癸酉[25日], 達魯花赤[李益]以中書省牒, 往東界及慶尙道, 求蛋樓脂, 蛋樓脂, 鯨魚油也.

[○以興威衛精勇借將軍鄭仁卿爲興威衛精勇攝將軍:追加].[211)]

丙子[28日], 新□[副]達魯花赤[周世昌]來, 王出迎于宣義門外.[212)]

丁丑[29日], 大宴于內殿.

[是年, 置房庫[內房庫]監傳別監, 以內侍參上·參外各二人爲之, 掌田地公案, 別庫奴婢賤籍:百官2房庫[內房庫]監傳別監轉載].[213)]

[○以[簽書樞密院事]張鎰爲全羅道指揮使:列傳19張鎰轉載].

[○以權呾爲東京副留守:追加].[214)]

[○以金鳳爲永州判官:追加].[215)]

[○元以昭勇大將軍失里伯爲耽羅國招討使:追加].[216)]

[增補].[217)]

---

211) 이는 「鄭仁卿政案」에 의거하였다.

212) 이때 부임해 온 다루가치[達魯花赤]는 副達魯花赤 周世昌이다.
- 『원고려기사』本文, 지원 10년, "十二月, 以周世昌充副達魯花赤".

213) 房庫는 內房庫에서 內가 탈락되었을 것이다(→충렬왕 27년 7월 18일).

214) 이는 다음의 자료에 의거하였다.
- 『동도역세제자기』, "尙書權呾, 癸酉[元宗14年]到任".
- 「權呾墓誌銘」, "東京古有甲坊, 名爲國稅之所出. 其羡餘寔, 爲專城者所私. 及公之留守也, 卽破去, 以一年之收支三年. 又徵司戶之貪·猾盜用租賦者, 民到于今, 稱之".
- 열전20, 權呾, "留守東京, 舊有一庫, 賦民綾羅貯之, 名甲坊. 充貢獻, 贏餘甚多, 皆爲留守所私. 呾撤甲坊, 以一年所收, 支三年貢. 司戶有盜民租者, 碎其腦于庭, 觀者股栗".

215) 이는 『영천선생안』에 의거하였다.

216) 이는 다음의 자료에 의거하였다.
- 『원사』 권133, 열전20, 失里伯, "至元十年, 遷昭勇大將軍, 爲耽羅國招討使".

217) 이해(至元10)에 몽골제국에서 다음과 같은 일들이 있었다.
- 『원사』 권8, 본기8, 세조5, 지원 10년 2월 丙申[13日], "高麗國王王禃以王師征耽羅, 乞下令禁俘掠, 請自製兵仗, 從之".
- 지원 10년 6월, "戊申[27日], 經略忻都等兵至耽羅, 撫定其地. 詔以失里伯爲耽羅國招討使, 尹邦寶副之".
- 지원 10년 7월, "戊申[29日], 高麗國王王禃遣其順安公王悰·同知樞密院事宋宗禮[宋松禮], 賀皇后·皇太子册禮成". 여기에서 고려의 사신이 하례를 드린 것이 7월 29로 되어 있으나 「賓王錄」에

[是年頃, 叅知政事金坵建言, 後生怠於著述, 表箋未合律格, 宜試叅外文臣所製, 賞其能者. 王允之, 事竟不行:列傳19金坵轉載].

甲戌[元宗]十五年, 元 至元十一年, [南宋咸淳十年], [西曆1274年]

1274년 2월 9일(Gre2월 16일)에서 1275년 1월 28일(Gre2월 4일)까지, 13개월 384일

春正月己卯朔小盡,丙寅, [甲申6日:追加] 元遣高麗軍民總管察忽洪茶丘, 監造戰艦三百艘, 其工匠·役徒, 一切物件, 全委本國應副. 於是, 以門下侍中金方慶爲東南道都督使. 元又以昭勇大將軍洪茶丘爲監督造船官·高麗軍民總管.218) 茶丘約以正月十五日, 興役, 催督甚嚴. 王以樞密院副使許珙爲全州道都指揮使, 右僕射洪祿遵爲羅州道指揮使,219) 又遣大將軍羅裕於全羅道, 大將軍金伯鈞~~金伯均~~於慶尙道, 大將軍朴保於東界, 國子司業潘阜於西海道, 將軍任愷於交州道, 各爲部夫使, 徵集工匠·役徒三萬五百餘名, 起赴造船所. 是時, 驛騎絡繹, 庶務煩劇, 期限急迫, 疾如雷電, 民甚苦之.

[→元宗十五年, 帝欲征日本, 詔方慶與茶丘, 監造戰艦. 造船若依蠻樣, 則工費多, 將不及期, 一國憂之. 方慶爲東南道都督使, 先到全羅, 遣人咨受省檄, 用本國船樣督造:列傳17金方慶轉載].

[→元宗十五年, 帝將征日本, 以洪茶丘爲監督造船官軍民惣管. 茶丘剋期, 催督甚

의하면 8월 25일(甲戌)의 잘못임을 알 수 있다.

· 지원 10년 9월, "壬辰13日, 中書省臣奏, 高麗王王禃屢言, 小國地狹, 比歲荒歉, 其生券軍乞駐東京. 詔令營北京界, 仍敕東京路運米二萬石, 以賑高麗".

·『원사』 권165, 열전52, 綦公直, "至元十年, 賜金符, 命造征日本戰船于高麗".

·『원사』 권208, 열전95, 外夷1, 高麗, "至元十年九月, 禃屢言, 小國地狹, 比歲荒歉, 其生券軍乞駐東京. 詔令營北京界, 仍敕東京路運米二萬石, 賑之".

218) 이날의 日辰은 2월 17일(甲子)에 찾아지고, 元의 摠管 察忽은 洪茶丘(俊奇)의 다른 표기이다. 이는 이 기사에서 昭勇大將軍 洪茶丘가 監督造船官高麗軍民摠管에 임명되었다는 사실에서 알 수 있고,『원사』에서도 洪茶丘[chaqu]와 察忽[chaqu]이 함께 사용되고 있다. 또 多丘는『사고전서』를 편찬할 때 察球爾로 改書되었다.

·『원사』 권154, 열전41, 洪福源, 俊奇, "至元十一年, 又命監造戰船, 京營日本國事. 三月, 授昭勇大將軍·按撫使·高麗軍民總管如故".

·『元文類』 권41(四庫全書本), 經世大典, 政典, 征伐, 日本, 序文, "至元十年, 實都忻都·洪察球爾洪茶丘以二萬五千人, 征之, 第虜掠而歸"(→충렬왕 즉위년 8월 6일의 脚注).

219) 右僕射 洪祿遵은 是年 6월 辛酉에는 左僕射 洪祿遵으로 되어 있다. 이는 같은 사실을 전하는 기사로서 左·右의 차이가 있는데, 어느 한 쪽이 오자일 것이다.

急, 分遣部夫使, 徵集工匠, 諸道騷然:列傳43洪福源轉載].

[某日, 以朴瑊爲慶尙道按察使:慶尙道營主題名記].

二月[戊申朔大盡,丁未], 甲子[17日], 遣別將李仁如元, 上書中書省曰, “今年正月初二日[庚辰], 陪臣門下侍中金方慶, 賫到省旨云, 大船三百隻, 令就全羅·耽羅兩處打造. 又正月初六日到, 洪茶丘□[賫]箚子, 其所須工匠·人奨及材木等物件, 分委陪臣[樞密院副使]許珙·[左僕射]洪祿遵, 往各道備辦, 續遣金方慶, 督之, 但以事巨力微, 恐不能辦. 竊念小邦, 軍民元來無別, 並令赴役, 儻延旬月, 其如農何. 然力所可及, 敢不殫竭. 自正月十五日始役, 其工匠·人奨三萬五百名, 計人一日三時糧, 比及三朔, 合支三萬四千三百一十二碩五斗. 又正月十九日, 奉省旨云, 忻都官人所管軍四千五百人, 至金州, 行糧一千五百七十碩, 又屯住處糧料及造船監督洪總管[~~洪茶丘~~]軍五百人,[220] 行糧八十五碩, 亦令應副. 又濟州留守官軍幷小邦卒一千四百人, 七箇月糧料, 已支訖, 計二千九百四碩. 及羅州落後奧魯闊端赤軍粮八千碩,[221] 馬料一千三百二十五碩, 悉令小邦支給. 又於至元十年[元宗14年]十二月, 奉省旨, 濟州百姓一萬二百二十三人, 悉行供給, 又比來軍馬糧料, 無可營辦, 凡斂[斂]官民者無算, 又年前, 營造戰艦, 至四月, 大軍入耽羅討賊, 至五月晦還, 故百姓未得趁時耕作, 秋無收穫. 又斂[斂]官民, 始應副造船奨匠及屯住經行軍馬, 與濟州百姓等糧料, 計四萬餘碩. 續有以後金州·全州·羅州屯住軍幷濟州軍民糧料, 供給實難. 又奉省旨, 令小邦, 應副鳳州屯田軍, 各月不敷糧二千四十七碩, 牛糧一千一碩七斗. 然此種田軍, 其農牛·農器·種子, 至乃初年接秋糧, 及至元九年[元宗13年]不敷糧, 已曾支足. 又前年大禾稼, 未曾水損虫傷, 而妄托此言, 冒受省旨, 又令供給, 不敢違忤. 如此飾辭申達, 歲令供給, 罔有期限, 將無柰何. 玆實憫焉, 乞皆蠲免, 以惠遠人”.

三月[戊寅朔大盡,小盡,戊辰], 丙戌[9日], 元遣經略司王總管來,[222] 命發軍五千, 助征日本.[223]

---

220) ~~添字~~는 『고려사절요』 권19에 의거하였다.

221) 奧魯[아우룩]는 蒙古帝國 征戍軍의 家族을 위시한 從僕을 指稱한다. 이들은 男丁이 徵兵되어 出征하면 後方에서 生業에 從事하면서 軍需物資를 준비하여 前方에 공급하였다. 蒙古가 中原을 제압한 후 모든 軍戶는 各路의 奧魯官府의 管轄 下에 들어가 路府州縣 등의 統制를 받지 않았고, 樞密院의 節制를 받았다. 이를 明代에는 老小營으로 漢譯하였다(韓儒林 1985年 4面). 또 闊端赤[kötölchi]은 兵仗器를 들고 隨從하는 從者 또는 말을 끄는 사람인 馬丁을 指稱한다(白鳥庫吉 1929年).

· 『원사』 권99, 지47, 兵2, “其怯薛執事之名, … 侍上帶刀及弓矢者, 曰云都赤·闊端赤”.

時全羅州道, 造船役徒三萬五百餘名, 洪茶丘所領監造軍, 供給不足, 輸東京·晋州道內癸酉年元宗14年祿轉, 與之. 王患徭役之煩, 轉輸之弊, 有防農務, 遣上將軍李汾禧, 往說洪茶丘, 請令分半歸農, 茶丘頗然之. 每一船,[224] 留雙丁五十人, 其餘單丁, 悉放歸農.

壬寅25日, 元遣蠻子媒聘使肖郁來, 中書省牒云, "南宋襄陽府生卷軍人, 求娶妻室, 故差委宣使肖郁, 押官絹一千六百四十叚段, 前去不高麗國, 令有司差官, 一同求娶施行. 肖郁令選無夫婦女一百四十名, 督之甚急".

○於是, 置結昏都監結婚都監. 自是至秋, 窮搜閭井獨女·逆賊之妻·僧人之女, 僅盈其數, 怨咨大興. 例給一女資粧, 絹十二匹, 分與蠻子, 蠻子卽率北還. 哭聲震天, 觀者莫不悽唏.

丙午29日晦, 幸王輪寺.

[是月己卯2日, 元命洪茶丘提點高麗農事:追加].[225]

[□□是時, 元命鳳州經略使忻都·高麗軍民總管洪茶丘, 以千料舟·拔都魯輕疾舟·汲水小舟各三百, 共九百艘, 載士卒二萬五千, 期以七月征日本:追加].[226]

---

222) 王總管은 遼瀋地域에 거주하고 있던 永寧公 王綧(王淳)의 아들 阿剌忙木兒(Ara Temur)로 추측된다(→충렬왕 즉위년 8월 6일의 脚注).

223) 이와 유사한 기사가 중국 측의 자료에서도 찾아지지만, 날짜와 인명에 차이가 있다.

- 『원사』 권208, 열전95, 外夷1, 高麗, "至元十一年三月, 遣木速塔八·撒木合持詔使高麗簽軍五千六百人, 助征日本".
- 『원고려기사』本文, 世祖, 至元, "十一年三月四日, 遣木速塔八·撒木合, 持詔使高麗, 僉軍五千六百人, 助征日本".

224) 每一船은 延世大學本과 東亞大學本에는 每二船으로 되어 있으나 오자일 것이다(東亞大學 2008년 7책 309面).

225) 이는 다음의 자료에 의거하였다.

- 『원사』 권8, 본기8, 세조5, 지원 11년 3월, "己卯2日, 詔以權課農桑諭高麗國王王惿禃, 仍命按撫高麗軍民總管洪茶丘提點農事. … 庚寅13日, 敕鳳州經略使忻都·高麗軍民總管洪茶丘等, 將屯田軍及女直軍, 并水軍, 合萬五千人, 戰船大小合九百艘, 征日本".
- 『원사』 권154, 열전41, 洪福源, 俊奇, "至元十一年三月己卯, 命茶丘提點高麗農事".
- 열전43, 洪福源, 茶丘, "帝又命茶丘提點高麗農事".

226) 이는 다음의 자료에 의거하였다. 또 이들 船舶의 用度는 분명히 알 수 없으나 船名으로 유추해보면 千料舟는 200餘人의 步兵, 또는 各種 武器·軍糧 등과 같은 貨物의 積載가 가능한의 輸送船으로, 拔都魯輕疾舟는 전투병을 탑재한 小型의 高速上陸艇 또는 艨衝船으로, 그리고 汲水小舟는 給水, 각종 補給品을 調達하던 소형선으로 각각 추정된다(川越泰博 1978年 164面 ; 佐伯弘次 2003年 ; 井上隆彦 1995年).

- 『원사』 권208, 열전95, 外夷1, 日本, "至元十一年三月, 命鳳州經略使忻都·高麗軍民總管洪茶丘, 以千料舟·拔都魯輕疾舟·汲水小舟各三百, 共九百艘, 載士卒一萬五千, 期以七月征日本".

夏四月[丁未朔小盡,己巳], 戊申[2日], 幸普濟寺.

己酉[3日], 元遣完顏阿海, 漕運米二萬碩來, 助軍糧. 去年以民飢, 告糴于元, 帝命運東京米, 以賑之, 水路阻遠, 至是乃來.

[○虎晝入京城:五行2轉載].

丙辰[10日], 幸賢聖寺.

○元遣汝龍于思, 賫絹三萬三千一百五十四匹來, 貿軍粮. 王卽置官絹都監, 分給京外大小人民, 王京四千五十四匹, 忠淸道四千匹, 慶尙道二萬匹, 全羅道五千匹, 以市之, 每絹一匹, 直米十二斗.

甲子[18日], 遣諫議大夫郭汝弼如元, 上表曰, "小邦地褊人稀, 兵農無別, 加以凋殘已甚. 故往者, 耽羅赴征兵卒·蒿師[~~篙師~~], 今又悉赴造船之役, 今東征兵卒·梢工, 亦當就向件役哭而調出耳. 洪茶丘移書金方慶云, '船三百隻, 梢工·水手一萬五千人, 預先備之'. 其數甚多, 豈可止用小邦人而足矣? 元來所管濟州·東寧府·北界諸城人與夫西海道, 避役亡在東寧府者, 皆能習水, 又工把船, 乞令幷刷補之. 又自庚午年[元宗11年]以來, 至今五年, 供軍糧餉, 早曾乏絶. 今此造船哭匠及監造官等三萬五百人, 種田軍·洪總管[洪茶丘] 軍·濟州留守軍等糧米, 專取兩班祿俸及諸賦稅, 尙未充給. 又歛[~~斂~~]中外官民, 而罄竭無餘. 特蒙聖慈, 漕運二萬碩米, 以補軍食, 擧國感戴, 又蒙聖恩, 優賜粮價絹匹, 報謝無階. 然以累次征役, 中外公私旣竭, 又因造船, 農務失時, 貨絹峙糧, 恐不如意".

[→遣諫議大夫郭汝弼如元, 上表曰, "向者, 洪茶丘移書金方慶曰, '船三百艘, 梢工·水手一萬五千人, 宜先備之.' 小邦地褊人稀, 加以喪亂. 往者征耽羅, 兵卒蒿師悉赴造船之役, 今征日本之師, 將於何出. 小邦北界諸城及西海道逋租之民, 往投東寧府者, 皆習操舟, 請悉刷還, 以補軍額. 又自庚午[元宗11年]至今五年, 供軍糧餉, 早曾乏絶, 今此造船屯田及洪摠管軍濟州留守軍糧, 悉令陪臣及百姓供給, 尙不能繼. 特蒙聖慈, 運米二萬碩以補之, 又賜糧價絹匹, 報謝無階, 然公私旣竭, 又因造

· 『국조문류』 권41, 經世大典, 政典, 征伐, 日本, 本文, "[至元]十年[~~十一年~~], 忻都·洪茶丘, 以二萬五千人, 征之, 第虜掠而歸"[注, [至元]十年[~~十一年三月~~], 命鳳州經略使忻都·高麗軍民總管洪茶丘, 以千料舟·拔都輕疾舟·汲水小舟各三百, 共九百艘, 載士卒二萬五千, 伐之]. 여기에서 ~~添字~~가 추가되어야 할 것이다.

· 『夢粱錄』 권12, 江海船艦, "浙江, 乃通江渡海之津道, 且如海商之艦, 大小不等, 大者五千料, 可載五六百人, 中等二千料至一千料, 亦可載二三百人, 餘者謂之鑽風, 大小八櫓, 或六櫓, 每船可載百餘人, 此網魚賣買, 亦有名三板船".

船, 農失其業, 貨絹峙糧, 恐不如意:節要轉載].

[是月戊午12日, 牙州東深寺大師中幹等造成'牙州鷲峯寺阿彌陀佛坐像一軀':追加].[227]

五月丙子朔大盡,庚午, 庚辰5日, 賜朱錠等及第.[228]

丙戌11日, 世子諶尙帝女忽都魯揭里迷失公主.[229] [母曰阿速眞可敦:列傳2忠烈王妃齊國大長公主轉載].[230]

己丑14日, 元征東兵萬五千人來.

壬辰17日, 幸本闕, 醮十一曜, 禱雨.

丙申21日, 命知樞密院事宋松禮·樞密院副使奇蘊·鷹揚軍上將軍金光遠, 加僉征東軍. [各領府, 爭捕東班散職人及白丁以告, 或誤捕私奴者:節要·兵1五軍轉載].

庚子25日, [小暑]. 元遣使□來, 詔勸課農桑, 儲峙軍糧, 仍命洪茶丘, 提點農事.[231]

[是月, 旱:五行2轉載].

---

227) 이는 서울시 城北區 安巖洞 5街 157番地에 위치한 開運寺에 소장된 牙州 鷲峯寺의 木造阿彌陀佛像(보물 제1649호) 腹藏遺物(서울시 유형문화재 제291호)의 發願文에 의거하였다(文明大 1996년 ; 南權熙 2002년 504面 ; 崔聖銀 2013년 278面 ; 鄭恩雨 等編 2017년 75面).
· 發願文, "奉 佛弟子南贍部洲高麗國東深接大師中幹,願」 弟子幸得人身,得丈夫身,投僧出家,慶幸可」 量,然愚陪所覆,行不如志,彷徨中間者,可勝言哉,」 是以去愛,所持馬焦金,塗古寺毁」 無量壽佛,所志先亡父母六親,盡脫苦纏,俱生」 安養,又願弟子,以今終時,忝」 佛接引,直至西方,不墜六趣尒,」 至元十一年甲戌四月十二日 誌」".

228) 이와 관련된 기사로 다음이 있다. 이때 朱錠·許有全 등이 급제하였다(『등과록』, 朴龍雲 1990년).
· 지27, 선거1, 科目1, 選場, "元宗十五年五月, 中書侍郞平章事兪千遇知貢擧, 同知樞密院事張鎰同知貢擧, 取進士, 庚辰, 賜朱錠等二十五人·明經一人·恩賜三人及第".

229) 世子 諶이 燕京에서 世祖의 딸 忽都魯揭里迷失(忽篤憽里迷思, 忽都魯堅迷失, Qutulug Genmisi)과 婚姻한 날이 『원사』에서는 5월 21일(丙申)로 되어 있으나, 고려 측의 자료를 바탕으로 편찬된 것으로 추측되는 『元高麗紀事』에서는 11일로 되어 있다.
· 『원사』 권8, 본기8, 세조5, "至元11年五月丙申, 以皇女忽都魯揭里迷失, 下嫁高麗世子愖諱".
· 『원사』 권208, 열전95, 外夷1, 高麗, "至元11年五月, 皇女忽都魯揭里迷失, 下嫁于世子愖諱".
· 『원고려기사』本文, 至元 11년, "五月十一日, 公主忽都魯怯里迷石, 降于世子愖諱".
· 『국조문류』 권41, 잡저, 정전총서, 정벌, 고려[注, 至元十一年五月, 公主下降於愖諱, 後名賰, 又名昛].

230) 阿速眞可敦[Asujin Katun]은 世祖 쿠빌라이[忽必烈]의 後宮으로 추측되지만, 어떠한 女人인지는 알 수 없다. 이를 코카서스[Caucasus]의 북쪽 지역의 이란계 아수[Asu]族 출신의 여인으로 보는 견해도 있다(朱采赫 2011년 243面).

231) 이 기사는 지33, 식화2, 農桑에도 수록되어 있다. 또 洪茶丘가 몽골제국에서 提點農事에 임명된 것은 3월 2일(己卯)이었다(→是年 3월 끝부분).

六月丙午朔小盡,辛未, 己酉4日, 王不豫, 大赦境內, 除不忠·不孝外, 死罪皆宥之.

辛酉16日, 遣大將軍羅裕如元, 上中書省書曰, "今年正月三日, 伏蒙朝旨, 打造大船三百艘, 卽行措置, 遣樞密院副使許珙於全州道邊山, 左僕射洪祿遵於羅州道天冠山, 備材. 又以侍中金方慶爲都督使, 管下員將亦皆精揀, 所須栞匠·物件, 並於中外差委, 催督應副. 越正月十五日聚齊, 十六日起役, 至五月晦, 告畢, 船大小幷九百隻造訖, 合用物件, 亦皆圓備. 令三品官能幹者, 分管迴泊, 已向金州. 伏望諸相國, 善爲敷奏".

癸亥18日, 王薨于堤上宮, 在位十五年, 壽五十六.232) 遺詔曰, "朕以凉德, 叨守宗祧, 十有五年, 迺緣負重, 遘疾彌留, 未堪持守. 曰惟大寶, 不可暫虛, 惟予元子, 元良之德, 蔚於人望, 睿哲之性, 禀自天成. 今在上朝, 未獲親命, 凡爾臣民, 聽受嗣王之命, 無墜前寧之烈. 易月之服, 三日而除, 山陵制度, 務從儉約. 藩鎭州牧, 毋得越疆, 遵奉朝廷哀制, 至於科擧·婚姻, 一切如舊. 咨爾輔相大臣, 越厥庶士, 無以死傷生, 一乃心力, 保定邦家". 又上遺表于元, 且言世子諶, 孝謹, 可付後事.

甲子19日, 百官上謚曰順孝, 廟號元宗. 九月乙酉12日, 葬韶陵.233) 忠宣王二年七月乙未20日 元贈謚忠敬.234)

史臣贊曰, "元宗之爲世子也, 權臣專權, 恣行不義, 畏上國討罪, 不樂內附. 蒙古之兵, 連年壓境, 中外騷然. 王承父王之命, 親朝上國, 摧伏權臣跋扈之志, 遂使疽背而死. 又阿里孛哥, 以憲宗嫡子, 阻兵上都, 世皇以藩王, 在梁楚之郊, 而乃能識天命·民心之去就, 舍近之遠. 世皇嘉之, 至以公主, 歸于王子. 自是, 世結舅甥之好, 使東方之民, 享百年昇平之樂, 亦可尙也. 但其三別抄內叛, 侵掠州郡, 元遣將帥, 求索無已. 是宜宵旰圖治之日也, 顧乃溺於宴安, 以致媵嬙, 蠱其心志, 閹人專其出納, [未免洪子藩之譏:節要轉載]. 惜哉".

[仁同人 張東翼 校注, 增補].

232) 元宗이 崩御한 날을 6월 19일(甲子)로 기록한 것도 있다. 이날(18日)은 율리우스曆으로 1274년 7월 23일(그레고리曆 7월 30일)에 해당한다.
· 『익재난고』 권9상, 忠憲王世家, "元宗十五年六月十九日, 薨, 壽五十六, 在位十五年".

233) 韶陵은 開城市 龍興洞에 있다(보존급유적 562호, 洪榮義 2018년).

234) 이때의 制書는 몽골제국의 翰林學士承旨 王構(1245~1310)가 撰하였고, 이는 『국조문류』 권12, 高麗國王封祖父母이고, 이의 일부는 『익재난고』 권9상, 忠憲王世家에 수록되어 있다(→충선왕 2년 7월 20일).

新編高麗史全文

세가7책 원종

초판 1쇄 인쇄 | 2023년 05월 23일
초판 1쇄 발행 | 2023년 05월 30일

지은이 | 張東翼
발행인 | 한정희
발행처 | 경인문화사
편집부 | 김지선 유지혜 한주연 이다빈 김윤진
마케팅 | 전병관 하재일 유인순
출판번호 | 제406-1973-000003호
주소 | 경기도 파주시 회동길 445-1 경인빌딩 B동 4층
전화 | 031-955-9300 팩스 | 031-955-9310
홈페이지 | http://www.kyunginp.co.kr
이메일 | kyungin@kyunginp.co.kr

ISBN 978-89-499-6712-7 94910
978-89-499-6754-7 (세트)
값 16,000원

*파본 및 훼손된 책은 교환해 드립니다